学生艺术素质水平测试 指定教材

民谣吉他
考级标准教程

（第三版）

FOLK GUITAR STANDARD INSTRUCTION　王鹰 马鸿 编著

作者简介

王鹰

吉他演奏家、教育家，四川音乐学院民谣吉他考级主考官，先后担任中国吉他学会副理事长和四川省吉他学会会长。

1969 年生于成都，1990 年毕业于北京第二外国语学院西班牙语专业。1995 年推出首部专著《吉他弹唱实用技法》，书中所倡导的全新的吉他和声编写理念在国内引起轰动，该书亦被誉为我国吉他教育史上最具影响力的著作之一。

至今，他已编写、出版了 20 多部吉他教学专著，在全国拥有学生及读者数十万人。

马鸿

1992 年毕业于同济大学，曾组建"紧张"乐队，任主音吉他手并负责乐队编曲。近年来与王鹰联袂编撰了20多部吉他教学专著，深受全国吉他爱好者的推崇。代表作有《吉他弹唱实用技法》、《齐秦十年金曲回顾》、《民谣吉他大教本》、《民谣吉他新教程》等。

考级须知

一、本书中的曲目是四川音乐学院民谣吉他考级唯一的指定标准。

二、报名时间：每年 6 月 21 日至 30 日，考试时间为 7 月中旬。

二、报名地点：四川音乐学院内（新生路 6 号）。

三、发证机关：四川音乐学院

　　　　　　　四川省音乐家协会

　　　　　　　四川省艺术研究院

四、报名者须交照片三张（黑白、彩色均可）。

五、报名者须从《民谣吉他考级标准教程（第三版）》中选择曲目一首参加测试。

六、可以根据各自音域降弦或使用变调夹，但左、右手指法必须严格照谱弹奏。

七、本书中的技巧讲解和曲目示范已陆续上传至 www.wyguitar.com（王鹰吉他网），大家可以登录后免费视听。

八、从 2014 年起开始执行《民谣吉他考级标准教程（第三版）》中的新标准。

编　者

二〇一三年十月

第三版序言

《民谣吉他考级标准教程》面世之后，受到了吉他教师和爱好者的普遍欢迎，全国数百个吉他培训中心和社团把本书作为民谣吉他教学的唯一教材，很多省份也以它作为吉他弹唱考级的标准。广大教师反映，以前教弹唱没有大纲，除了一两个月的短训班，后面的教学不知从何下手，现在则很系统了。在大家的鼓励和鞭策之下，我们把该书作了两次修订，除了改正印刷错误外，也与时俱进，调整了部分曲目。

本书不仅仅是一本弹唱曲集，更是学习吉他弹唱的必备教科书。它不但秉承了王鹰教材易教易学、原汁原味的一贯风格，还有以下的一些特点：

一、课程合理。国内的吉他教学大都从 C 调开始，这是套用钢琴的教学方法，因为在钢琴上 C 调没有黑键，最容易演奏。而我们多年的教学经验证明，吉他入门时最容易演奏的是 A 调，因为它的主要和弦的根音都是空弦，而且手指间的跨度都在两品之内，还没有横按。《标准教程》的课程是以弹唱的难易程度而不是以调性的顺序来安排，这样，吉他的学习会更加合理、轻松。

二、风格多元。"民谣吉他"不仅仅限于流行歌曲的弹唱，它应该涵盖更加丰富的内容。《标准教程》讲授了包括 Pop、Folk、Country、Rock、R&B、Blues、Jazz 等各种风格的音乐，并使之同"弹唱"融为一体，让爱好者对吉他的认识上升到了一个新的高度。

三、曲目丰富。考级曲目包括了各种风格的音乐：中文和英文歌兼顾，经典与现代作品并行。初、中级曲目注重趣味性——《传奇》、《江南》、《隐形的翅膀》等经过重新编配，变得好听好弹又不落俗套；高级曲目则强调权威性——《Tears in Heaven》、《普通朋友》、《Dream a Little Dream》、《她来听我的演唱会》都是将原曲用两把吉他演奏的声部编在一把琴上，这需要过硬的技巧才能完成。

四、定级科学。对于民谣吉他考级，目前有两种错误观点：一是"唯弹论"，另一种是"唯唱论"。前者只重视演奏，好像是在考古典；后者只强调演唱，如同是在考声乐。其实，吉他弹唱的主要难点就在于"弹"与"唱"的配合。比如在《标准教程》中，平常大家都认为很简单的《那些花儿》是六级而不是四级曲目，那是因为这首歌的伴奏音型是 Ragetime 的感觉，分解和弦的重音会连续变化，自弹自唱其实并不容易。类似的例子还有《外面的世界》，它的民谣版和爵士版难度也相差很大，所以前者定在八级而后者定在十级。

很多同学在问，弹唱需要考级吗？我们认为，弹唱是自娱自乐，大家都不希望有条条框框的束缚。一首歌会有或简单或复杂的多种编配方法，而且可能都没有错。不过，如果是基于出唱片或者是上舞台，则还是有可听性强弱的区别。有的编配的确好听又好弹，不过大部分好听的曲子都需要扎实的基本功和完美的弹唱配合才能完成。我们制定这个标准的目的不单单是鼓励大家考级，更重要的是提供一个验证各位弹唱水平的参考工具。

再次感谢大家的热情支持，最后再拜托一句：请支持正版！

大家如果学琴中有疑问，可以致电"王鹰吉他艺术中心"，我们将逐一解答。

联系电话：(028)85444400　85124512　88822211

王鹰吉他新浪微博：http://weibo.com/wyguitar

王鹰　马鸿

2013 年 10 月

目录

乐　理　技　巧

第一章　吉他常识………………………………………………………………… (1)
　一、认识吉他 ……………………………………………………………………… (1)
　二、吉他的种类 …………………………………………………………………… (2)
　三、吉他的选购 …………………………………………………………………… (2)
　四、选购高档民谣吉他的几个常识 ……………………………………………… (3)

第二章　乐理初步………………………………………………………………… (4)
　一、简　谱 ………………………………………………………………………… (4)
　二、六线谱 ………………………………………………………………………… (6)

第三章　吉他演奏的动作要领…………………………………………………… (8)
　一、持琴姿势 ……………………………………………………………………… (8)
　二、指弹法 ………………………………………………………………………… (8)
　三、拨片法 ………………………………………………………………………… (9)
　　（一）Pick 的握法 ……………………………………………………………… (9)
　　（二）Pick 的弹法 ……………………………………………………………… (9)
　四、空弦练习 ……………………………………………………………………… (10)

第四章　单音练习………………………………………………………………… (11)
　一、十二平均律 …………………………………………………………………… (11)
　二、C 调音阶 ……………………………………………………………………… (11)
　三、左手按弦的要领 ……………………………………………………………… (12)
　四、单音练习 ……………………………………………………………………… (12)

第五章　调　弦 ··· (16)

一、五品调弦法 ··· (16)

二、标准音调弦法 ·· (17)

三、泛音调弦法 ··· (18)

四、检查调弦的效果 ·· (18)

第六章　开始弹唱 ··· (19)

小草（片断）··· (19)

●二　级 ··· (20)

乐理知识 ·· (20)

（一）简谱基本符号 ·· (20)

（二）节拍与节奏 ··· (29)

（三）和　弦 ··· (30)

技巧训练 ·· (31)

曲目分析 ·· (32)

●三　级 ··· (38)

乐理知识 ·· (38)

和弦入门 ·· (38)

技巧训练 ·· (39)

半音阶练习 ··· (39)

曲目分析 ·· (41)

●四　级 ··· (46)

乐理知识 ·· (46)

（一）C大调的顺阶和弦 ··································· (46)

（二）和弦图解 ·· (47)

（三）主和弦、属和弦及下属和弦 ····················· (47)

（四）C大调中基本的和弦进行 ························· (48)

（五）C大调 ··· (48)

（六）a小调 ·· (48)

（七）关系调 ……………………………………………………………………… (49)

（八）C 调歌曲中和弦的简单配置 …………………………………………… (49)

（九）属七和弦 …………………………………………………………………… (50)

技巧训练 ……………………………………………………………………………… (51)

（一）左手独立性训练 …………………………………………………………… (51)

（二）快速换和弦的诀窍 ………………………………………………………… (51)

（三）简单的独奏 ………………………………………………………………… (52)

曲目分析 ……………………………………………………………………………… (53)

● 五 级 ………………………………………………………………………………… (63)

乐理知识 ……………………………………………………………………………… (63)

（一）常用的节奏 ………………………………………………………………… (63)

（二）G 大调和弦的级数 ………………………………………………………… (67)

（三）大七和弦与小七和弦 ……………………………………………………… (69)

技巧训练 ……………………………………………………………………………… (70)

（一）大横按 ……………………………………………………………………… (70)

（二）分解和弦训练 ……………………………………………………………… (71)

（三）扫弦技巧 …………………………………………………………………… (72)

（四）常用的扫弦节奏型 ………………………………………………………… (73)

曲目分析 ……………………………………………………………………………… (73)

● 六 级 ………………………………………………………………………………… (94)

乐理知识 ……………………………………………………………………………… (94)

（一）移 调 ……………………………………………………………………… (94)

（二）新的调号与和弦 …………………………………………………………… (95)

（三）功能和弦 …………………………………………………………………… (97)

（四）"挂二"与"加九" ………………………………………………………… (98)

技巧训练 ……………………………………………………………………………… (99)

（一）连 音 ……………………………………………………………………… (99)

（二）在分解和弦中使用连音 ………………………………………………… (103)

（三）滑音技巧 ………………………………………………………………… (106)

（四）带附点或切分音的节奏型 ……………………………………………… (107)

（五）快速节奏 ………………………………………………………………… (108)

（六）"切音"的概念与记号 …………………………………………………… (111)

（七）变调夹的使用技巧 ……………………………………………………… (113)

曲目分析 …………………………………………………………………………… (114)

●七 级 ··· (141)

乐理知识 ·· (141)
常用的和弦技巧 ··· (141)

技巧训练 ·· (142)
（一）制音、闷音 ··· (142)
（二）泛 音 ··· (146)
（三）打 板 ··· (148)
（四）特殊定弦 ··· (148)

曲目分析 ·· (151)

●八 级 ··· (172)

乐理知识 ·· (172)
和弦总论 ··· (172)

技巧训练 ·· (179)
（一）扒 带 ··· (179)
（二）Travis 奏法（三指法） ······································ (181)

曲目分析 ·· (182)

●九 级 ··· (208)

乐理知识 ·· (208)
（一）怎样为吉他伴奏配和弦 ······································ (208)
（二）和弦功能详解 ··· (210)

曲目分析 ·· (213)

●十 级 ··· (239)

乐理知识 ·· (239)
（一）爵士概论 ··· (239)
（二）爵士的和声特色 ··· (240)

技巧训练 ·· (242)
Bossa Nova ··· (242)

曲目分析 ·· (243)

考 级 曲 目

● 二 级

两只老虎 ……………………………………………………………… 美国民歌 (33)

新年歌 ………………………………………………………………… 外国民歌 (34)

红河谷 ……………………………………………………………… 加拿大民歌 (35)

传 奇 ………………………………………………………………… 王 菲 演唱 (36)

● 三 级

四季歌 ………………………………………………………………… 日本民歌 (42)

送 别 ………………………………………………………………… 外国民歌 (43)

生日歌 ………………………………………………………………… 美国民歌 (44)

嘀 嗒 ………………………………………………………………… 侃 侃 演唱 (45)

● 四 级

友谊地久天长 ……………………………………………………… 苏格兰民歌 (54)

雪绒花 ………………………………………………………………… 美国歌曲 (55)

隐形的翅膀 ………………………………………………………… 张韶涵 演唱 (57)

你知道我的迷惘(真的爱你) …………………………………… beyond 乐队 演唱 (59)

阳光总在风雨后 …………………………………………………… 许美静 演唱 (61)

● 五 级

如果没有你 ………………………………………………………… 李代沫 演唱 (74)

丁香花 ……………………………………………………………… 唐 磊 演唱 (76)

春天里 ……………………………………………………………… 汪 峰 演唱 (79)

飞得更高 …………………………………………………………… 汪 峰 演唱 (82)

有没有人告诉你 …………………………………………………… 陈楚生 演唱 (85)

我真的受伤了 ……………………………………………………… 张学友 演唱 (88)

童 年 ……………………………………………………………… 罗大佑 演唱 (90)

蓝莲花 ……………………………………………………………… 许 巍 演唱 (92)

● 六 级

家 乡 ……………………………………………………………… 韩 红 演唱 (115)

夜夜夜夜 …………………………………………………………… 齐 秦 演唱 (118)

后 来 ……………………………………………………………… 刘若英 演唱 (121)

明天我要嫁给你 …………………………………………………… 周华健 演唱 (125)

对面的女孩看过来 ································ 任贤齐 演唱 (127)

那些花儿 ···································· 范玮琪 演唱 (130)

晴 天 ······································ 周杰伦 演唱 (133)

江 南 ······································ 林俊杰 演唱 (137)

● 七 级

十 年 ······································ 陈奕迅 演唱 (152)

怕黑的女人 ································· 田 震 演唱 (155)

Scarborough Fair ························· by Simon & Garfunkel (157)

电台情歌 ···································· 莫文蔚 演唱 (159)

彩 虹 ······································ 羽·泉 演唱 (163)

我愿意 ······································ 王 菲 演唱 (166)

遇 见 ······································ 孙燕姿 演唱 (169)

● 八 级

外面的世界（民谣版） ···················· 齐 秦 演唱 (183)

寂寞的季节 ································· 陶 喆 演唱 (187)

没那么简单 ································· 黄小琥 演唱 (189)

至少还有你 ································· 林忆莲 演唱 (193)

红 豆 ······································ 王 菲 演唱 (196)

蜗 牛 ······································ 周杰伦 演唱 (198)

写一首歌 ···································· 顺 子 演唱 (200)

旅行的意义 ································· 陈绮贞 演唱 (205)

● 九 级

爱 情 ······································ 莫文蔚 演唱 (214)

梦醒了 ······································ 那 英 演唱 (218)

轨 迹 ······································ 周杰伦 演唱 (222)

寒 雨 ······································ 齐 秦 演唱 (226)

勇 气 ······································ 梁静茹 演唱 (230)

表面的和平 ································· 陈绮贞 演唱 (233)

Tears in Heaven ························· by Eric Claptom (236)

● 十 级

Dream a Little Dream ···················· by Laura Fygi (244)

她来听我的演唱会 ························ 张学友 演唱 (247)

外面的世界（爵士版） ···················· 齐 秦 演唱 (251)

普通朋友 ···································· 陶 喆 演唱 (255)

旋 木 ······································ 王 菲 演唱 (259)

第一章 吉他常识

一、认识吉他

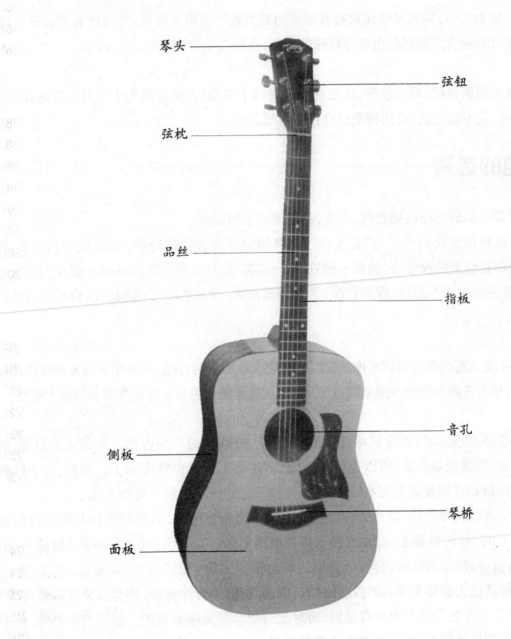

琴头

弦钮

弦枕

品丝

指板

音孔

侧板

琴桥

面板

二、吉他的种类

　　吉他是世界上最流行的乐器，它可以演绎任何风格的音乐作品，拥有一个庞大的家族。风格最严谨、技巧最高深的为古典吉他，它所使用的是尼龙弦。从优雅的小品到宏大的协奏曲，从改编的巴赫作品到帕格尼尼随想曲，从巴洛克时期的复调音乐到现代的无调性作品，古典吉他都能够胜任。

　　电吉他一般为实心，它靠琴弦切割拾音器里的磁力线产生声音信号，并通过专用音箱发声。电吉他可以通过专业效果器创造出各种特殊的音色，现场效果非同凡响。

　　民谣吉他采用钢丝弦，琴颈较窄，从弦枕到琴身共十四品（古典吉他为十二品），有的琴箱上还有一个护板。它不仅能独奏，还特别适合自弹自唱。

三、吉他的选购

　　学习吉他弹唱最好选择民谣吉他，当然，这里面的学问很多。

　　最低档的那种吉他我们称之为"普及琴"，它有类似古典吉他的外型，却又使用钢丝弦，面板、背板、侧板都是最差的胶合板，价格一般在100～200元人民币。我们不建议朋友们选用这类吉他，它的音色优劣自不必说，假如音准、手感偏差过大，会给你学琴的积极性造成毁灭性的打击。

　　经济条件不太宽裕的朋友可以考虑千元以下的胶合板的民谣吉他，一来便于培养弹民谣吉他的感觉（民谣吉他与古典吉他的手感差别很大），二来这种琴的音色也比普及琴更容易被人接受。

　　无论初学者还是进阶者，都应该尽量考虑1000至3000元的单板吉他。单板吉他的背、侧板虽然是胶合木，但面板是实木，所以也被称为"面单吉他"，声音也结实多了。当然，有条件的朋友应该选择面板和背侧板都是实木的"全单板吉他"，它的价格从数千至数万元。

　　对于大部分吉他爱者来说，国产或者合资的琴价格更实惠一些，其实很多世界名牌吉他都是中国工厂代工的，目前世界上80%的吉他都是中国制造。Tommy（托米）、trees（树牌）、Andalucia（安达露西亚）都是不错的选择。

　　初学者不要自己去商场买琴，最好找一位有经验的吉他手帮你挑选，因为即使同一价位、同一品牌、同一型号的琴在品质上也会有差别，而对此初学者是无法鉴别的。如果没有老师，那不妨到你所在城市的乐器行去，那里的工作人员往往具有比较丰富的演奏经验，你可以把自己的心理价位告诉他们，请他们来帮你做出选择。

如何选挑选电箱吉他

初具水准的吉他手(达到《民谣吉他标准考级教程》中规定的五级水平)就应该学会使用电箱吉他。这不仅仅是因为合格的电箱吉他会发出更大更美的声音,更重要的是吉他经过扩音之后变得非常敏感,你演奏中任何一个细微的失误都会暴露无遗。另外就更不用说了,学吉他的人都是喜欢展示自己的,每个吉他歌手都要尽早培养舞台的感觉!

除了吉他本身的因素之外,拾音器对电箱琴的音色也起着决定性的作用。

常用的拾音方式有以下几种:

1. 话筒式

直接通过声波传送声音信号,声音最自然真实,录音棚对木吉他拾音基本上采取这种方式。不过它对环境要求很高,特别是灵敏度很高的电容话筒,如不做好隔音吸音,就无法达到满意的效果。所以,这种方式不适合普通的演出。

2. 压电式

采集下弦枕的振动信号,装换成声音信号。拾音条被安置在琴桥下面,琴弦的震动通过琴桥传送到拾音器,转换之后发送到扬声设备。它的优点是声音的颗粒性强,可以清晰地表现你在琴弦上演奏的每个细节,缺点是音色有些呆板,如果使用低档的拾音系统,更容易失真,使木吉他有较浓的"电味"。这种拾音器一般会在吉他侧板上开孔,安装前级系统来调节 eq 和音量,对吉他本身的音色有一定损害。

另外,安装在琴体内部的尾钉拾音器,也是压电式的一种,但它不会破坏琴体,近年来比较流行。不过无法调节 eq 和输出大小,还是有些遗憾。

3. 接触式

一般安装在音孔边,接触吉他内部面板,这样可以得到比较自然的声音。这种拾音器自带可以调节 eq 和音量的前级,而且是吸附在音孔附近,不会破坏琴体,所以深受大家喜爱。

4. 音孔式

形状类似电吉他的拾音器,直接夹在音孔上,采集琴弦震动的信号,再转换成声音信号。这种拾音器不需要安装,而且从一把吉他上取下马上就可以用于另一把吉他,携带方便,音色也很还原。音色比较突出的是芬兰 B－BAND 公司的 MAGGIE 音孔拾音器。它有被动式和主动式两款,前者音色还原性好,但因为不用电池,故无法调节音量,价格在 600 上下;后者不但自带前级,还采用了双拾音系统,内置一个麦克风采集打板的声音,价格稍高,在 1000 出头。

5. 混合式

几种拾音方式的混合。如压电式＋话筒、压电式＋音孔内置话筒、UST＋AST 等等,它对使用者的调试经验有较高要求。

总之,工欲善其事,必先利其器,祝大家早日拥有属于自己的舞台!

第二章　乐理初步

初学吉他弹唱不必研究太深奥的理论，不过最基本的乐理知识我们还是应该了解一点，至少要能读一点简单的乐谱吧。

一、简　谱

简谱具有通俗易懂、方便快捷的特点，掌握基本的简谱知识是学习吉他弹唱的基础。

简谱符号	1	2	3	4	5	6	7
音　　名	C	D	E	F	G	A	B
唱　　名	Do	Re	Mi	Fa	Sol	La	Si

通俗地说，"音名"就是这个简谱符号的名称；"唱名"则告诉你这个"音名"是如何被人唱出来的，它不但包括了该音名的发音，还表示了音的高低。

很多朋友在平时谈论音乐时往往只注意了第一个因素而忽视了第二个因素，比如提到"2""4""6"三个音时，他往往把"Re""Fa""La"这几个发音念得很标准，而对这三个音之间的高低关系却忽略不顾。这是一个不太好的习惯。应该知道，你所表达的是"音乐"而不是在念单词，否则长此以往会影响自己的乐感。正确的方法是：认认真真地把"Re""Fa""La"之间的音高关系也读（唱）出来。

有时候，人们会在基本符号的上面标记一个小圆点，这个音被称为"高音"；同样，在基本符号下面加一个小点，这个音便被称为"低音"，不带点的基本符号叫"中音"。如：

1 2 3 4 5 6 7	1 2 3 4 5 6 7	1 2 3 4 5 6 7
低　音	中　音	高　音

当我们知道了一个音的唱名为"Sol"，并能把"Sol"的音高唱准，是否就意味着我们已经正确地把这个音唱好了呢？还不能！因为我们还必须唱准这个音的长短，即"时值"。

在简谱中，表示时值的基本符号叫"四分音符"，如"1""3""5""6"等；在四分音符的下面加一条短横线它就变成了"八分音符"，如："1""3""5""6"等；加两条短横线的叫"十六分音符"，有三条短横线的叫"三十二分音符"。

在四分音符后面，如果加一条短横线，这个音符就叫"二分音符"，如"5 -""2 -""6 -"等；加三条短横线，该音符被称为"全音符"。

现列表如下（以"Sol"为例）：

全音符	二分音符	四分音符	八分音符	十六分音符	三十二分音符
5 - - -	5 -	5	5̲	5̳	5̳

音符的时值采用二进制，即两个三十二分音符等于一个十六分音符，两个十六分音符等于一个八分音符，两个八分音符等于一个四分音符，两个四分音符等于一个二分音符，两个二分音符等于一个全音符。

在实际运用中，时值的计算单位是"拍"，为了便于讲解，我们暂定一个四分音符就是"一拍"。如"5"为一拍，"5 -"为二拍，"5 - -"为三拍，"5̲"为半拍，"5̳"为四分之一拍。

一拍到底有多长呢？其实它可快可慢，比较严谨的乐谱都标明了拍速，即每分钟应该弹多少拍。为了便于初学者理解，大家可以将自己每心跳一次的时间界定为"一拍"的时值。

许多吉他爱好者练琴多年，技巧已经初具水平，能够流畅地变换和弦并弹奏 Solo，但由于缺乏节拍方面的训练，拍速会忽快忽慢。演奏时，他自己感觉不到，听众却非常不舒服，与他合作的拍档更是不知所措。想成为一个好的吉他手，一开始就应当高度重视节拍的训练。如果连基本节拍都不过关，今后过渡到节奏训练时，面对一些高难度的节奏你将无从下手。

建议各位都购买一个节拍器。节拍器能给你一个准确的"步点"，使你在练习时心中有数，不抢拍子也不拖拍子。刚开始可以用脚跟着节拍器打拍子，手上弹一拍脚下同时打一拍。打拍子的时候，脚上的频率应该是固定的，但初学者手和脚的协调性差一些，脚会跟着手的动作跑，这是正常现象，不必着急。只要加强训练，一切都会水到渠成。

　　市面上的节拍器主要有机械式和电子式两种，价格从一百多元到数百元不等。大家可以选择电子节拍器，它的体积小巧，便于携带，一些国产的品牌还不到两百元。

二、六线谱

　　作为最流行的乐器，吉他有它专门的记谱法。目前，全世界通行一种叫"TAB"的记谱方法，它专为吉他而设计，一目了然。例如：

　　看六线谱就如同我们俯视一把琴头朝左放置的吉他，最上面是吉他最细的第①弦，最下面是最粗的第⑥弦。六线谱上的阿拉拍数字表示的则是这根弦上相应的品位，"0"表示空弦。例如上谱的意思是：右手依次弹第④弦的空弦、第③弦的第二品、第②弦的第三品、第①弦的第一品。

1. 六线谱中音符时值的表示方法（×为任意音高的音符）：

音　符	全 音 符	二 分 音 符	四 分 音 符	八 分 音 符	十六分音符
简　谱	X - - -	X -	X	X	X
六线谱	↑ - - -	↑ -	↑	↑	↑

2. 六线谱中休止符的表示方法：

休 止 符	全 休 止 符	二 分 休 止 符	四 分 休 止 符	八 分 休 止 符	十六分休止符
简　谱	0 0 0 0	0 0	0	0	0
六线谱	▬	▬	ξ	7	7

3. 六线谱中附点休止符的表示法：

名　称	四分附点休止符	八分附点休止符	十六分符点休止符
简　谱	0.	0.	0.
六线谱	ξ 7	7 7	7 7

4. 和弦图：

和弦图标在六线谱的上方，如同一把琴头朝上放置的吉他，它记录的是和弦的按法。分解和弦的指法在六线谱中用"×"表示，它告诉你右手各指应如何按顺序和时值弹奏不同的琴弦。

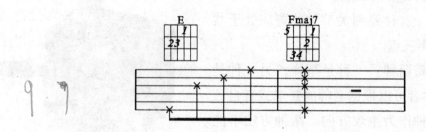

上图第一小节表示左手按 E 和弦，右手依次弹⑥③②①弦。和弦图中的 1、2、3 分别代表左手的食指、中指和无名指。在第二小节中，不同弦上的"×"上下对齐，表示这几个音要同时弹响。

5. 其他符号：

> ：Accent 重音

Δ：在此动作换和弦

p：右手拇指

i：右手食指

m：右手中指

a：右手无名指

4：左手小指

5：左手拇指

第三章　吉他演奏的动作要领

一、持琴姿势

　　吉他弹唱追求一份随意洒脱，持琴的姿势也要求轻松自然，我们称之为"三点持琴法"。

　　1. 琴箱下侧凹部放在右大腿上，此为第一点。这时右腿也可以翘在左腿上以便于更好地控制琴体。

　　2. 琴箱轻触前胸，此为第二点。

　　3. 右臂放在侧板上，注意肘关节的位置应处于共鸣箱的最高处，此为第三点。

　　右手弹奏的方式有两种： 一种是指弹，另一种是使用 Pick（拨片）。初学者可以根据老师的要求或者自己的喜好选择其中的一种作为主攻方向。两种方法不能说孰优孰劣，它们只是在演奏风格上有所不同。一般来说，指弹较适合表现细腻的作品，而使用拨片则能体现出速度，也更加飘逸自然。

三点持琴法

二、指弹法

　　1. 右手拇指轻放在第⑥弦上，食指、中指、无名指分别放在第③、②、①弦上。

　　2. 手掌呈圆弧形，手指不要过于弯曲，也不可伸得太直。

　　3. 各指在弹奏时都应当用手指与手掌相连的那个关节（俗称"大关节"）发力，否则会影响弹奏的速度和力度。

　　4. 弹奏时，手腕不要来回扯动去帮助手指用力，要保持它的稳定性才能适应今后高难度的曲目。

　　5. 除非特殊音色的需要，正常情况下右手拨弦的位置应该在音孔附近，太靠前则音色偏暗，太靠后音色又偏硬。

　　6. 手指拨弦完之后如果停靠在相邻的琴弦上，这叫做"靠弦奏法"，这样吉他的音色会更加厚实稳定。如果弹完后手指悬空，这叫做"悬空奏法"，它适合演奏和声织体。

为了弥补指弹在声音亮度上的不足，右手可以留出1毫米左右的指甲，演奏时，如果琴弦同时划过指头与指甲，声音会有更好的质感。民谣吉他手对指甲的留法和保养方法不必像古典吉他手那么讲究，但仍然应当经常修剪以防止指甲过长，并且用细砂纸把指甲的边缘打磨光滑。

手指触弦的位置

拨片触弦的角度

三、拨片法

用 Pick（拨片）演奏，吉他的音色清脆明亮，尤其在扫弦时层次感更好，很适合酒吧这类现场感要求较高的演出。

（一）Pick 的握法

1. 伸出右手食指，手指自然弯曲，手指的侧面朝上。
2. 将拨片放在食指侧面的顶端，用大拇指的第一指节压在它的二分之一处。
3. 食指不可向内弯曲太紧，拇指也要尽量放松，以"Pick 刚好不会掉下来"的力度为最佳。

（二）Pick 的弹法

Pick 的运动是建立在手指、手腕、小臂等几个部分协调工作的基础之上的。首先，Pick 触弦很讲究角度，我们建议拨片的平面不要垂直于琴面，使用这种方法弹出的声音往往会发硬。好的方法是使拨片与琴弦之间有一个60度左右的夹角，这样触弦音色才结实而圆润。

在演奏单音时，中指、无名指、小指应自然放松，小指可以微微贴在护板上。这样，右手稳定，容易找准弦。

初学者不要选择超过1毫米厚度的 Pick，这种 Pick 更适合演奏电吉他。0.4毫米到0.5毫米的那类较薄的 Pick 很适合扫弦，弹奏单音时则略感缺乏厚度。建议选用大家 0.7毫那种中等厚度的拨片。

四、空弦练习

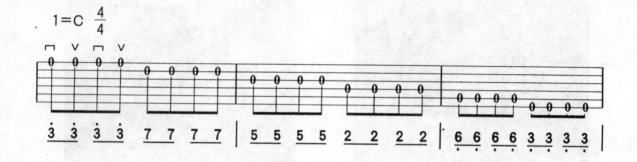

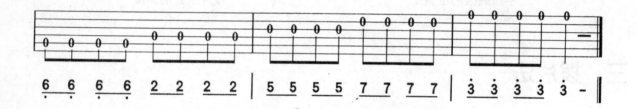

● 提示：

（1）做这条练习使用 Pick 或指弹均可。Pick 演奏时须上、下交替进行，"⌐"表示下拨，"∨"表示上拨。指弹时请用食指与中指交替弹奏。

（2）这条练习是培养手指（或 Pick）对六根弦之间的相互距离的感觉，这对以后演奏分解和弦时的准确性至关重要。朋友们在初学时可以慢慢弹，找错了弦也没关系，但绝对不能盯着自己的右手来弹奏，否则养成习惯之后会影响今后的自弹自唱。

第四章 单音练习

一、十二平均律

两个音在音高上的距离叫做"音程"，计算音程的单位是"度"。音名相同的两个音，音程关系为同度。两个相邻的同名音（如 "1 – i" "3 – 3" "6 – 6"）之间的音高距离为八度，而十二平均律将一个八度平均分成十二个相等的音，这些音是音高的最小单位，称为"半音"，两个半音构成一个全音。在七个基本音中，"3"与 "4"、"7"与 "i"之间的距离为半音，其余相邻两音间距离均为全音，如：

1		**2**		**3**		**4**		**5**		**6**		**7**		**i**
	全音		全音		半音		全音		全音		全音		半音	

在钢琴、手风琴等键盘乐器上，黑、白键依次相邻的两琴键间互为半音。在吉他上，相邻的品格互为半音。

二、C调音阶

首先我们要记住，吉他的六根空弦音由低到高为C调的 "3 6 2 5 7 3"。这个顺序大家一定要背得滚瓜烂熟。然后，我们再一起来看C调音阶图：

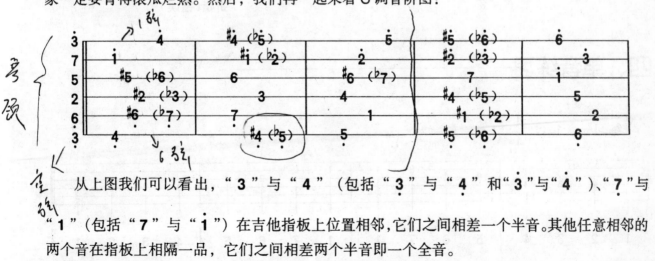

从上图我们可以看出，"3"与"4"（包括"3"与"4"和"3"与"4"）、"7"与"1"（包括"7"与"i"）在吉他指板上位置相邻，它们之间相差一个半音。其他任意相邻的两个音在指板上相隔一品，它们之间相差两个半音即一个全音。

背熟了六根空弦的唱名，又了解了各个音之间的关系之后，我们就能很容易地推算C调中任意一个音的位置。例如，当你想弹"**5**"时，首先会想到第⑥弦的空弦音是"**3**"，而"**3**"与"**4**"相差半音，显然与空弦相邻的第一品是"**4**"音，而"**4**"与"**5**"相差一个全音，二者之间相隔一品，这样一来，我们可以推算出："**5**"音在第⑥弦的第三品。

♯、♭都是变音记号，详细解释请见第22页。

三、左手按弦的要领

1. 左手臂自然下垂，手腕略向外送出。

2. 拇指自然放在琴颈上，注意千万不可攥得太死，手心要空。

3. 各指第一指节应以与琴弦垂直的角度用指尖去按弦，这样才不会碰到相邻的弦，切不可向内弯曲成折指。

4. 按弦的位置应尽量靠近音品，这样按弦省力，发音又清晰、饱满。

5. 手指按弦的力度不要过大，以恰好能使吉他正常发声为佳。

6. 暂时不按弦的手指应放松，并尽可能靠近琴弦，这样才不会影响弹奏的速度。

7. 各弦第一品上的音用食指按弦，第二品上的音用中指按弦，第三品上的音用无名指按弦。

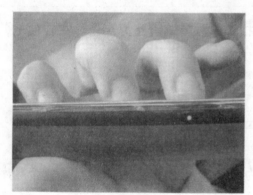

垂直按弦

折指（错误）

四、单音练习

练习一　1=C　4/4

练习二　1＝C　4/4

小星星

练习三　1＝C　4/4

维拉·罗勃斯 曲

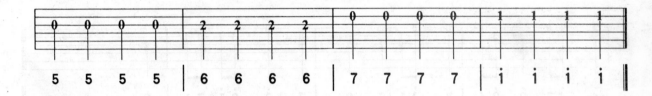

四季歌

练习四　1=C　$\frac{4}{4}$

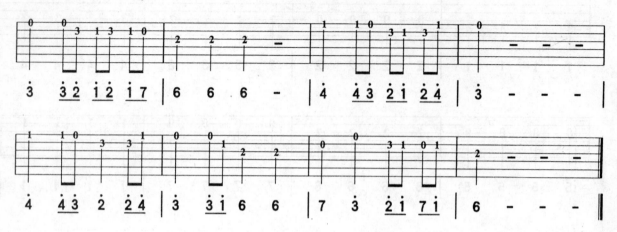

练习五　1=C　$\frac{4}{4}$

● 提示：

　　第五品的音仍然用左手无名指按弦。注意无名指在移动的过程中不要离开琴弦，否则会使声音中断。不过，无名指也不能用力按住弦，否则移动时就会造成"滑音"。正确的方法是手指轻轻浮按在琴弦上。

多年以前

练习六　1＝C　4/4

第五章　调　弦

　　"音准"是音乐艺术的前提，我们不介意歌手音域不够宽广，也可以原谅乐手技巧不太精湛，但如果音准达不到起码的要求则是绝不能允许的。

一、五品调弦法

　　我们先回忆一下上一课学的C调音阶图：

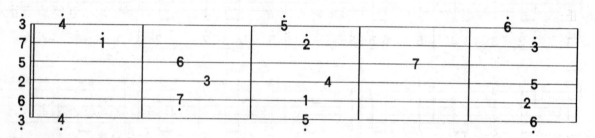

　　再把关键的部分挑出来：

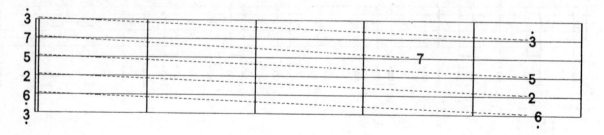

我们发现：

第⑥弦的第五品音高相当于第⑤弦的空弦音高。

第⑤弦的第五品音高相当于第④弦的空弦音高。

第④弦的第五品音高相当于第③弦的空弦音高。

第③弦的第四品音高相当于第②弦的空弦音高。

第②弦的第五品音高相当于第①弦的空弦音高。

现在，我们就利用这种关系对吉他的六根弦的音准进行调整：

1. 把第①弦的空弦音定为基准音。

2. 弹奏第②弦的第五品，使它同第①弦的空弦音高相同。如果偏低，就按顺时针方向转动弦钮；如果偏高，就按逆时针方向转动弦钮。

3. 按同样的方法使第③弦的第四品音高与第②弦的空弦音高相同。

4. 使第④弦的第五品音高与第③弦的空弦音高相同。

5. 使第⑤弦的第五品音高与第④弦的空弦音高相同。

6. 使第⑥弦的第五品音高与第⑤弦的空弦音高相同。

这样依次调校好六根弦。

在调弦的过程中，第五品一直扮演了最重要的角色，所以我们简称之为"五品调弦法"。

其实，调弦的**方法**实在是太简单了，真正困难的是提高你的**听力水平**。初学音乐的人对音准的分辨能力还达不到要求，特别是当两个音非常接近时，那这种比较细微的差别他们几乎无法判断。不过这是每个人都要经历的一个阶段。我们之所以到第五章才讲解调弦的方法，也正是考虑到乐感的培养需要一个较长的过程这一因素。如果在此之前都是由老师或音准较好的朋友帮你调弦的话，那么从现在起你就应该学会独立完成这一工作。调弦时，最好有朋友在旁边帮你听，每天都应练习几次。

提高听力需要长期的训练，而训练中也应该不断总结经验。例如，当第②弦的第五品音高与第①弦的空弦音高已经很接近的时候，你也许很难判断出二者孰高孰低，这里教你一个窍门：同时弹奏第①弦的空弦和第②弦的第五品，假如你听到一股一股不断颤动的声波，那证明这两个音还不一样高，它们还在相互撞击。这时你需要耐着性子重新调整，直到你听不到任何波动为止。

二、标准音调弦法

使用"五品调弦法"时，我们没有参照任何外界的音源，而是借助了六根弦之间的相互关系，我们也称之为"相对音高调弦法"。不过，如果你试图与其他乐器进行合奏，那么这种方法就不实用了。这时我们就要借助校音器或者钢琴、口琴这些已经定好标准音高的音源进行调弦。其方法很简单："E A D G B E"即C调的"3 6 2 5 7 3"六个音，分别与吉他的⑥到①弦的空弦一一对应。

最方便的莫过于吉他专用的六孔校音管，它的六个孔的音就对应了吉他的六根空弦音。

家里没有钢琴，没有口琴，也没有校音管怎么办？现代家庭中总有电话吧？按下你的座机电话的免提键，正常情况下，这时话机发出的拨号音就是国际标准音"A"，它所对应的就是你的吉他第①弦的第五品的音高。

三、泛音调弦法

1. 确定第①弦空弦的音高。
2. 弹奏第⑥弦第五品的泛音，使之与第①弦空弦音高相同。
3. 弹奏第⑤弦第七品的泛音，使之与第①弦空弦音高相同。
4. 弹奏第④弦第七品的泛音，使之与第⑤弦第五品的泛音音高相同。
5. 弹奏第③弦第七品的泛音，使之与第④弦第五品的泛音音高相同。
6. 弹奏第②弦第五品的泛音，使之与第①弦第七品的泛音音高相同。

泛音的奏法，请参见后面的学习内容。

四、检查调弦的效果

1. 同时弹响吉他的第①弦和第⑥弦，这两根弦相差两个八度，应该非常协和。
2. 比较相邻两根弦的八度音高。

同时弹响第⑥弦的空弦音和第⑤弦的第七品，它们也相差八度，如果不协和就很容易发现。同理，再比较第⑤弦的空弦音和第④弦的第七品音、第④弦的空弦音和第③弦的第七品音、第③弦的空弦音和第②弦的第八品音、第②弦的空弦音和第①弦的第七品音。

3. 同音的比较。

弹响第①弦的空弦，它和第②弦的第五品音、第③弦的第九品音、第④弦的第十四品位以及第⑤弦的第十九品音是同度音。

4. 在你学习了和弦之后，就可以弹奏一个 E 和弦或 C 和弦，听听和弦音之间是否和谐，这样也很容易判断出哪一根弦没有调准。

最后要补充一点，以上的调弦方法都是建立在吉他手拥有良好音准的基础之上的，而初学吉他的爱好者则应该借助电子校音器来调音。有了这个魔盒，你根据校音器指针的摆动情况就可以准确地调整好吉他的各弦音高了。这种必备用品也不贵，价格一般在 50 元左右。

第六章　开始弹唱

　　基础的功课学完了，自弹自唱就开始了——这首曲子叫《小草》，也许它比我们前面做的单音练习还要简单，但毕竟是我们第一次真正意义上的"吉他弹唱"啊！

　　大家左手不用按弦，右手拇指、食指、中指和无名指依次均匀地弹奏⑥③②①弦，一边弹一边唱。

小　草（片断）

向　彤　何非华 词
王祖皆　张卓娅 曲

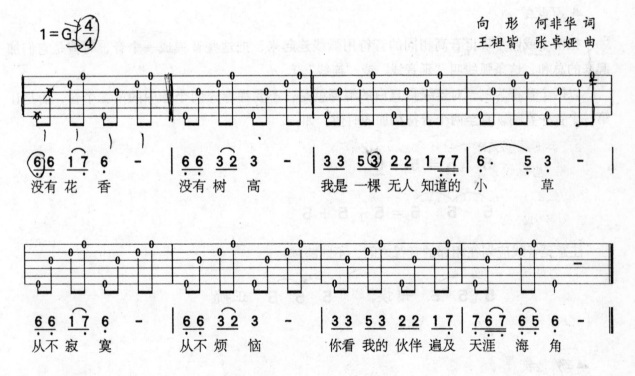

没有 花 香　　　没有 树 高　　　我是 一棵 无人 知道的 小　　草

从不 寂 寞　　　从不 烦 恼　　　你看 我的 伙伴 遍及 天涯 海 角

● 提示：

（1）第④弦第二品的音就是歌曲的起始音，我们把它唱成"La"。把第③弦的空弦音唱为"Do"。

（2）这首歌很简单，大部分地方是半拍一个音，右手弹一个音，同时嘴里唱一个音，应该很容易配合。

（3）女同学可将变调夹夹第五品演唱。

（4）拇指用靠弦奏法，其他手指用悬空奏法。

二　级

乐理知识

（一）简谱基本符号

在进行本课练习之前，让我们先来学习几个简谱的基本符号。

▲ 延音线

把两个或两个以上音高相同的音符用弧线连起来，把这些音弹成一个音，时值是它们加起来的总和，这条弧线叫"延音线"或"连线"。

以两个音符为例，对连线最直白的解释就是：不要弹奏这两个音中的第二个音，而是让第一个音一直响，直至两个音符相加的时值。如：

$$\overset{\frown}{5 \quad \underline{5}} = 5 + \underline{5}$$

$$\overset{\frown}{5 \quad \overset{\frown}{5} \quad 5} = 5 + 5 + 5$$

注意延音线应划在相邻的音符之间，不能跨越：

$$\overset{\frown}{5 \quad 5 \quad 5} \quad 错误; \qquad 5 \overset{\frown}{\quad 5 \quad 5} \quad 正确$$

▲ 附　点

在一个音符的后边加一个小圆点，该音符的时值就被延长一半，这个圆点叫"附点"。如：

$$5 \cdot = 5 + \underline{5}$$

$$\underline{5} \cdot = \underline{5} + \underline{\underline{5}}$$

复附点是在音符后面加上的两个小圆点，前一个圆点表示延长原来音符时值的一半，后一个圆点表示延长前一个附点所占时值的一半。如：

$$5 \,..\, = 5 + \underline{5} + \underline{\underline{5}}$$

其中，"$\underline{5}$" 为 "5" 一半的时值，"$\underline{\underline{5}}$" 为 "$\underline{5}$" 一半的时值。

▲ 连音符

我们前面学过，一个音符可以平均分成两部分：

一个二分音符 "5 −" 可分成两个四分音符 "5" 和 "5"；

一个四分音符 "5" 可分成两个八分音符 "$\underline{5}$" 和 "$\underline{5}$"；

一个八分音符 "$\underline{5}$" 可分成两个十六分音符 "$\underline{\underline{5}}$" 和 "$\underline{\underline{5}}$"；

……

可是，如果我们想把一个音符平均分成三等份、五等份、六等份，那该怎么办呢？那就需要连音符了，它是用中间加阿拉伯数字的开口弧线来表示的，如：

$$\overset{3}{\frown} \qquad \overset{5}{\frown} \qquad \overset{6}{\frown}$$

其中，三连音是最常用的，即将一个音符平均分成三等份，它可以代替基本划分的两部分，这就是三连音：

$$\overset{3}{\overparen{5\ 5\ 5}} = 5\ 5 = 5\ -$$

$$\overset{3}{\overparen{\underline{5}\ \underline{5}\ \underline{5}}} = \underline{5}\ \underline{5} = 5$$

$$\overset{3}{\overparen{\underline{\underline{5}}\ \underline{\underline{5}}\ \underline{\underline{5}}}} = \underline{\underline{5}}\ \underline{\underline{5}} = \underline{5}$$

同理，还有五连音：

$$\overset{5}{\overparen{\underline{5\,5\,5\,5\,5}}} = \underline{5\ 5\ 5\ 5} = 5\ \ 5 = 5\ -$$

$$\overset{5}{\overparen{\underline{\underline{5\,5\,5\,5\,5}}}} = \underline{\underline{5\ 5\ 5\ 5}} = \underline{5}\ \underline{5} = 5$$

六连音也较常见：

$$\underset{\text{6}}{\overline{5\;5\;5\;5\;5\;5}} = \underline{5\;5\;5\;5} = \underline{5}\quad\underline{5} = 5\quad-$$

$$\underset{\text{6}}{\underline{\underline{5\;5\;5\;5\;5\;5}}} = \underline{\underline{5\;5\;5\;5}} = \underline{\underline{5\quad5}} = \underline{5}$$

▲ 休止符

出于音乐表现上的需要，乐曲的进行往往在情绪需要的时候出现停顿。表示停顿时值长短的符号叫"休止符"，用"**0**"表示，它的名称与时值关系同一般音符类似：

0 0 0 0	▬	全 休 止 符	**0**	⁷	八 分 休 止 符
0 0	▬	二 分 休 止 符	**0**	⁷	十 六 分 休 止 符
0	𝄽	四 分 休 止 符	**0**	⁷	三 十 二 分 休 止 符

▲ 变音记号

我们还经常在简谱中看到以下几种变音记号：

升记号	♯	表示将音符升高半音。
重升号	×	表示将音符升高全音。
降记号	♭	表示将音符降低半音。
重降号	♭♭	表示将音符降低全音。
还原记号	♮	表示将原来升高或降低的音还原。

下面我们来做几组相当有效的分解和弦练习。

第一组：i m a 指的练习：

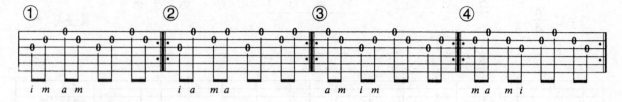

● 提示：

（1）拇指放在第 5 弦上作为右手支点。

（2）食指、中指、无名指拨弦力度要均衡，音色应统一。

第二组：p 指的练习：

● 提示：

（1）拇指用靠弦奏法，其他三指轻放在①②③弦作为支点。

（2）每弹完一个音之后，拇指应立即放松，恢复到自然状态。

（3）也可将其余四指悬空来做此练习，此时要求手腕具有较高的稳定性。

第三组：p i m a 指的练习：

● 提示：

（1）拇指用靠弦奏法，其他手指用悬空奏法。

（2）拨弦之后的手指在下一次拨弦之前不能触弦，否则会破坏声音的延续。

▲ 柱式和弦练习

● 提示：演奏柱式和弦要把手指并拢,发音应整齐,音色统一。

欢乐颂

1 = C 4/4

贝多芬 曲

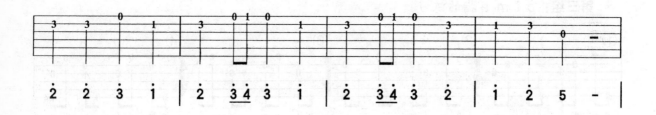

笑 脸 (片断)

1=C $\frac{4}{4}$

0 5 6 5 | 3̇ - 0 5 6 5 | 2̇ - 0 5 6 5 | i i 2̇i 6 5 | 5 - 0 5 6 5 |

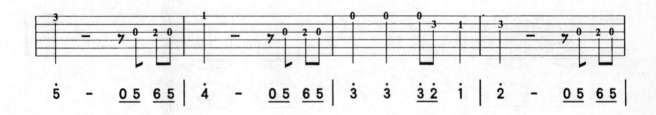

5̣ - 0 5 6 5 | 4̣ - 0 5 6 5 | 3 3 3̇2 i | 2̇ - 0 5 6 5 |

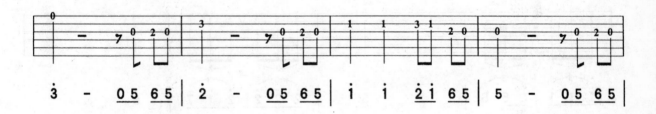

3̇ - 0 5 6 5 | 2̇ - 0 5 6 5 | i i 2̇i 6 5 | 5 - 0 5 6 5 |

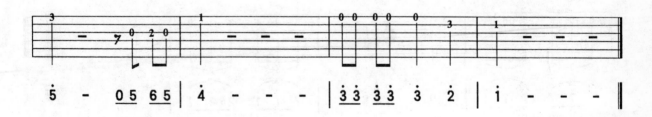

5̣ - 0 5 6 5 | 4̣ - - - | 3̇3̇ 3̇3̇ 3 2 | i - - - |

同桌的你

1 = C　2/4

高晓松 曲

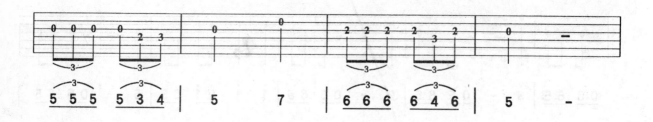

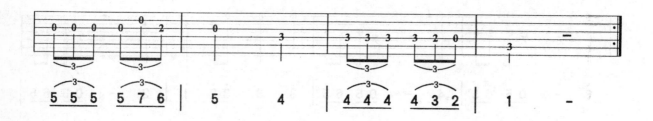

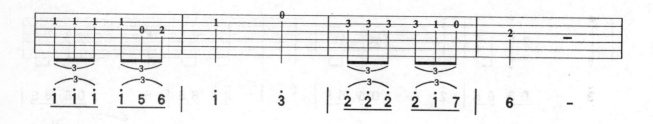

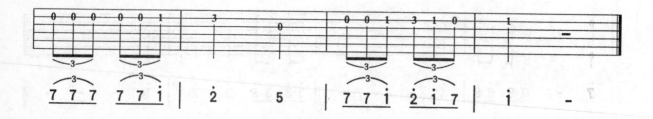

爱的罗曼斯

1 = C $\frac{3}{4}$

西班牙民谣

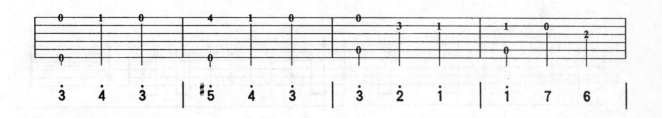

四季歌

（简易独奏）

1＝C　4/4

日本民歌

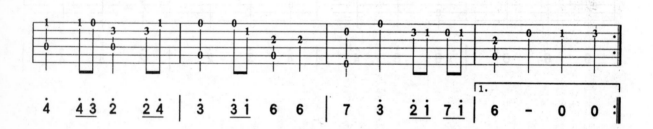

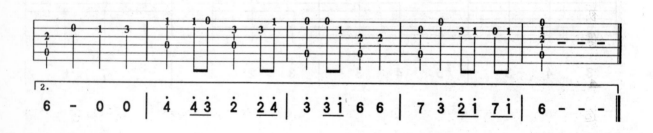

（二）节拍与节奏

同学们已经学过，"拍"是人们计算音的长短的单位，那时，我们把四分音符暂定为一拍。此后，我们又做了大量的单音练习，为了不分散同学们的精力，我们"重练轻讲"，没有做更复杂的理论解释。而现在不同了，通过一段时间的学习，同学们已经初具演奏技巧，又有了更强的领悟力，下面还将面对更为精彩的分解和弦与节奏的练习，乐理知识的加强也势在必行。

▲ 节 拍

有强有弱的相同的时间片断，按照一定的次序循环重复，这叫做"节拍"。这里的"相同的时间片断"的最基本单元就是一拍。节拍又有强拍与弱拍之分。

▲ 小节与小节线

乐曲的进行不是杂乱无章而是有规律可循的，人们把一首乐曲划分成拍数相等、强弱规律一致的若干个单位即小节，小节之间用竖线来划分，这些竖线叫"小节线"。如：

$$3 \quad - \quad | \quad 2 \quad - \quad | \quad 1 \quad -$$

强拍	弱拍	小节线	强拍	弱拍	小节线	强拍	弱拍
●	○		●	○		●	○

初学者往往在有小节线的地方停下来，造成节拍的混乱。其实，两个小节之间并没有你们想像的一个空间，你要做的就是：不受小节线的干扰，平稳地弹奏。

▲ 拍子与拍号

迄今为止，我们都以四分音符作为一拍，上面的例子每个小节有两拍，我们称它为"四二拍子"，记为"2/4"，这称为"拍号"，其中分母表示以四分音符为一拍，分子表示每小节有两拍。

我们再看：

$$2 \quad 2 \quad 3 \quad 1 \quad | \quad 2 \quad \underline{3\,4} \quad 3 \quad 1 \quad |$$

这种以四分音符为一拍，每小节有四拍的拍子，叫"四四拍子"，记为"4/4"，它由两个四二拍子组成。由于四二拍的第一拍都是强拍，按理说四四拍的第三拍也必然是强拍，不过，由于人们规定了每一个小节中只能有一个强拍，所以四四拍的第三拍就只能是次强拍，用"◑"表示，注意次强拍不能弹得过强。

同理，以四分音符为一拍，每小节有三拍的叫"四三拍子"，记为"3/4"，如：

$$\begin{array}{ccc|ccc} 3 & 3 & 3 & 3 & 2 & 1 \\ ● & ○ & ○ & ● & ○ & ○ \end{array}$$

现在马上做一个练习：把前面的单音练习重弹一遍，并要按拍号把小节中的强弱关系弹出来。

▲ 节 奏

在音乐的进行中，节拍与节奏是密不可分的。按照一定的强弱规律组织起来的音的长短关系叫做"节奏"。

从文字上理解"节奏"的概念对初学者有一定难度，特别是它与"节拍"的区别。这里暂不要求你把它彻底吃透，只要脑海中建立起"节奏"的这一概念，通过今后的学习自会逐渐融汇贯通。

当然这里也会给大家一个较为形象、通俗的解说：

节拍是相对固定的，如"4/4"拍子，它就是以 | ● ○ ◑ ○ | ● ○ ◑ ○ | 框架的规律不断地反复；而节奏，则是在这个框架中使音产生长短和强弱的变化，不同的变化便产生了不同的节奏，像Rumba、Disco、Chacha、Tango，它们是完全不同的节奏，但都是四四拍子。

节奏是音乐的灵魂，民谣吉他的学习就是紧紧围绕着节奏的变化而进行的。而吉他伴奏的要点则是掌握大量被我们称为"节奏型"的、具有典型意义和反复出现的节奏形式。你如果能有意识地把"强拍""弱拍""节拍""节奏"的概念与具体演奏融为一体，相信你的感觉将是全新的。

（三）和 弦

音乐有三大要素：旋律、节奏、和弦。旋律是其中最直观的因素，即使没有接受过音乐训练的人也能跟着唱片把歌曲的旋律哼出来。而随着人们眼界的拓宽，节奏也越来越受到大家的重视，Disco、Chacha、Walts、Samba，只要这些动感十足的节奏一出现，年轻人都会被立刻感染，说节奏是现代音乐的灵魂，这很容易被理解。

和弦相对而言就比较神秘了，许多人还无法在音乐中感受到它的存在，体味它的魅力就更是无从说起。我们可以打这样一个比方：旋律、节奏、和弦就如同一个人的容貌、身材与气质。旋律是容貌，是基础；节奏是骨架，"性感"节奏的魅力让人无法阻挡，可是一位魔鬼身材的美女假如其衣服邋遢不堪，又满口粗言秽言，你会喜欢她吗？和弦则是既"秀中"又"饰表"的气质展现，其运用的水准往往反应出一位吉他手的层次，所以我们必须学好和弦。

技巧训练

我们先来学习下面几个简单的和弦：

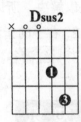

▲ Asus2 和弦（A 挂二和弦）

中指按第④弦的第二品，无名指按第③弦的第二品。

在和弦图中，左手的食指、中指、无名指分别用阿拉伯数字的 1、2、3 来表示。

和弦图中的"○"符号表示允许被使用的空弦。

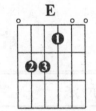

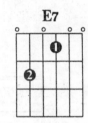

▲ Dsus2 和弦（D 挂二和弦）

食指按第③弦的第二品，无名指按第②弦的第三品。

和弦图中的"×"符号表示不能弹奏的空弦音，因为它不是和弦内的音。

▲ E 及 E7 和弦

食指按第③弦的第一品，中指按第⑤弦的第二品无名指按第④弦的第二品，这是 E 和弦。如果把无名指拿开，就变成了 E7 和弦。

七和弦的理论我们后面再讲。

▲ 换和弦的窍门

初学者在换和弦之前应该有一个默想的过程，先把下一个和弦的指法在脑海中想清楚，有把握之后再开始换。特别重要的是"心要走在手之前"，心里先想清楚换和弦的过程，即使手上慢点甚至错了都没关系，技巧的问题多练几遍很容易解决，熟能生巧嘛！关键是"意念先行"。

另外，换和弦的时候左手应处于一种非常放松的状态。很多朋友换和弦的速度总是达不到要求就是因为手指（包括小臂）太紧张的缘故。有这个毛病的同学可以尝试一下"虚按"的方法：例如 Asus2—Dsus2—Asus2 这组转换时，按 Asus2 和弦的手指先不用按紧，只要按照指法虚按在弦上即可，这样可避免按弦时的紧张感。接下来，换到 Dsus2 时也采用"虚按"的方法，然后再由 Dsus2 换回到 Asus2。当你用虚按进行和弦转换已经没什么问题的时候，再用常规方法去训练。

曲目分析

　　A 大调在吉他学习中是最容易入门的一个调，因为它的三个基本和弦的根音（就是你的右手拇指弹的那个音）都是空弦。另外，按和弦时，左手手指之间的跨度又很小，两品之内就可以解决，所以，二级是很容易通过的。

　　2. 右手的指法经过安排后，将和弦的音——分别弹出，这种伴奏方法叫"分解和弦"手法。

　　3.《红河谷》、《传奇》中使用的部分和弦名称虽然复杂，但是指法简单、又好听。

小知识

常用反复记号表

表 示 法	弹 奏 顺 序
A │ B │ C :‖ D ‖	A→B→C→A→B→C→D
A‖: B │ C :‖ D ‖	A→B→C→B→C→D
‖: A │ B │ C :‖ D ‖ （1. 2.）	A→B→C→A→B→D
A │ B ‖ C │ D ‖ (Fine / D.C)	A→B→C→D→A→B
A ‖ B │ C ‖ D │ E ‖ (Fine / D.S)	A→B→C→D→E→B→C
A ‖ B │ C │ D │ E‖ F │ G ‖ (D.S)	A→B→C→D→E→B→C→D→F→G

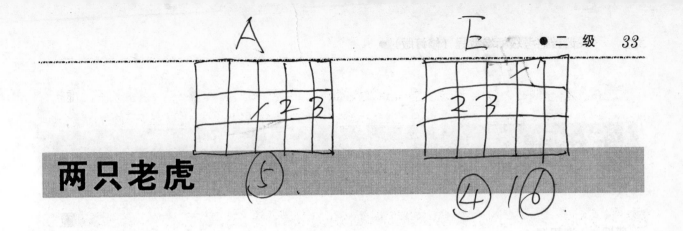

两只老虎

原调 A　选用调 A
起唱音　③弦二品音
Tempo　4/4

美国民歌
王鹰　马鸿　编配

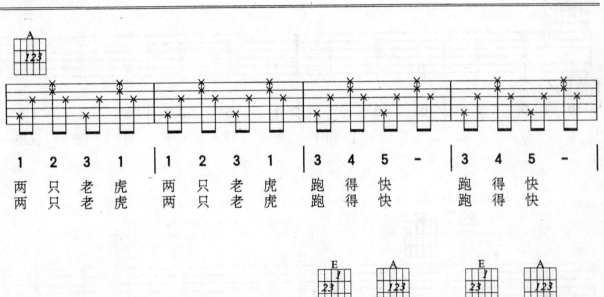

| 1 | 2 | 3 | 1 | 1 | 2 | 3 | 1 | 3 | 4 | 5 | - | 3 | 4 | 5 | - |

两 只 老 虎　两 只 老 虎　跑 得 快　　跑 得 快
两 只 老 虎　两 只 老 虎　跑 得 快　　跑 得 快

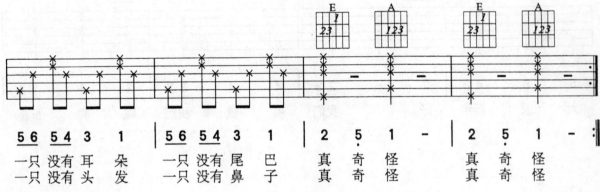

| 5 6 | 5 4 | 3 | 1 | 5 6 | 5 4 | 3 | 1 | 2 | 5 | 1 | - | 2 | 5 | 1 | - |

一只 没有 耳 朵　一只 没有 尾 巴　真 奇 怪　　真 奇 怪
一只 没有 头 发　一只 没有 鼻 子　真 奇 怪　　真 奇 怪

新年歌

原调 A　选用调 A
起唱音　③弦二品音
Tempo　3/4

外国民歌
王鹰　马鸿　编配

0	0	0	0	0	1 1	: 1	5	3 3	3	1	1 3
					新年 好	呀		新年	好	呀	祝福

5	5	4 3	2	—	2 3	4	4	3 2	3	1	1 3
大	家	新年	好		我们	唱	歌	我们	跳	舞	祝福

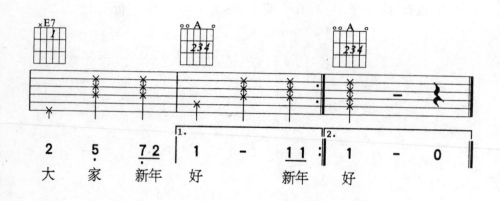

2	5	7 2	1	—	1 1	: 1	—	0
大	家	新年	好		新年	好		

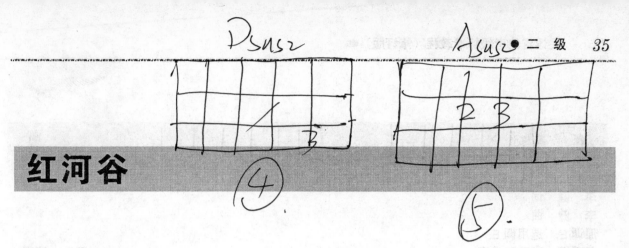

红河谷

原调 A　选用调 A
起唱音　④弦二品音
Tempo　4/4

加拿大民歌
王鹰　马鸿　编配

二级　35

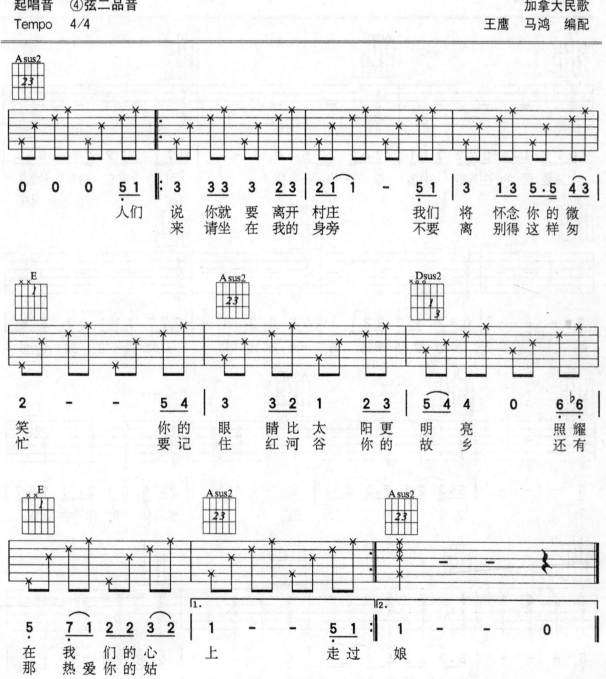

传 奇

李 健 词
李 健 曲
原调 E   选用调 E
起唱音 ④弦二品音
Tempo 4/4

王菲 演唱
王鹰 马鸿 编配

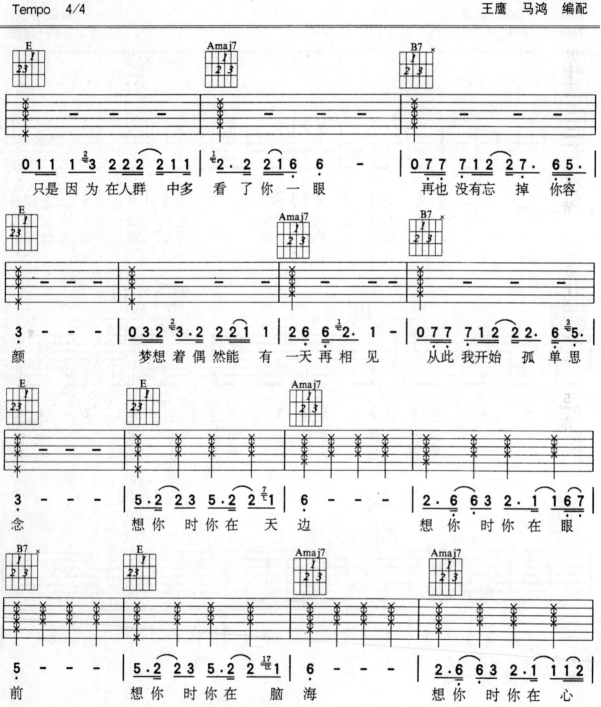

只是 因 为 在人群 中多 看 了你 一 眼　　　再也 没有忘 掉 你容

颜　　　梦想着偶 然能 有 一天 再相 见　　　从此 我开始 孤 单思

念　　　想你 时你在 天 边　　　想你 时你在 眼

前　　　想你 时你在 脑 海　　　想你 时你在 心

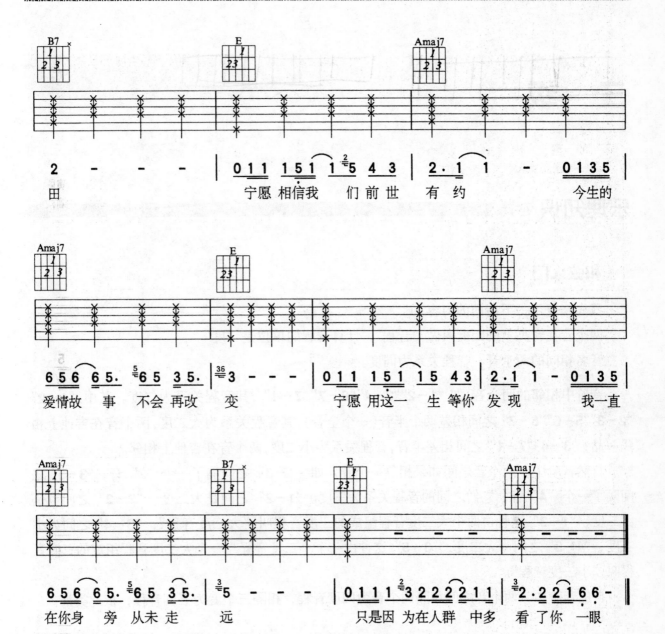

2 - - - | 0 1 1 1 5 1 1 5 4 3 | 2. 1 1 - 0 1 3 5 |
田　　　宁愿 相信我 们 前世 有 约　　　今生的

6 5 6 6 5. 6 5 3 5. | 3 - - - | 0 1 1 1 5 1 1 5 4 3 | 2. 1 1 - 0 1 3 5 |
爱情故 事 不会 再改 变　　　宁愿 用这一 生 等你 发 现　　　我一直

6 5 6 6 5. 6 5 3 5. | 5 - - - | 0 1 1 1 3 2 2 2 2 1 1 | 2. 2 2 1 6 6 - |
在你身 旁 从未 走 远　　　只是 因 为在人 群 中多 看 了你 一眼

三　级

乐理知识

和弦入门

我先来复习一下前面的内容：

两个音在音高上的距离叫做"音程"，计算音程的单位是"度"。

音名相同的两个音，音程关系为同度。

音阶中相邻的两个音，如"**1–2**""**3–4**""**6–7**""**7–i**"，其音程关系为二度。其中，"**1–2**""**2–3**""**5–6**""**6–7**"之间相差两个半音(一个全音)，其音程关系为大二度，两个音在吉他上相隔一品；"**3–4**""**7–i**"之间相差半音，音程关系为小二度，两个音在吉他上相邻。

自然音阶中，两个音之间如果相隔一个音，如"**1–3**"之间隔了一个"**2**"音，"**3–5**"之间隔了一个"**4**"音，它们之间的音程关系为三度。"**1–2**"之间是大二度，"**2–3**"之间也是大二度，"**1–3**"这种由两个大二度音程组成的三度音程叫"大三度音程"；"**3–4**"之间为小二度，"**4–5**"之间为大二度，"**3–5**"这种由一个小二度音程与一个大二度音程组成的三度音程叫"小三度音程"。

自然音阶中，两个音之间相隔两个音为四度音程，相隔三个音为五度音程，依此类推。

▲ 和　弦

三个或三个以上的音，按照三度关系叠置在一起就构成了和弦。如：

C 和弦	5	五度音
	3	三度音
	1	根　音

Dm 和弦	6	五度音
	4	三度音
	2	根　音

和弦最下面的音叫"根音"；中间的音同根音是三度关系，我们称它为和弦的"三度音"，简称"三音"；再上面的音与根音是五度关系，我们称它为和弦的"五度音"，简称"五音"。

在 C 和弦中，根音与三音之间为大三度，三音到五音之间为小三度，这类和弦叫"大三和弦"。

在 Dm 和弦中，根音与三音之间为小三度，三音到五音之间为大三度，这类和弦叫"小三和弦"。"m"是意大利语"minor"的缩写，意思就是"小的"。

现在我们再学三个指法简单的和弦，它们按起来方便，相互之间的转换难度也不大，同时又是歌曲伴奏中很常用的和弦。

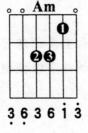

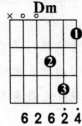

▲ *Am 和弦*

食指按第②弦的第一品，中指按第④弦的第二品，无名指按第③弦的第二品。

Am 和弦由"**6 1 3**"三个音组成。

▲ *Dm 和弦*

食指按第①弦的第一品，中指按第③弦的第二品，无名指按第②弦的第三品。

Dm 和弦由"**2 4 6**"三个音组成。

▲ *Em 和弦*

中指按第⑤弦的第二品，无名指按第④弦的第二品。

Em 和弦由"**3 5 7**"三个音组成。

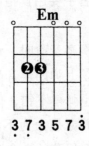

这三个和弦的按法朋友们必须牢牢记住，而以下的和弦连接同学们必须熟练：

第一组：Am—Dm

第二组：Dm—Em

第三组：Am—Em

第四组：Am—Dm—Em—Am

第五组：Am—Dm—E—Am

另外，辨别大三和弦与小三和弦的和弦色彩相当重要，这里介绍一种技巧：

弹一个小三和弦 Em，停顿五秒钟，然后将食指按住第③弦的第一品，这时弹奏的就是 E 大三和弦。如此反复几次，明亮的大三和弦和暗淡的小三和弦就很容易区分了。

技巧训练

半音阶练习

经过一段时间的学习之后，不少朋友在练琴时会有力不从心之感：或是左手无力，压不住弦；或是小指与无名指之间分不开，较难的和弦总是无法攻克；或是左右手配合不上，想到左手的指法却又忘了右手该弹的音型。在你一筹莫展之时，我们给你提供一组极其重要的强化训练方法，希望朋友们每天都花上半小时的时间进行专项练习。这些练习其实并不难，而效果则是立竿见影。

半音阶练习是乐器学习中最重要的练习之一，它对左手按弦、右手（或 Pick）拨弦、左右手之间的配合都进行全面的训练。根据侧重点的不同，它的训练方式有很多，下面我们介绍几种现阶段最有用的方法。

▲ 异弦同把位上行

左手在吉他上的按弦位置以任意连续的四品为一个"把位"，食指所在的品格数就是这个把位的"把位数"，食指按在第一品是"第一把位"，食指按在第五品自然是"第五把位"。

现在我们用食指按住第①弦的第五把位，右手弹出这个音；然后，食指不离开，在第六品按上中指，弹响此音后，食指、中指都不离开；无名指按第七品，弹完之后，小指再按第八品。右手要用食指与中指交替拨弦，使用拨片的朋友上下交替拨弦。

弹奏半音阶时，请用节拍器练习，节奏应稳定，要一板一眼。初学者爱犯的毛病是：在同一根弦上弹四连音尚能做到拍子不乱，可是一到换弦时拍子就忽然中断，尽管下一根弦的四连音也弹得不错，但每换一次弦就卡一次壳。这样不仅琴声断断续续，缺乏美感，对节奏感的培养更是大为不利。改正这一毛病有个窍门：你不要以"四连音"作为一个计算单位，而要将两根弦的音合在一起，以一个连续的"八连音"作为标准来计算，先保证这八个音之间没有任何间断现象。如此反复几遍，"声音的连续"就会在你脑海中留下深刻的印象。

练习请先从第①弦出发，经过②③④⑤弦，然后弹到第⑥弦，接着再从第⑤弦弹回第①弦。我们选择第五把位的原因是因为这一把位的四个品格之间距离适中，好按且容易保持良好的手型。待你技巧较为娴熟后可以加大难度，改在第一把位练习。

▲ 异弦同把位下行

左手的 4、3、2、1 指按顺序弹第①弦的八、七、六、五品；弹完第①弦后，按同样的方法弹第 ②③④⑤⑥ 弦，最后再从⑤弦回到①弦，如此循环进行。

下行练习与上行练习除了左手的运动方向不同外，其余方法都一样。由于下行练习要用各手指独立按弦，所以对手指力量的要求也更高。另外注意左手换指与右手弹奏必须同时进行，否则会出现断音或其他杂音。

▲ *同弦上行*

在第①弦上，按以下的曲谱弹奏：

$1 = C \dfrac{2}{4}$

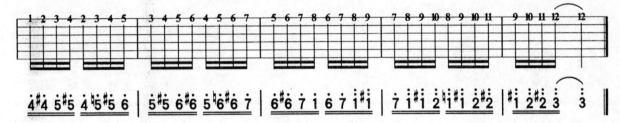

● **注意：**

（1）左手 1、2、3、4 指依顺序按弦，四个音为一个单位。

（2）左手手指运动幅度越小越好，不按弦的手指也应该尽量贴近指板。

▲ *同弦下行*

与上一条练习相反，左手在第①弦上按 4、3、2、1 指的顺序从第十二品起开始弹奏，仍是以四个音为一个单位，接下来小指按第十一品，再往下小指按第十品……

曲目分析

　　1. 三级出现了 Dm 和弦，它要求左手的三个手指分别按在不同弦的第一、二、三品上，对手指延展性的要求大大提高了。

　　2. 能否自如地使用左手小指按弦，是吉他学习中的第一个瓶颈，三级水平的朋友必须掌握它喔！

　　3. 在本级中，我们按 E$_7$ 和弦时使用了另外一种指法，它和二级中我们学到的 E7 和弦的构成音是完全相同的，只是色彩上有些差别。在这里我们就不从理论上做更深入的分析了。

　　4. 本级的四首曲子中，结束和弦都要求弹为"快速琶音"——几个音既有先后顺序但又是很快速地"几乎"在同一时刻弹出。方法有以下两种：

　　（1）用右手的任意一个手指（多用拇指 P），从上到下由低音弦快速弹向高音弦。

　　（2）同普通的分解和弦弹法一样，右手拇指弹低音弦，食指弹③弦，中指弹②弦，无名指弹①弦，不过既要弹得快，又不能让四根弦同时响，各弦的发声必须有时间差，这样听起来才有味道。这对学初者有一定难度，关键是寻找到"顺势"向下弹的感觉。

四季歌

原调 C　选用调 C
Tempo　4/4

日本民歌
王鹰　马鸿　编配

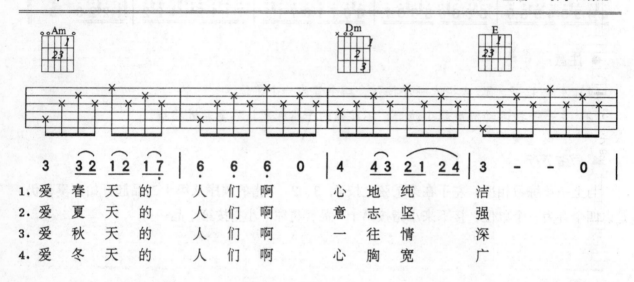

1. 爱 春 天 的　人 们 啊　心 地 纯　洁
2. 爱 夏 天 的　人 们 啊　意 志 坚　强
3. 爱 秋 天 的　人 们 啊　一 往 情　深
4. 爱 冬 天 的　人 们 啊　心 胸 宽　广

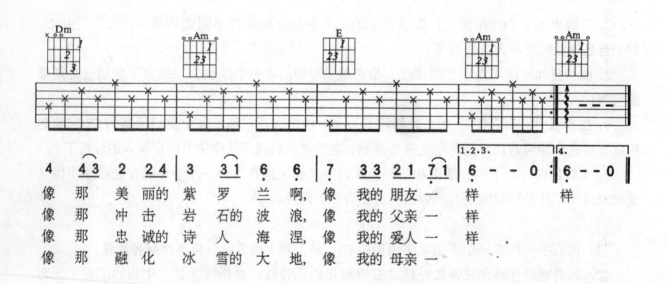

像 那 美 丽 的 紫 罗 兰 啊，像 我 的 朋 友 一　样
像 那 冲 击 岩 石 的 波 浪，像 我 的 父 亲 一　样
像 那 忠 诚 的 诗 人 海 涅，像 我 的 爱 人 一　样
像 那 融 化 冰 雪 的 大 地，像 我 的 母 亲 一

送 别

李叔同　词

原调A　选用调A

Tempo　4/4

外国民歌

王鹰　马鸿　编配

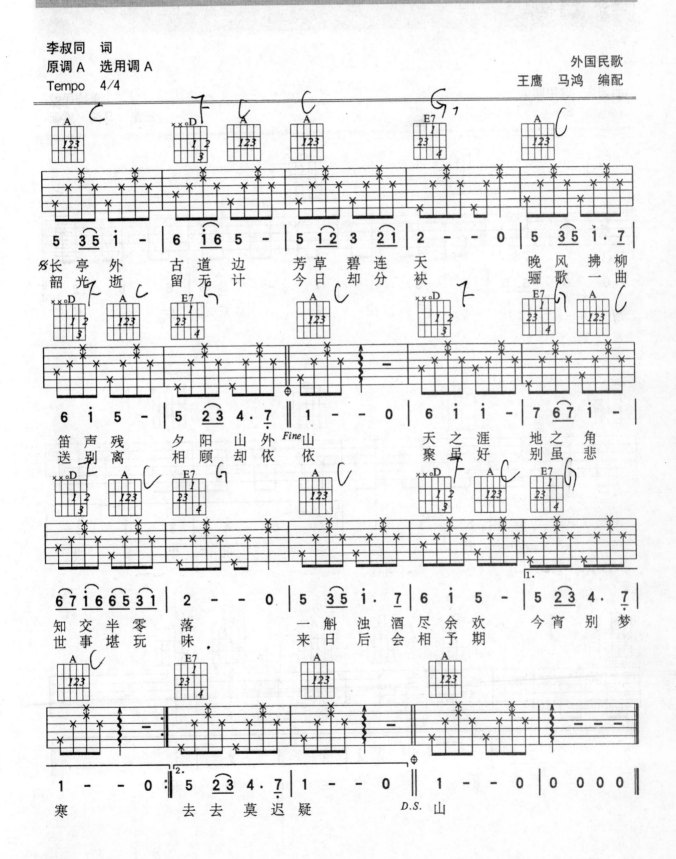

生日歌

原调A　选用调A
Tempo　3/4

美国民歌
王鹰　马鸿　编配

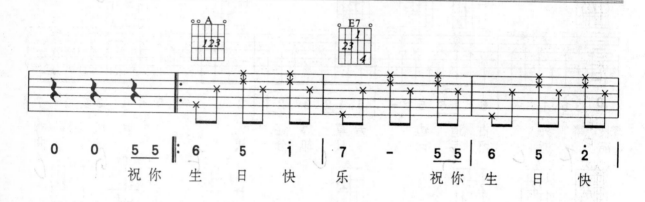

祝你 生 日 快 乐　祝你 生 日 快

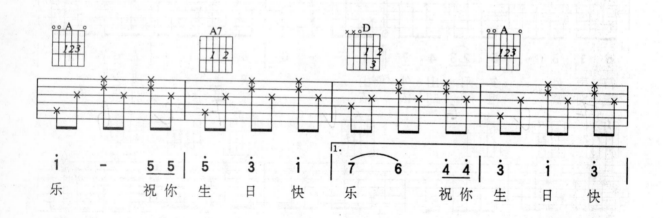

乐　　祝你 生 日 快 乐　　祝你 生 日 快

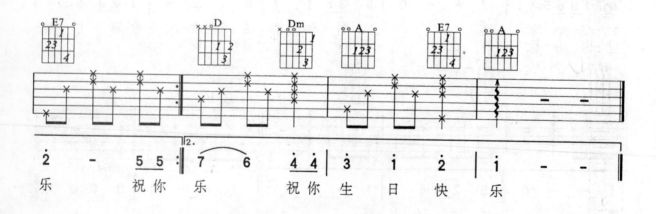

乐　　祝你 乐　　祝你 生 日 快 乐

嘀　嗒

傻旦　词
傻旦　曲
原调A　选用调A
Tempo　4/4

侃侃　演唱
王鹰　马鸿　编配

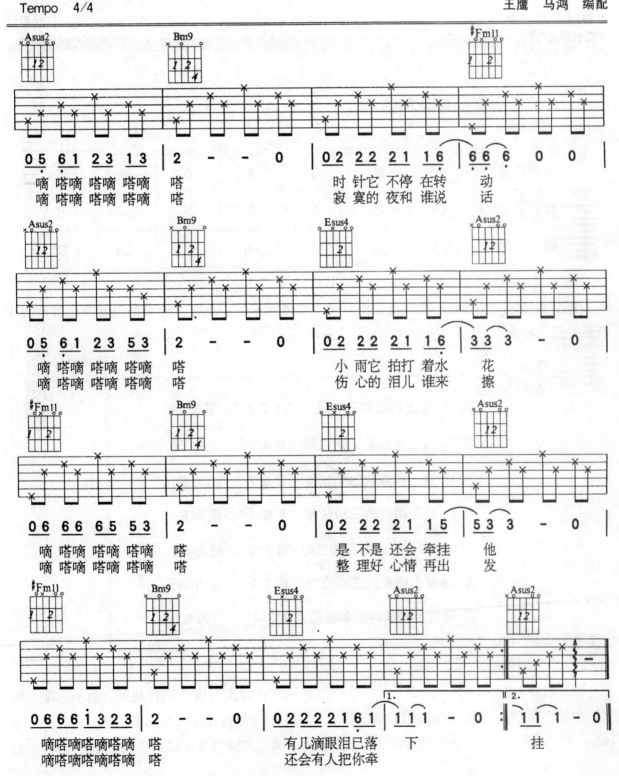

0 5 · 6 1 2 3 1 3	2 — — 0	0 2 2 2 2 1 1 6	6 6 6 0 0
嘀 嗒嘀 嗒嘀 嗒嘀 嗒		时 针它 不停 在转 动	话
嘀 嗒嘀 嗒嘀 嗒嘀 嗒		寂 寞的 夜和 谁说	话

0 5 · 6 1 2 3 5 3	2 — — 0	0 2 2 2 2 1 1 6	3 3 3 — 0
嘀 嗒嘀 嗒嘀 嗒嘀 嗒		小 雨它 拍打 着水	花
嘀 嗒嘀 嗒嘀 嗒嘀 嗒		伤 心的 泪儿 谁来	擦

0 6 · 6 6 6 5 5 3	2 — — 0	0 2 2 2 2 1 1 5	5 3 3 — 0
嘀 嗒嘀 嗒嘀 嗒嘀 嗒		是 不是 还会 牵挂	他
嘀 嗒嘀 嗒嘀 嗒嘀 嗒		整 理好 心情 再出	发

0 6 · 6 6 1 3 2 3	2 — — 0	0 2 2 2 2 1 6 1	1 1 1 — 0 ‖ 1 1 1 — 0
嘀 嗒嘀 嗒嘀 嗒嘀 嗒		有 几滴 眼泪 已落	下 挂
嘀 嗒嘀 嗒嘀 嗒嘀 嗒		还 会有 人把 你牵	

四　级

乐理知识

（一）C 大调的顺阶和弦

简谱符号	1	2	3	4	5	6	7
音　名	C	D	E	F	G	A	B
唱　名	Do	Re	Mi	Fa	Sol	La	Si

我们前面学过，和弦是在三度音的原理上发展起来的。现在，让我们以音阶上各音为根音来构造三和弦：

在 Do 音上构成的三和弦即 "1 3 5"，记为 C；

在 Re 音上构成的三和弦即 "2 4 6"，记为 Dm；

在 Mi 音上构成的三和弦即 "3 5 7"，记为 Em；

在 Fa 音上构成的三和弦即 "4 6 $\dot{1}$"，记为 F；

在 Sol 音上构成的三和弦即 "5 7 $\dot{2}$"，记为 G；

在 La 音上构成的三和弦即 "6 $\dot{1}$ $\dot{3}$"，记为 Am；

在 Si 音上构成的三和弦即 "7 $\dot{2}$ $\dot{4}$"，记为 Bdim。

根据以前的知识，C、F、G 三个和弦的根音到三音为大三度，三音到五音为小三度，是大三和弦；而 Dm、Em、Am 的根音到三音为小三度，三音到五音为大三度，是小三和弦，而 Bdim 的根音到三音、三音到五音都是小三度，是个减三和弦（有关知识我们后面再讲）。这七个和弦建立在 C 大调的自然音阶基础上，被称为"顺阶和弦"。它们也是 C 大调中最常用的和弦。

（二）和弦图解

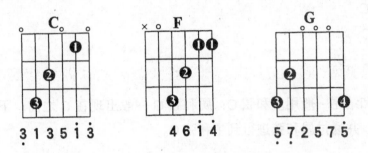

F 和弦需用食指同时按住第①弦和第②弦的第一品（俗称"小横按"），这要求手指有较大的力量。而 G 和弦则用到了左手的小指，小指的力量本来就比较弱，加上这个指法还要求小指与无名指之间有较好的延展性，所以这个和弦对初学者来说也不太容易。初学吉他的朋友往往头几天兴趣盎然，但没过多一阵就有不少人退缩了，F 和弦与 G 和弦便是横在众人面前的一道坎。

当然，对于指力太弱的人或是吉他班里的女同学，如果苦练数天之后面对这两个和弦还是力不从心，也不是没有"投机取巧"的办法，这就是：

F 和弦可以用指法简单的 Fmaj7 替代，Fmaj7 读为"F 大七"，它在 C 大调中常被用来替代 F，指法也较简单。

至于 G 和弦，也可以换一种指法来按，如右图：

必须告诉大家，以上按法并不能完全替代原有指法，特别是 F 和 Fmaj7，它们本来就是两个不同的和弦。"变招"是初学阶段的权宜之计。朋友们一定要把标准指法练好，只有这样，今后面对更加艰深的技巧时我们才能无所畏惧。

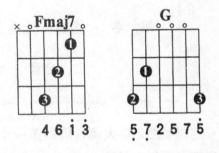

（三）主和弦、属和弦及下属和弦

在 C 大调中，C 和弦显示了歌曲的调性，是最稳定的，它被称为"主和弦"；G 和弦对主和弦最具支持力，进行到主和弦的倾向也最强烈，它多作为乐段的半终止或不完全终止和弦，被称为"属和弦"；F 和弦可以进行到主和弦也可以进行到属和弦，它被称为"下属和弦"。

（四）C大调中基本的和弦进行

C大调中，最基本的和弦进行是：

C—G—C

C—F—C

C—F—G—C

歌曲的开头和结尾一般用主和弦C；属和弦G一般出现在C之前；下属和弦F总在歌曲的高潮部分出现，并通过属和弦进行到主和弦C。

（五）C大调

细心的朋友一定会发现，在我们前面学过的功课里，经常会同时出现"C调"与"C大调"两种称谓，那么它们到底是不是一码事呢？

我们还是先来看C大调的音阶。

音名	C	D	E	F	G	A	B	C
唱名	1	2	3	4	5	6	7	i
属名	主音	上主音	中音	下属音	属音	下中音	导音	主音
	全音	全音	半音	全音	全音	全音	半音	

很显然，C大调音阶的第一个音（主音）与第三个音（中音）之间为大三度音程，所以我们可以得出结论：

主音与中音之间距离为大三度的音阶为大调音阶，它的调式为大调。

（六）a小调

我们再把C大调的音阶重新排列一次：

音 名	A	B	C	D	E	F	G	A
唱 名	$\dot{6}$	$\dot{7}$	1	2	3	4	5	6
属 名	主音	上主音	中音	下属音	属音	下中音	导音	主音

| 全音 | 半音 | 全音 | 全音 | 半音 | 全音 | 全音 |

这个音阶的构成音与 C 大调完全一样，但由于排列不同，肯定不是 C 大调音阶。

说它是 A 大调好像也不对，因为它的主音与中音之间不是大三度而是小三度音程。

现在告诉你，这个音阶叫"a 小调音阶"。它与 C 大调音阶的构成音相同而排列不同，不过，由于它们都是以 C 为 1，所以 a 小调与 C 大调都是 C 调。

任何一个小调音阶的音程关系与 a 小调都完全一致，它的主音到中音之间都是小三度。

（七）关系调

C 大调与 a 小调构成音相同、调号相同，不过调式的主音却不同，我们称它们"互为关系调"，C 大调是 a 小调的关系大调，a 小调为 C 大调的关系小调。

最通俗的说法是：以某大调的"6"音为名称的小调就是该大调的关系小调。

朋友们可以自行推算：

C 大调的关系小调为 a 小调；

D 大调的关系小调为 b 小调；

E 大调的关系小调为 #c 小调；

F 大调的关系小调为 d 小调；

……

为了便于查找，我们列出一个关系大小调图，这样，大小调关系便一目了然。

外圈为大调，内圈为该大调的关系小调。

（八）C 调歌曲中和弦的简单配置

C 大调和 a 小调虽然都用的是相同的音，但是本质上却有着明显的区别：

1. 大调歌曲比较雄壮而小调歌曲则比较柔美。

2. **大调歌曲的三个主要和弦**建立在音阶的"**1 4 5**"上，而小调歌曲的三个主要和弦建立在"**6 2 3**"上。

比如 C 大调的主和弦是 C（以"**1**"为根音）；下属和弦是 F（以"**4**"为根音），属和弦是 G（以"**5**"为根音）；而 a 小调的主和弦是 Am（以"**6**"为根音），下属和弦为 Dm（以"**2**"为根音），属和弦为 E（以"**3**"为根音）。

调式中，主、属、下属和弦构成了音乐和声的基本框架，被称为"**正三和弦**"，其他各级和弦被称为"**副三和弦**"。C 大调的正三和弦为 C、F、G，副三和弦为 Am、Dm、Em；a 小调的正三和弦是 Am、Dm、E，副三和弦为 C、F、G。

有了上面的知识后，我们就可以给歌曲配一些简单的和弦了，以 C 调为例：

1. 大调歌曲开头、结尾都用主和弦 C；小调歌曲开头、结尾都用主和弦 Am。

2. 大调歌曲的和弦以 C、F、G 为主，小调歌曲和弦以 Am、Dm、E 为主；如果需要，也可使用一些关系调的和弦，即副三和弦。

3. 大调歌曲最常用的和弦进行为 C—F—G—C，小调歌曲是 Am—Dm—E—Am。

（九）属七和弦

下面我们再来认识几个新和弦。

右边四个和弦都是在大三和弦的上面再叠加了一个小三度音程而相成的：

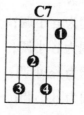

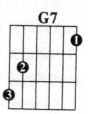

C 和弦的构成音是"**1 3 5**"，"**5**"的上方小三度为"**♭7**"，所以 C7 和弦的构成音为"**1 3 5 ♭7**"，"**♭7**"音被称为"和弦的七音"。

G 和弦的构成音是"**5 7 2̇**"，"**2̇**"的上方小三度为"**4̇**"，所以 G7 和弦的构成音为"**5 7 2 4**"。

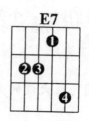

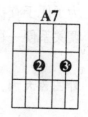

E 和弦的构成音是"**3 #5 7**"，"**7**"的上方小三度为"**2̇**"，所以 E7 和弦的构成音为"**3 #5 7 2**"。

A 和弦的构成音是"**6̣ #1̇ 3̇**"，"**3̇**"的上方小三度为"**5̇**"，所以 A7 和弦的构成音为"**6̣ #1 3 5**"。

它们的共同特点是根音到七音为小七度音程，这类和弦叫"大小七和弦"，简称为"属七和弦"。

属七和弦有狭义和广义之分：狭义的属七和弦是指建立在属音基础上的七和弦，例如 C 大调中的 G7 和弦，a 小调中的 E7 和弦。而实际运用中"属七和弦"往往成了大小七和弦的简称，这一点同学们要特别注意。大家听一听属七和弦的感觉，是不是感觉很不和谐？

七和弦的指法并不一定就比三和弦困难，但由于它比三和弦多了一个音，所以在音乐中的用法要特别些。今后我们还要陆续接触小七和弦、大七和弦甚至减七和弦、半减七和弦，它们能使音乐的爵士味更浓，更富于变化。

技巧训练

（一）左手独立性训练

在三级学习阶段，我们重点进行了半音阶的练习，你的左手技巧一定大有长进。不过，随着七和弦的出现，小指使用得越来越频繁，本级中小横按又成了一只拦路虎。这时，你要解决的最重要的问题就是提高手指的灵活性和独立性。

下面，我们在第九把位按以下手指组合来演奏，练习时要打开节拍器，从较慢的速度开始。

A: 1 2 3 4   B: 1 3 4 2   C: 2 1 3 4   D: 2 3 1 4   E: 2 3 4 1
F: 2 4 3 1   G: 3 1 2 4   H: 3 4 1 2   I: 3 4 2 1   J: 4 2 3 1

● 注意事项：

（1）1、2、3、4 分别代表左手食指、中指、无名指、小指。

（2）左手四指有 24 种组合，不过以上 10 种最有练习价值。我们不必每天都把 10 种组合弹完，可以任选其中三种作为当日的重点练习，时间应不少于 15 分钟。

（3）在第九把位练熟之后，大家还可以移到第一把位练习。因为低把位品格之间距离较大，对你的手指的延展性也是一个锻炼。

（二）快速换和弦的诀窍

初学者在换和弦时往往因胆怯、犹豫而导致节奏的混乱，熟练程度不够固然是重要原因，方法的问题也不可忽视。这里再给大家介绍几个换和弦的技巧。

▲ 低音先行

和弦的最后一个音与下一个和弦的第一个音绝不能中断，这是成功的关键。例如 C—Am 的进行中，Am 的根音是空弦音，所以，朋友们在弹完 C 和弦之后，可以暂不考虑 Am 和弦的完整指法，右手拇指先把第⑤弦的低音弹出来。这样，两个和弦之间就不会出现中断现象了。

▲ 各个击破

如果不能把和弦里所有的音一次全部按到，请不要灰心，你可以采取"各个击破"的办法：

既然右手拨弦有先后顺序，左手手指便可以先按住右手要先弹的音，把这个音弹出来之后，再去按右手下一个要弹的音。这样，利用时间差便可以大大降低换和弦的难度。

▲ 利用保留指

例如弹 Am—C 的进行，食指和中指都可以保留不动，只需移动无名指。所以在转换时，应该以食指和中指作为支点，仅移动无名指即可。

（三）简单的独奏

虽然我们是在学习吉他弹唱，但做一些简单的独奏练习也是很有必要的。独奏不仅对手指机能有着较高的要求，而且更有助于全面培养你的乐感。

《友谊地久天长》是一首人们耳熟能详的曲目。本级中先弹奏此曲，然后再弹唱此歌。在演奏时，旋律音无论出现在哪一根弦上，大家都应该用拇指弹奏以便让音色统一。

友谊地久天长

1=C 4/4

苏格兰民歌

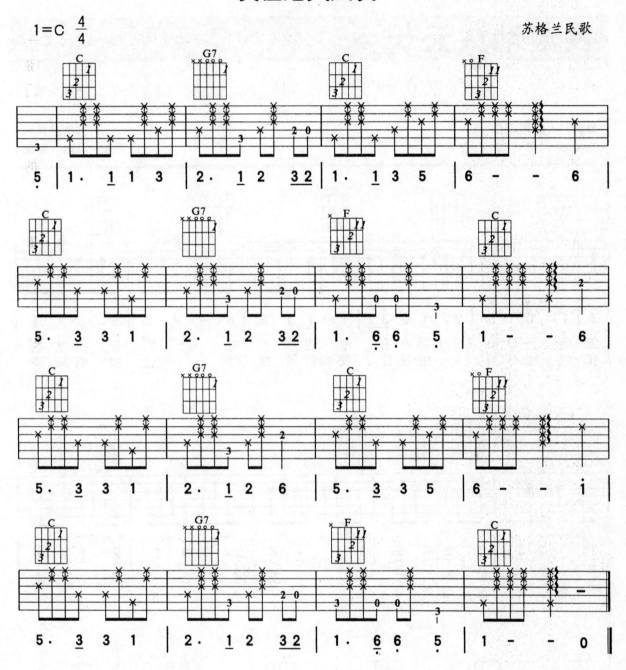

友谊地久天长

原调C　选用调C
Tempo　4/4

苏格兰民歌
王鹰　马鸿　编配

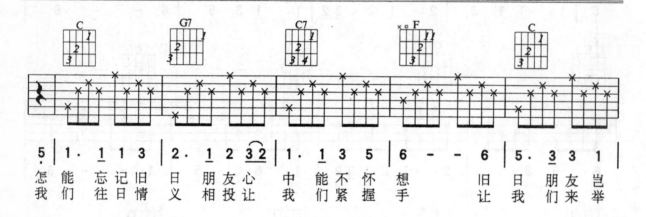

怎能　忘记旧　日　朋友心　中　能不怀想　　旧　日　朋友岂
我们　往日情　义　相投让　我　们紧握手　　让　我　们来举

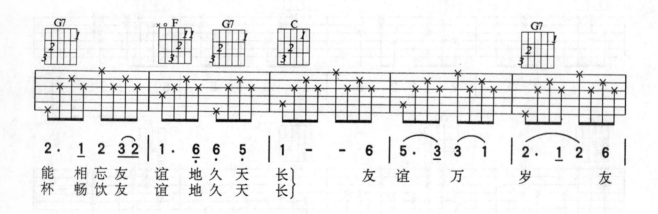

能　相忘友　谊　地久天　长　　　友谊　万　岁　友
杯　畅饮友　谊　地久天　长

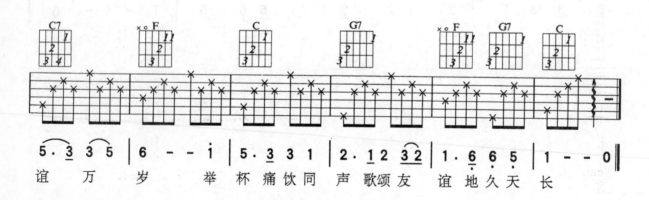

谊　万　岁　举杯痛饮同　声歌颂友　谊　地久天　长

雪绒花

原调 C　选用调 C

Tempo 3/4

美国歌曲

王鹰　马鸿　编配

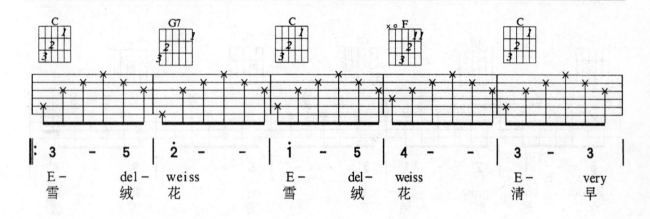

‖: 3 — 5 | 2̇ — — | 1̇ — 5 | 4 — — | 3 — 3 |

E- del- weiss　　E- del- weiss　　E- very

雪　绒　花　　雪　绒　花　　清　早

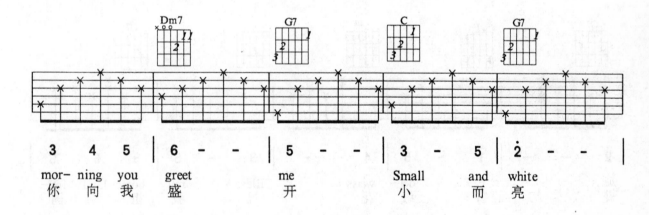

3 4 5 | 6 — — | 5 — — | 3 — 5 | 2̇ — — |

mor- ning you greet　me　　Small　and white

你 向 我 盛　开　　小　而 亮

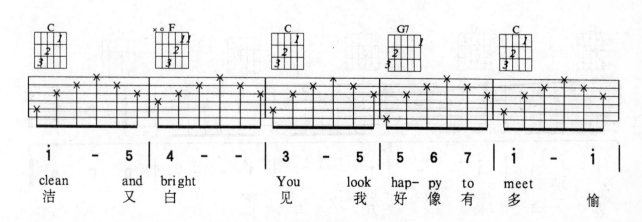

1̇ — 5 | 4 — — | 3 — 5 | 5 6 7 | 1̇ — 1̇ |

clean　and bright　You look hap- py to meet

洁　又 白　　见　我 好 像 有 多 愉

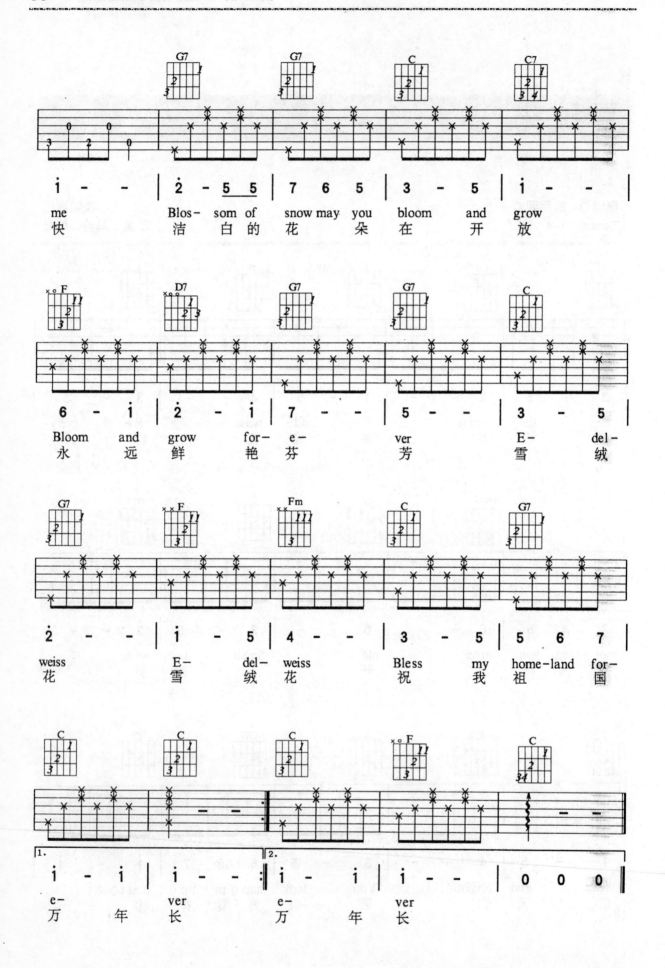

隐形的翅膀

王雅君　词
王雅君　曲
原调 #C　选用调 C

Capo　1
Tempo　4/4

张韶涵　演唱
王鹰　马鸿　编配

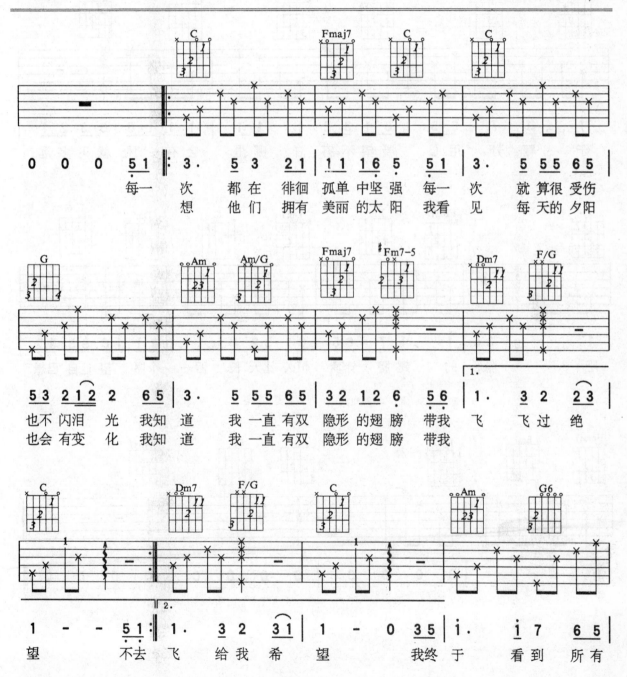

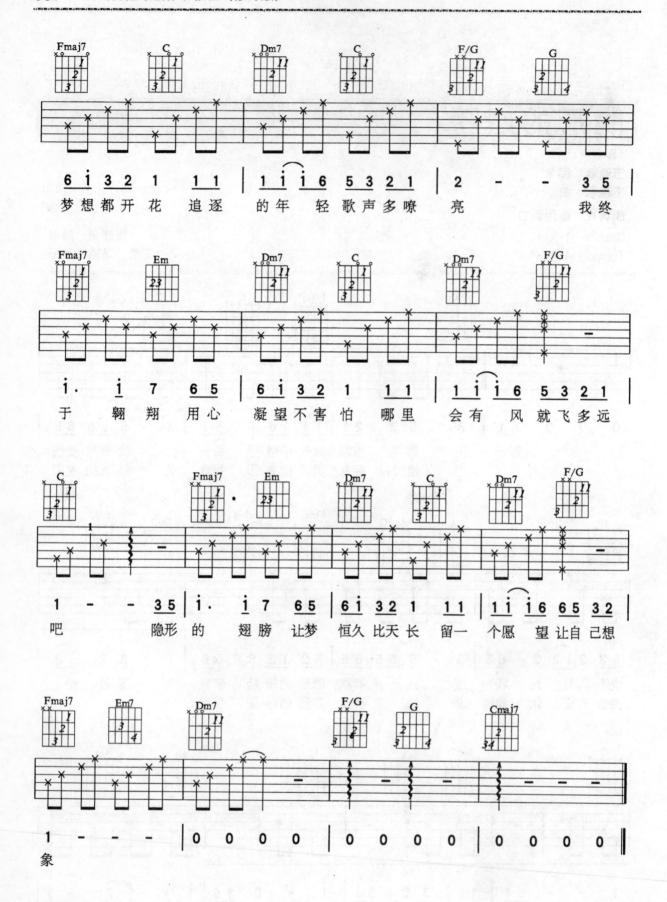

你知道我的迷惘（真的爱你）

Beyond　词
Beyond　曲
原调 C　选用调 C
Tempo　4/4

Beyond 乐队　演唱
王鹰　马鸿　编配

（国）一个人　在孤独的时候　走到　人群拥挤的街头　是在　抗议过份自由还是荒谬的地
（粤）无法可　修饰的一对手　带出　温暖永远在背后　纵使　啰嗦始终关注不懂珍惜太内

球　　　一个人　在创痛的时候　按着　难以痊愈的伤口　究竟
疚　　　沉醉于　音阶她不赞赏　母亲　的爱却永未退让　决心

应该拼命奋斗还是默默的溜走　　只有　你会了解我的忧　让我
冲开心中挣扎亲恩终可抱答　　春风　化雨暖透我的心　一生

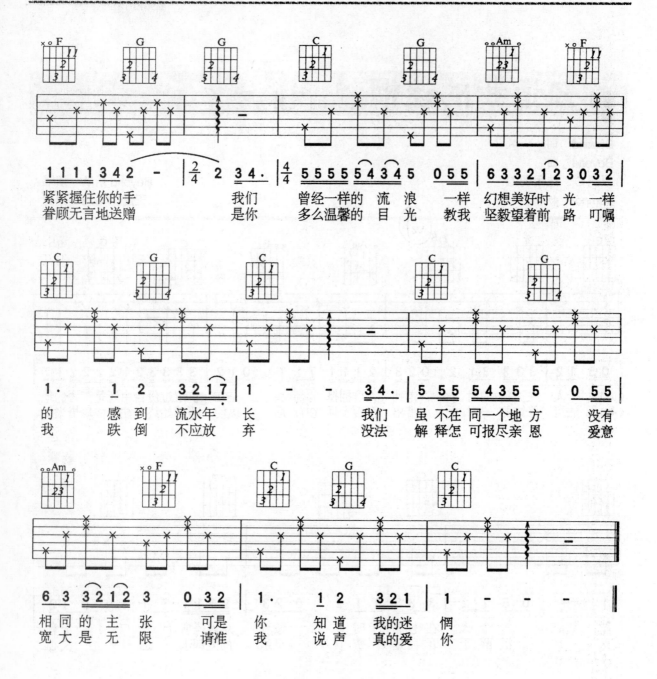

1 1 1 1 3 4 2 — | 2/4 2 3 4. | 4/4 5 5 5 5 5 4 3 4 5 0 5 5 | 6 3 3 2 1 2 3 0 3 2 |

紧紧握住你的手　　　　　我们　曾经一样的　流　浪　一样　幻想美好时　光　一样
眷顾无言地送赠　　　　　是你　多么温馨的　目　光　教我　坚毅望着前　路　叮嘱

1. 　1 2 　3 2 1 7 | 1 — — 　3 4. 5 5 5 5 4 3 5 5 　0 5 5 |

的　　感到　流水年　长　　　　我们　虽不在　同一个地　方　　没有
我　　跌倒　不应放　弃　　　　没法　解释怎　可报尽亲　恩　　爱意

6 3 3 2 1 2 3 0 3 2 | 1. 　1 2 3 2 1 | 1 — — — |

相 同 的 主 张　　可是　你　知 道 我的迷　惘
宽大是无限　　　请准　我　说声　真的爱　你

阳光总在风雨后

陈佳明 词
陈佳明 曲
原调B 选用调C
Tempo 4/4

许美静 演唱
王鹰 马鸿 编配

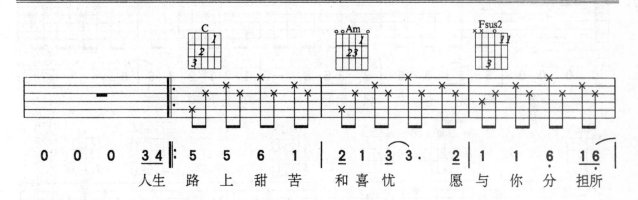

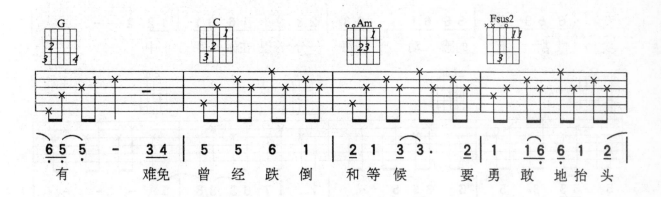

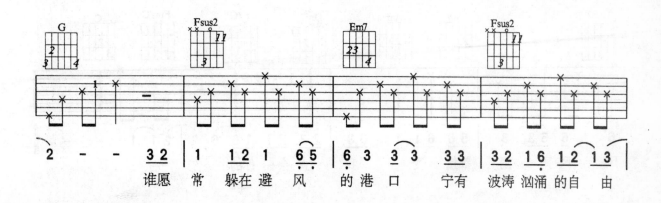

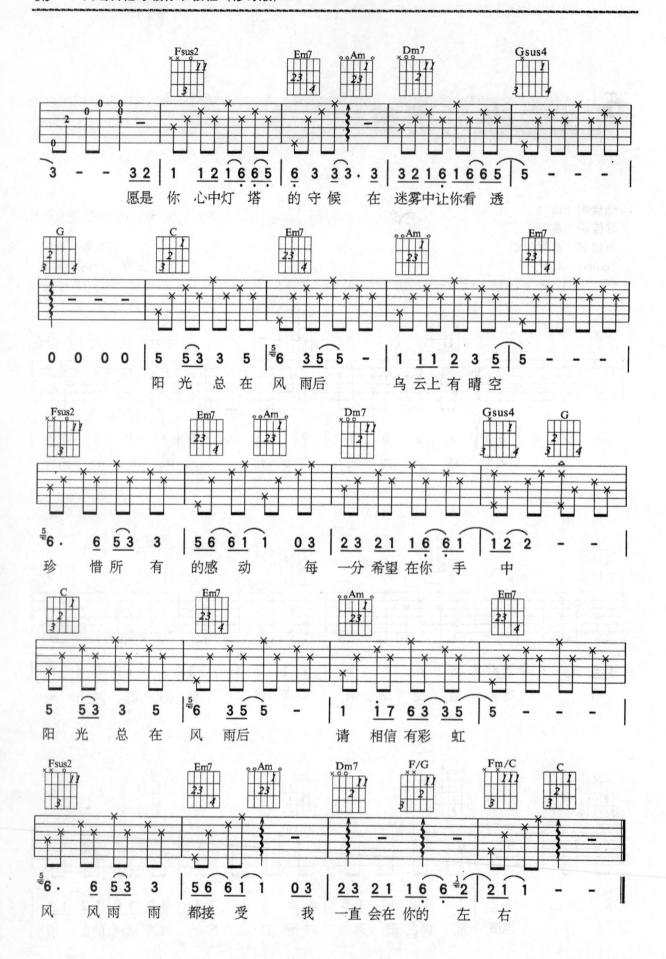

五 级

乐理知识

(一) 常用的节奏

节奏是音乐的骨架，也是吉他弹唱的灵魂。随着学习的深入，一些比较复杂的节奏会逐渐出现。在弹唱之前，我们必须把它们——领会并吃透，这是一名优秀吉他歌手的必经之路。

演奏架子鼓的人在遇到一个新的节奏时，先把它念出来，用行话说这叫"念鼓经"。学习吉他也应当如此，当你遇到自己没有弹过的节奏时，先要打着拍子把它的时值唱对，待到嘴上过关，把它弹出来也就很容易了。想成为一个吉他弹唱的高手，必须经过节奏的强化训练。

这里我们用"×"来代表四分音符，念做"哒"。

1. 八分音符

×× ××

2. 十六分音符

×××× ××××

3. 一个八分音符加两个十六分音符

××× ×××

4. 两个十六分音符加一个八分音符

××× ×××

5. 四分附点音符加一个八分音符

×· ×

6. 四分附点音符加两个十六分音符

×· ××

7. 八分附点音符加一个十六分音符

×· × ×· ×

8. 四分音符的三连音

××× ×××

9. 八分休止符接八分音符，八分休止符接两个十六分音符

   0 X   0 X X

10. 八分音符加一个四分音符和一个八分音符

    X X X

11. 十六分音符加一个八分音符和一个十六分音符

    X X X   X X X

以上的 11 条节奏形态，是节奏学习的基础，每一位同学都应该充分了解它们。对十六分音符、附点音符、三连音我们以前都做过比较详细的介绍，而最后两种节奏比较怪又比较难唱，是今天我们要学习的新内容。

▲ 切分音

一个音从拍子的弱音开始，延续到后面的强音部分，并把后面的强音移到前面去，这个音叫"切分音"。

如果我们把 X X X 这个节奏用连音线改写一下，它就变成了 X X ⌒ X X 。

这样我们就看得很清楚了：第一拍的后半拍是弱音，第二拍的前半拍是强音，当它们被唱成一个音时就变成切分音了，这种带有切分音的节奏就叫做"切分节奏"。

同理， X X X 和 X X. 也属于切分节奏。

切分节奏一改人们的传统习惯，破坏了音乐的正常节拍，音符在你以为不会出现的时候出现，在你认为会听到音符的地方却又不出来，这种轻松摇曳的感觉很有味道。

切分节奏对初学者来说比较难掌握，不过，只要掌握了切分节奏的特点，它其实并不难。

多唱几遍切分节奏我们会发现，它的特点是第一个音和第二个音连接紧凑，而第二个音唱得较长，然后第三个音和第二个音也接得比较紧密，具体地说就是两头短中间长。找到这个感觉，并把拍子确定好，切分音就很容易唱准。

节奏感的培养非一朝一夕之功。下面我们提供一组节奏练习，希望你能在老师的指导下认真地完成。我们这里所说的"完成"不仅仅意味着照谱念一遍，而是要反复训练，直到变成你的"条件反射"般的熟练。

▲ 基本节奏20条

1. X X | X X X

2. X X X | X X X

3. X X O | X. O

4. X X X | X X X X X

5. X X X | X X X X X

6. X X X X X | X X X X

7. X X X X X X | X X X X X

8. X X X X X X X | O X X X X X

9. X X X O | X X X O X

10. X X X X X X | X. X X

11. X. X X X X | O X X X X

12. X. X | X X

13. X. X O X | X. X

14. X X X X. X | X X X X O X

15. X X X X X. X | X. X

16. X X X X X X X | X X X X X X X

17. X X X X | X X X X X

18. X X X X X X ³ | X X X X X X

19. X X X O X X | X X X X X X.

20. X X X X X X ³ | X X X X X X.

▲ "6/8" 拍与 Slow Rock

我们已经接触过了四二拍子、四三拍子、四四拍子的乐曲，它们都是以四分音符为一拍，只是每小节的拍数不同。不过，现代音乐却往往打破传统的规则，以寻求更加自由、更具效果的音乐空间。

以八分音符为一拍，每小节有六拍的拍子，叫做"八六拍子"，其拍号写成"6/8"。它的第一拍是强拍，第四拍是次强拍，其余各拍为弱拍：

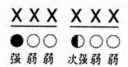

伴奏 "6/8" 的歌曲，可以借鉴 Slow Rock 的伴奏方式。

"Slow Rock" 译成中文是"慢摇滚"之意，它采用三连音的伴奏方式。常用音型如下，"T"表示低音。

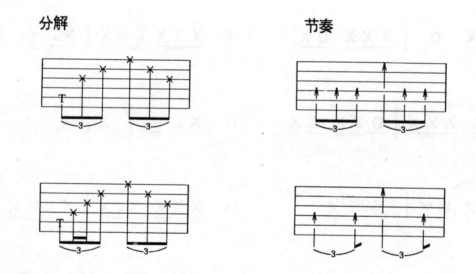

同学们会发现，加上连音之后，三连音节奏变得很摇曳，这就是人们通常说的"曳步节奏"（Shuffle），它是蓝调音乐的重要特点之一。

弹唱 "6/8" 拍的歌曲可以借鉴 Slow Rock 的伴奏手法：

6/8 拍节奏时也以 Slow rock（慢摇滚）的形式出现，不过同学们一定要正确区分"6/8"拍与 Slow Rock 的异同。

1. "6/8" 是以八分音符为一拍，慢摇滚是以四分音符为一拍。

2. "6/8" 拍每小节有六拍；而慢摇滚每小节只有两拍，只是每一拍被平均分成了三个等份。

我们以具体的例子来说明：

$$\frac{2}{4} \quad 5 \quad 6 \quad = \quad \underline{5\ 5} \quad \underline{6\ 6} \quad = \quad \overset{3}{\overbrace{\underline{5\ 5\ 5}}} \quad \overset{3}{\overbrace{\underline{6\ 6\ 6}}}$$

$$\frac{6}{8} \quad 5\cdot \quad 6\cdot \quad = \quad 5\ \underline{5} \quad 6\ \underline{6} \quad = \quad \underline{5\ 5\ 5} \quad \underline{6\ 6\ 6}$$

"6/8" 拍和 "3/4" 拍也都可以用相同的分解和弦指法来伴奏，但它们之间的区别你体会得到吗？

（二）G 大调和弦的级数

在弹唱的过程中，一些朋友也许会感觉不舒服，调子或是偏高了，或是偏低了，这时，我们就该换个调。

▲ "调" 的概念

什么是调呢？通俗地说，调就是调门，也就是 "1" 的音高位置。如果一首 C 调歌曲对你太高，那么可以改唱 B 调；如果太低，那试试 D 调。

此话怎讲呢？

我们知道，C 大调的音阶是：

音 名	C	D	E	F	G	A	B	C
唱 名	1	2	3	4	5	6	7	i

| 全音 | 全音 | 半音 | 全音 | 全音 | 全音 | 半音 |

C 调的意思就是把 C 音唱为 "1"，D 调的意思是把 D 音唱为 "1"，那 G 调的意思自然就是把 G 音唱为 "1" 了。各大调都有自己的音阶，而音阶中的各音的排列都同 C 大调一样，"1" 到 "2" 是全音，"2" 到 "3" 是全音，"3" 到 "4" 是半音……于是我们也可以很容易地推算出 G 大调的音阶。

▲ G大调音阶

唱　名	1	2	3	4	5	6	7	i
C大调音阶	C	D	E	F	G	A	B	C
G大调音阶	G	A	B	C	D	E	#F	G
	全音	全音	半音	全音	全音	全音	半音	

▲ 首调唱名法

　　为什么在G大调的音阶里会出现一个变化音#F呢？这是因为我们事先规定了G大调与C大调一样，"**6**"与"**7**"之间应该相距一个全音。由于E和F之间只相距一个半音，不符合G大调音阶构成的要求，所以我们要把F升高半音。像上面这样，无论什么调都把音阶中的第一个音唱为Do，把第二个音唱为Re，第三个音唱为Mi的唱名法叫做"首调唱名法"，这也是流行音乐中最常用的唱名法。

　　古典音乐家大都只是将原曲重现，所以都使用固定调唱名法，即无论在任何调中，C音都唱"**1**"，G音都唱"**5**"，#F音都唱"**#4**"。而现代音乐特别是Jazz则经常转调、即兴，用首调才方便找到音阶与和弦。

▲ 音　级

　　音阶里的每一个音叫做一个"音级"，同时，从以前学过的知识我们还知道，C大调的自然音阶和弦是：

音　阶	1	2	3	4	5	6	7	i
音　级	Ⅰ	Ⅱ	Ⅲ	Ⅳ	Ⅴ	Ⅵ	Ⅶ	Ⅰ
和　弦	C	Dm	Em	F	G	Am	Bdim	C

　　和弦的根音决定了和弦的级数，根音的的级数是多少，和弦的级数也就是多少。在Ⅰ、Ⅳ、Ⅴ级的顺阶和弦都是大三和弦，Ⅱ、Ⅲ、Ⅵ级的顺阶和弦都小三和弦。

▲ G大调常用和弦

　　"音级"的概念对于吉他伴奏非常重要，既然级数与根音相同，那么我们就可以根据音级找到与之相对应的G调和弦：

　　1. Ⅰ级和弦的根音是"**1**"，"**1 3 5**"构成大三和弦；

2．在 G 调中 1＝G；

3．以 G 为根音构成的大三和弦是 G 和弦。

同理：

1．Ⅱ级和弦的根音是"**2**"，"**2 4 6**"构成小三和弦；

2．在 G 调中 2＝A；

3．以 A 为根音构成的小三和弦是 Am 和弦。

这样我们可以很容易地推出 G 大调的自然音阶和弦为：

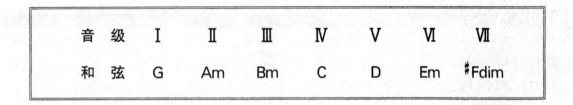

音 级	Ⅰ	Ⅱ	Ⅲ	Ⅳ	Ⅴ	Ⅵ	Ⅶ
和 弦	G	Am	Bm	C	D	Em	#Fdim

这七个和弦就是 G 调的常用和弦。

　　拿 C 调和弦与 G 调和弦做比较我们会发现，名称相同的和弦在不同调中的级数是不同的：C 和弦在 C 大调中是Ⅰ级，而在 G 大调中是Ⅳ级；G 和弦在 C 大调中是Ⅴ级，而在 G 大调中是Ⅰ级。希望朋友们把这两个调中的不同音级的和弦背熟，这样，我们只要记住了歌曲的和弦级数，就可以轻易地改用其他的调来伴奏，不管是 C 调、是 G 调，还是今后要学的 D 调、A 调。

（三）大七和弦与小七和弦

　　我们前面学过，大小七和弦即属七和弦是在大三和弦之上再叠加一个小三度音而构成的，换句话说，属七和弦的根音与七音距离小七度音程。例如由"**1 3 5 ♭7**"四个音构成的 C7 和弦，它的根音"**1**"与七音"**♭7**"之间是小七度音程；由"**5 7 2 4**"四个音构成的 G7 和弦同样如此，"**5**"与"**4**"之间也是小七度音程。

　　如果在大三和弦的上方叠加的是大三度音程，情况又不一样了。比如 C 和弦之上叠加大三度音程后，组成音为"**1 3 5 7**"，"**1**"与"**7**"之间的距离是大七度，这个和弦被称为"C 大七和弦"，记为 Cmaj7。

　　我们把 G7 和弦的七音升高半音，使它与根音之距离为大七度音程，这样就得到 Gmaj7 和弦。

　　大七和弦很不协和，爵士味很浓，经常作为Ⅰ级和Ⅳ级替代的和弦。所以，C 调中的 Cmaj7、Fmaj7，G 调中的 Gmaj7、Cmaj7 等在现代音乐中出现的频率非常高。

　　以上的讨论是基于大三和弦基础之上的，现在我们换个对象在小三和弦的上方叠加一个小三度音程，这样就得到另一七和弦即小七和弦。例如在 Dm 和弦的上方再叠加三度音，就得到由"**2 4 6 1**"四个音组成的 Dm7 和弦。

　　小七和弦比较轻柔，也属于不协和和弦。

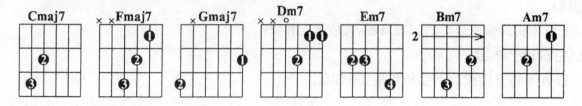

技巧训练

（一）大横按

　　Bm 和弦要求食指同时按住吉他的六根弦，这就是我们常说的大横按。

　　不少吉他爱好者的信心就是被大横按击溃的，其实只要方法正确，按好它并不难：

　　1．大横按时，左手拇指要放在琴颈中线附近并同琴颈方向垂直，它的位置隔着指板应在食指与中指之间，这样能使拇指与其他手指之间产生一种"夹住指板"的效果。

　　2．食指按弦时要避开指节的两处接缝，因为那里明显凹下去一些，按弦应该用食指的肉垫部分。请你在练习时不断调整食指的位置，以找到一个最佳的接触点。

　　3．食指横按时应略微向外翻，用它的侧面按弦能增大它与琴弦之间的摩擦力并产生一种像别针那样"别"住琴弦的效果。

　　4．一个完整的和弦在大横按时往往还要用到其他的手指，如在按 Bm 和弦时，2、3、4 指也都按住了相应的②④③弦，这样就涉及到一个用巧劲的问题——食指在这三根弦上用力可以省一些，主要力量应该集中在其他几根弦上。

　　5．如果大横按时总有一两根弦发不出声，那么请检查一下左手其他手指的第一指节是否是垂直按弦、有没有碰到相邻的弦。

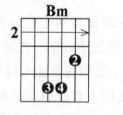
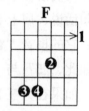

　　6．大横按并非一朝一夕之功，手指力量不足可能是最主要的原因，请练上三五天后自我测试。当然劣质吉他手感较差也是一个因素，若不符合要求应找人修理或换琴。

　　7．初练大横按最好选择吉他的第五品格，因为那里比较容易用力。

　　8．让六根琴弦都能清晰地发声是一件很累的工作，你可以在和弦转换的间隙，放松按弦，让左手做短暂的休息，这种"紧张与放松"的技巧非常重要。

其实，我们以前学过的 F 和弦也有一种完整的指法，并且用到了大横按，请各位练会它（见上图）。

（二）分解和弦训练

通过精心编排，按一定顺序依次弹出，将和弦中的每个音这种伴奏方法叫做"分解和弦"。分解和弦在吉他弹唱中占据了相当重要的地位。由于六根琴弦能够构造出很多奇妙的组合，再加上音符时值的变化，分解和弦表现力是极其丰富的。《来自我心》《Scarborough Fair》《明天我要嫁给你》《外面的世界》等精彩的弹唱歌曲，无一例外是用分解和弦演绎的。通过前面课程的学习，我们已经对分解和弦有了初步的认识，现在我们再来学习几种相对复杂的音型。按住 C 和弦：

▲ *常用的分解和弦音型*

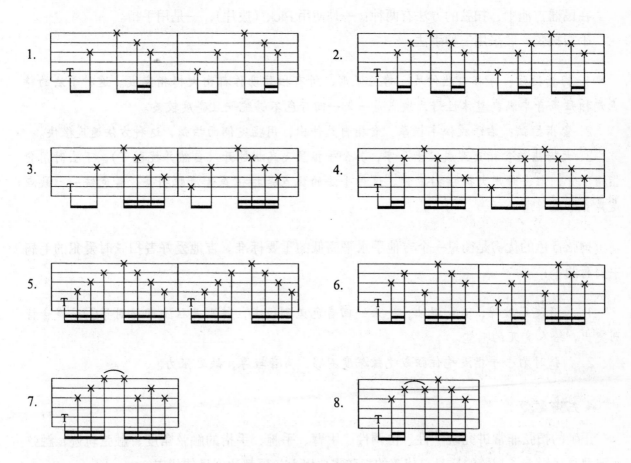

同学们在一首歌的伴奏中，不必使用很多种伴奏音型，不过，你掌握的音型越多，在需要的时候供你选择的范围也越大。分解和弦的变化实在是太多了，因为篇幅的原因很多音型

我们并没有列出来，你可以凭感觉自由组合。其实，每位成熟的吉他手都有各自的演奏风格，自然也就有自己偏爱的几种音型。大家将以上各条全部练熟之后，可以根据自己的喜好，重点选择几条来练习，然后再有意识地在实践中去运用，使它们变成你的看家本领。

以上的练习必须与和弦转换同时进行，同学们可以选择下面的和弦进行：

1.G—Em—C—D　　　　2.G—Em—Am7—D

3.G—C—D—G　　　　4.G—Bm—C—G

（三）扫弦技巧

▲ 扫弦技法

吉他这门乐器之所以能风靡世界，最重要的原因就是门派众多、雅俗共赏。尤其是吉他那变化莫测、震撼人心的扫弦技法，更是它的独特优势，这使得其他乐器在伴奏时从这方面展示出的技法都望尘莫及。因此，想成为一名优秀的吉他手绝不可忽视扫弦的学习。

在民谣吉他中，扫弦的方法有两种：一是使用 Pick（拨片），一是用手指。

手指扫弦一般采用三种手法：

1. 拇指扫弦：手指自然伸展，略呈弧形，所有扫弦动作都由大拇指完成。这种手法的特点是扫弦声音丰满，整体性好，缺点是一来一回音色不够统一且亮度较差。

2. 食指扫弦：右手放松半握拳，食指自然伸出，用指尖侧面扫弦，这种方法速度很快。

3. 大拇指与食指交叉成"十"字，其余手指呈飞鸟状伸开（自然并拢也可），下击时用食指指甲背，上击时用大拇指指甲背。这种手法的优点是扫弦声音清脆明亮、音色统一，缺点是声音略显单薄。

扫弦音色的优劣是衡量一个吉他手水平高低的重要标准。吉他爱好者扫弦时爱犯的毛病主要有两个：

1. 声音支离破碎，音色混浊，一来一回音色差别很大，特别是往上回弦时第①弦声音特别突出，给人突兀的感觉。

2. 扫弦时右手手指没吃住弦或吃弦深度不够，声音轻浮，缺乏张力。

▲ 扫弦要领

正确的扫弦非常讲究统一性、协调性。手臂、手腕、手指的触弦角度、触弦轨迹、触弦深浅都直接影响了扫弦的质量。优美的扫弦需要以上各项都达到最佳状态。

1. 扫弦时，右手的运动要以手腕为主，右手小臂因为手腕的挥动而被带动。手腕一定要放松。如果你扫弦的姿势潇洒，松弛而有弹性，控制得又很好，即为合格。

2. 手指指甲背与弦接触的角度也很重要，这不应是个直角，而是一个 60°左右的锐角。

3. 手指与弦接触的深浅要适中。触弦过深，手指容易绊在某根弦上导致声音的破碎；触弦过浅，会吃不住弦，声音轻浮而缺乏张力。

（四）常用的扫弦节奏型

扫弦节奏型可谓变化无穷，我们先选几个简单实用的来练习：

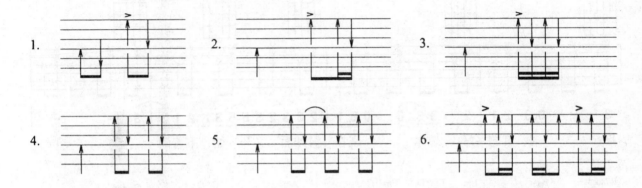

● **练习时请注意：**

（1）一定要使用节拍器。

（2）"＞"是重音符号，表示应该强调的音，强弱错落有致的节奏型听起来才富于表情。

（3）遇到有延音线的地方，手腕不要停止扫弦的动作。以第五个节奏型为例，在第三拍的前半拍，手腕依然要做下扫的动作，只是不能触弦。这样，手腕一上一下的规律就不会被打乱，而且还有打拍子的作用，大家可以多体会一下。

曲目分析

1. 成功学会大横按，是吉他入门的一个重要标志。本级中的每首曲子都有大横按，横按中的每个音符都应该发清晰。

2. 扫弦技法对左手换和弦的速度要求较高，各手指必须同时到位，在同一时间按在和弦上，否则就会出现破音或者和弦外音，这在考试要坚决杜绝。

3.《丁香花》使用了几种圆滑音技巧，考此曲的同学可提前自学这部分内容。

4.《蓝莲花》使用的是 D 调指法，其实 D 调并不难。常用的 D 调和弦及指法在六级中会有详细阐述。

如果没有你

李焯雄　词　　左安安　曲
原调B　选用调G
Capo　3
Tempo　4/4

李代沫　演唱
王鹰　马鸿　编配

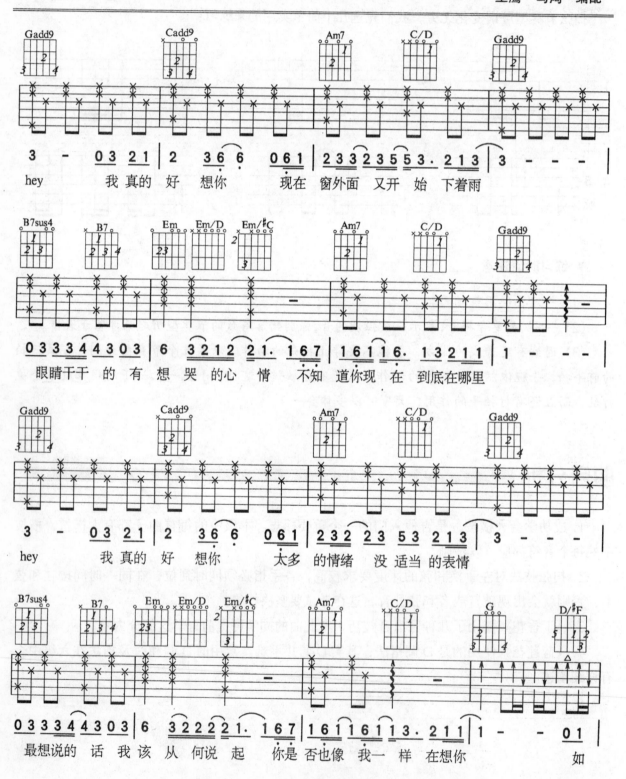

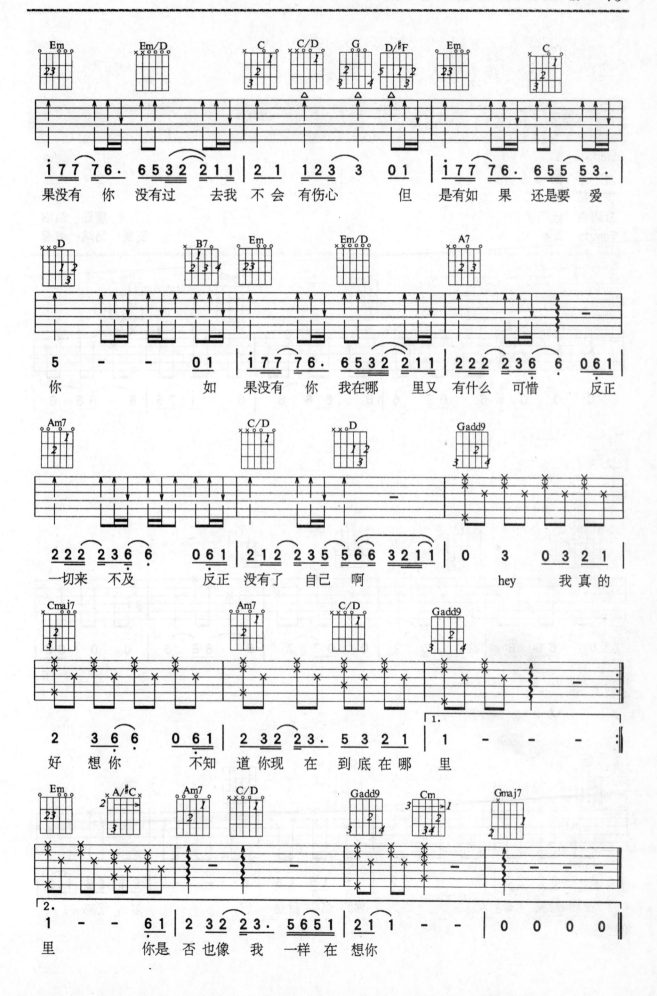

丁香花

唐磊 词
唐磊 曲
原调 G   选用调 G
Tempo   3/4

唐磊 演唱
王鹰 马鸿 编配

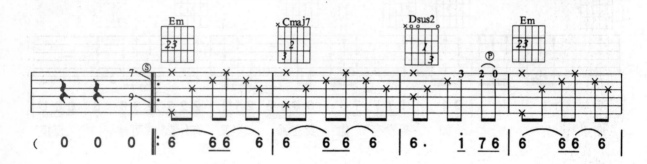

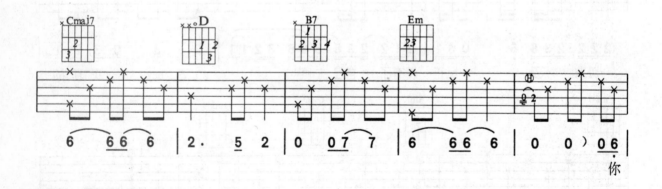

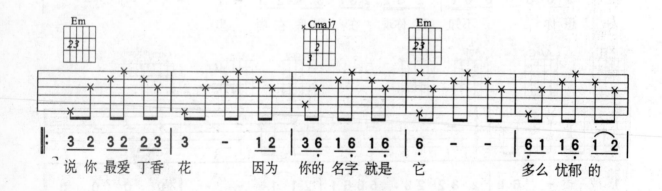

说 你 最爱 丁香 花   因为   你的 名字 就是 它   多么 忧郁 的

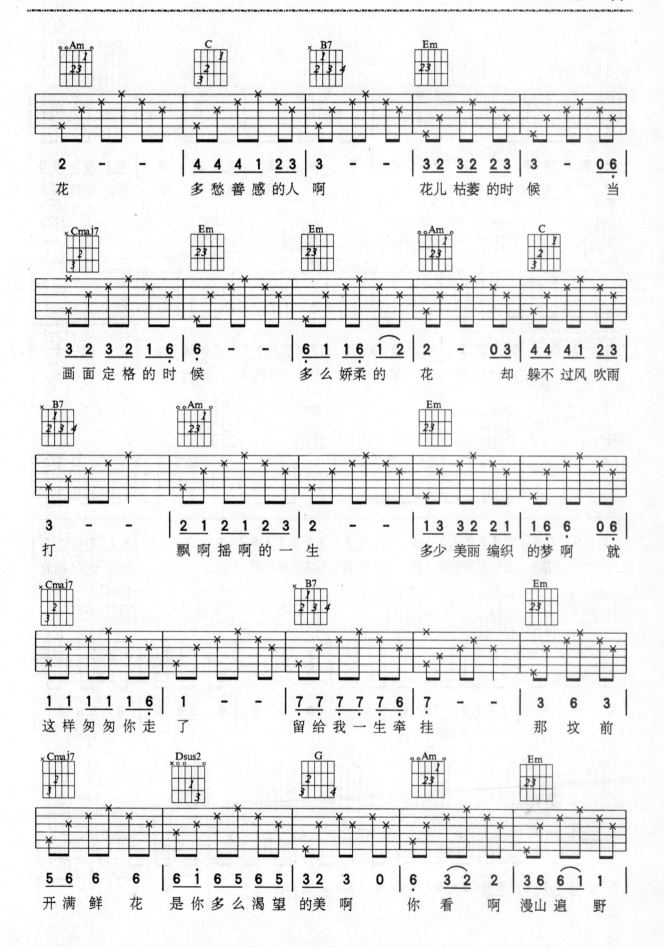

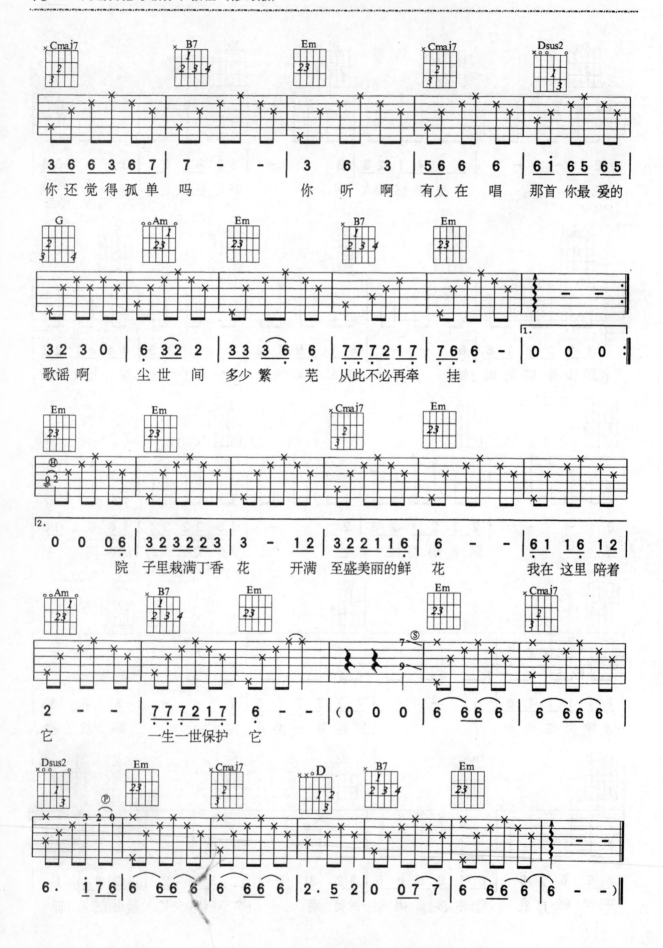

春天里

汪 峰 词曲
原调 E　选用调 C
Capo　3
Tempo　6/8

汪峰 演唱
王鹰 马鸿 编配

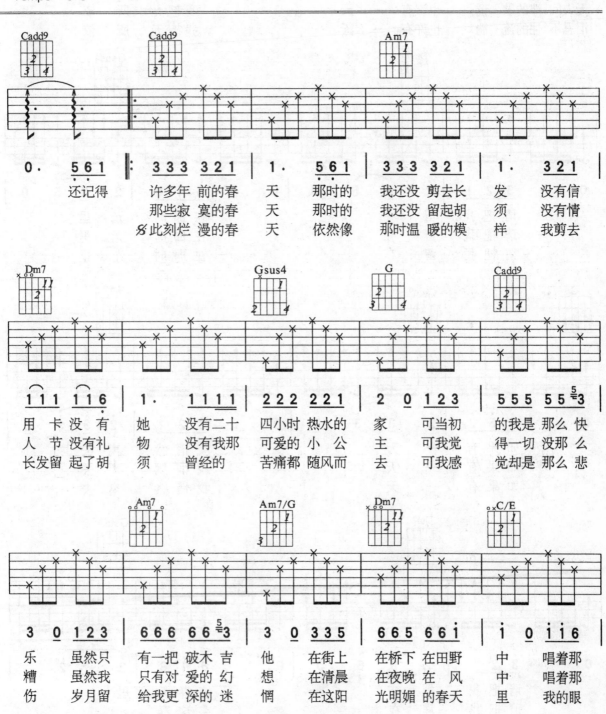

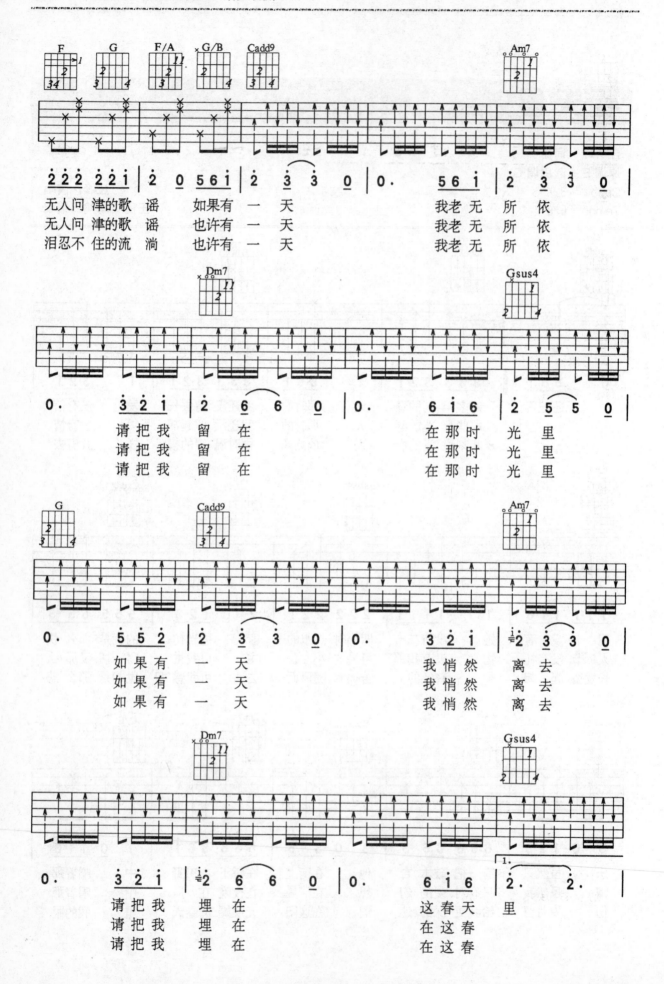

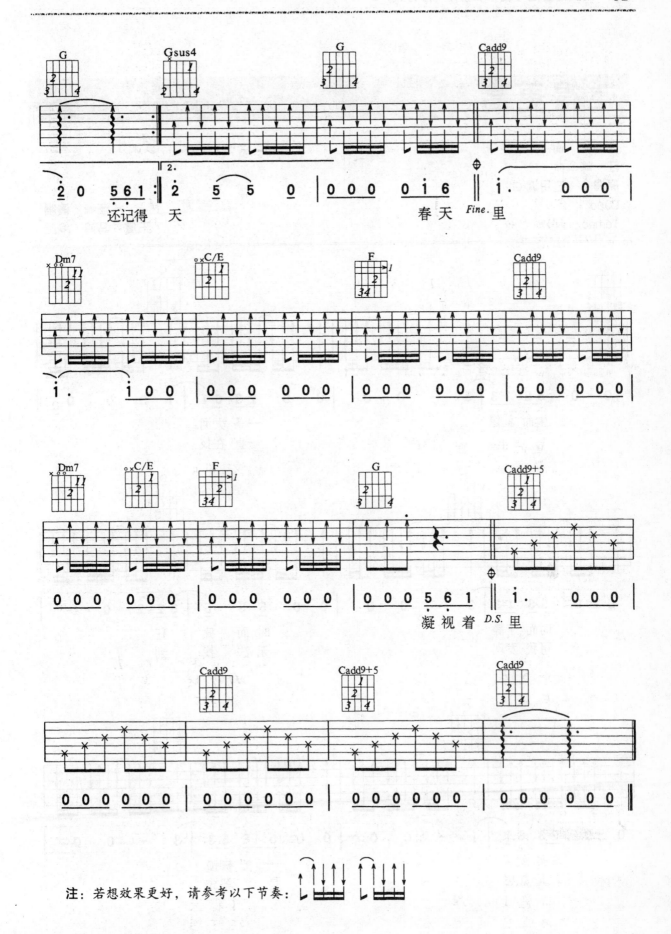

注：若想效果更好，请参考以下节奏：

飞得更高

汪　峰　词
汪　峰　曲
原调 A　选用调 G
Capo　2
Tempo　4/4

汪峰　演唱
王鹰　马鸿　编配

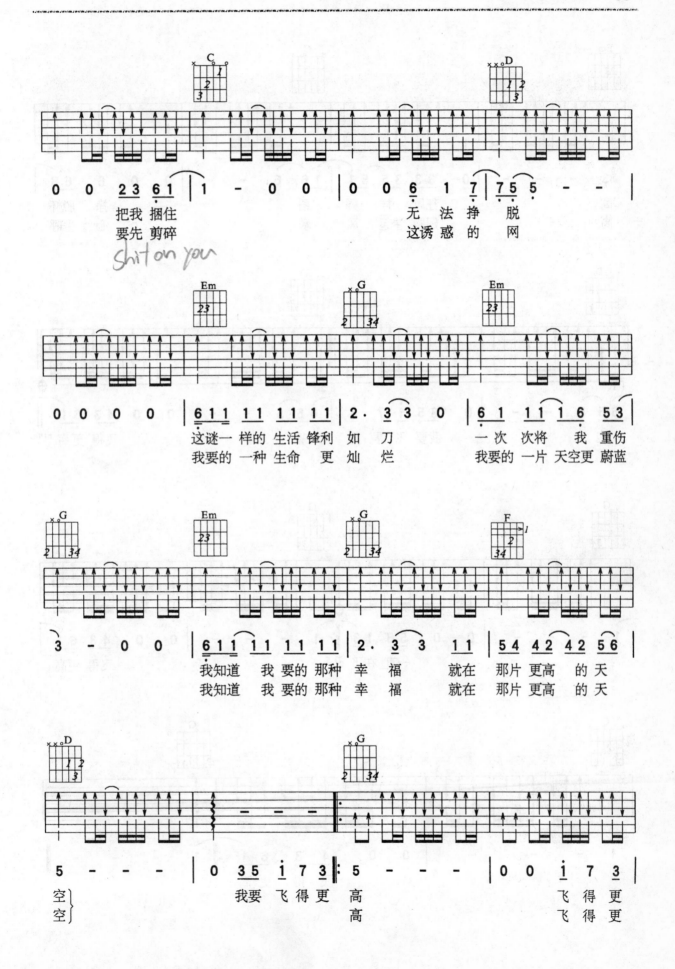

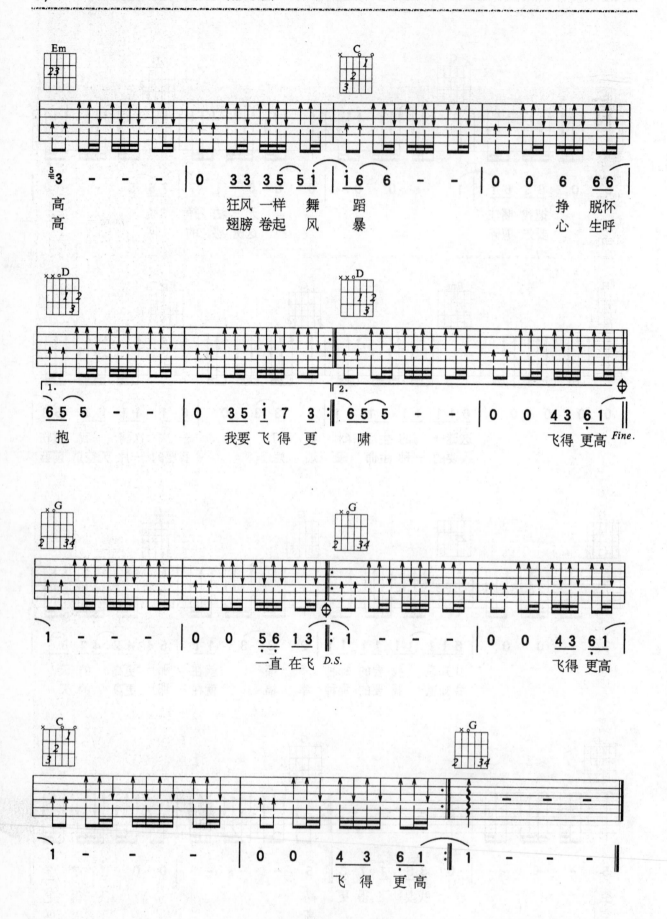

有没有人告诉你

陈楚生 词
陈楚生 曲
原调♭A 选用调G
Capo 1
Tempo 4/4

陈楚生 演唱
王鹰 马鸿 编配

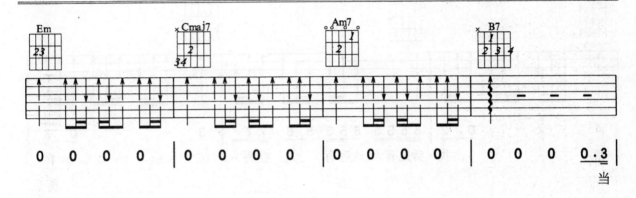

0 0 0 0 | 0 0 0 0 | 0 0 0 0 | 0 0 0 0.3
当

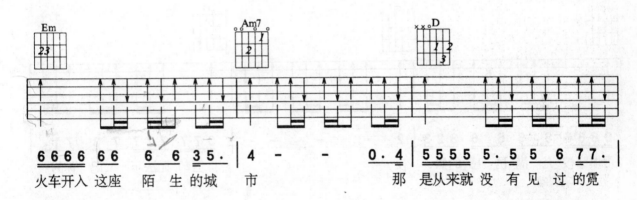

6666 66 6 6 35. | 4 — — 0.4 | 5555 5.5 5 6 77.
火车开入 这座 陌 生 的城 市　　　那 是从来就 没 有 见 过 的霓

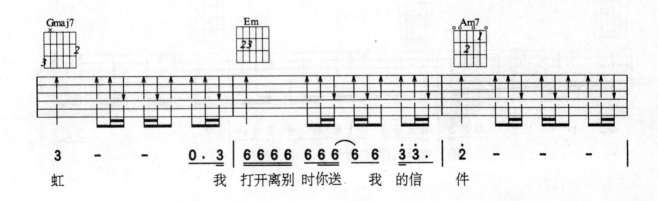

3 — — 0.3 | 6666 666 66 33. | 2 — — —
虹　　　　　我 打开离别 时你送 我 的信 件

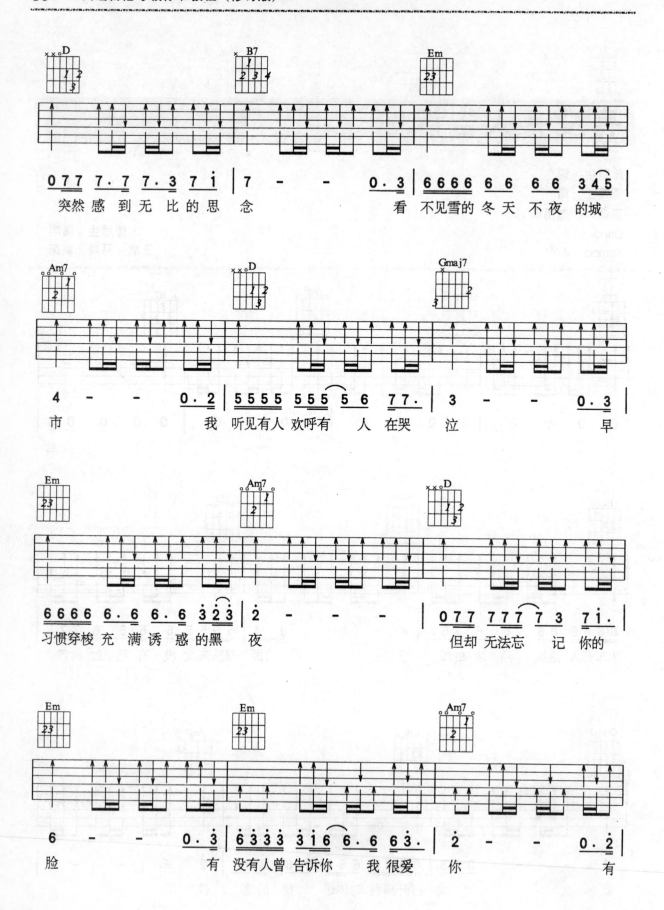

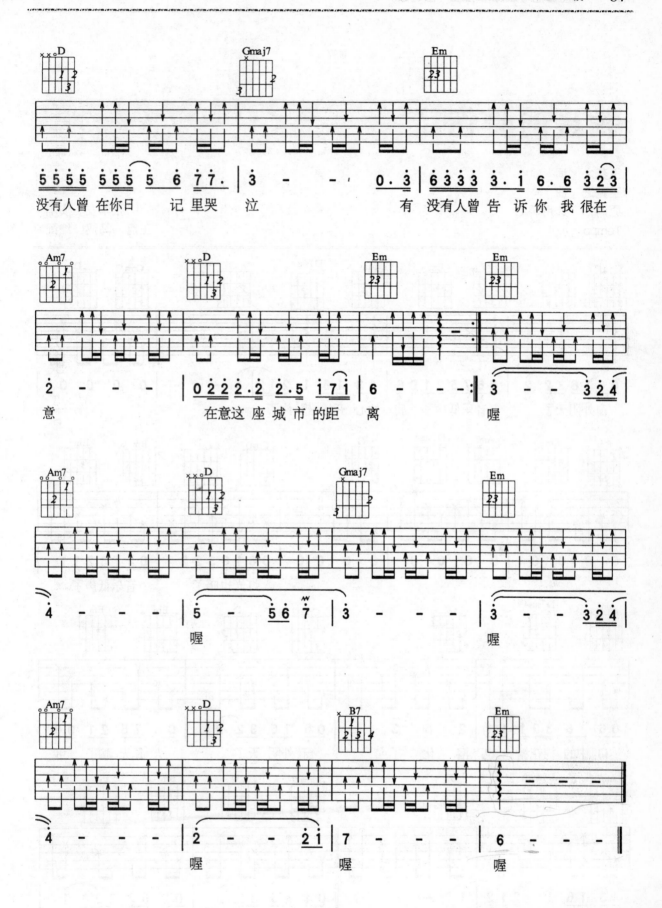

我真的受伤了

王菀之　词
王菀之　曲
原调 G　选用调 G
Tempo　4/4

张学友　演唱
王鹰　马鸿　编配

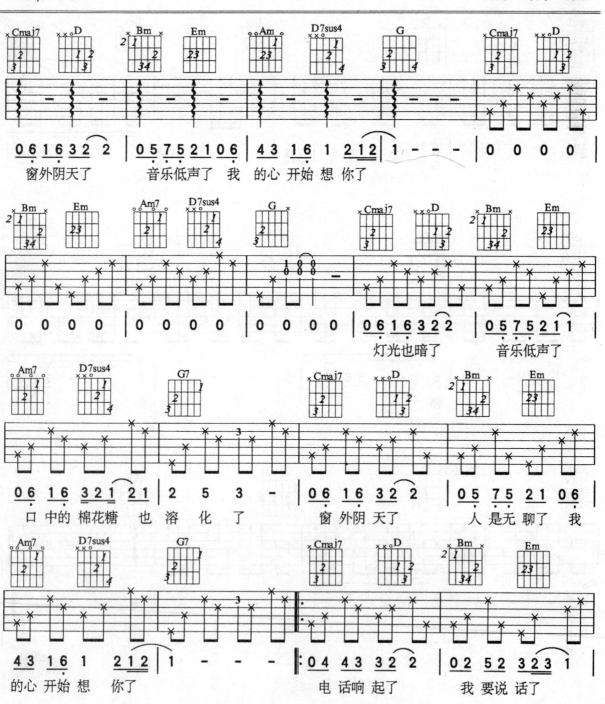

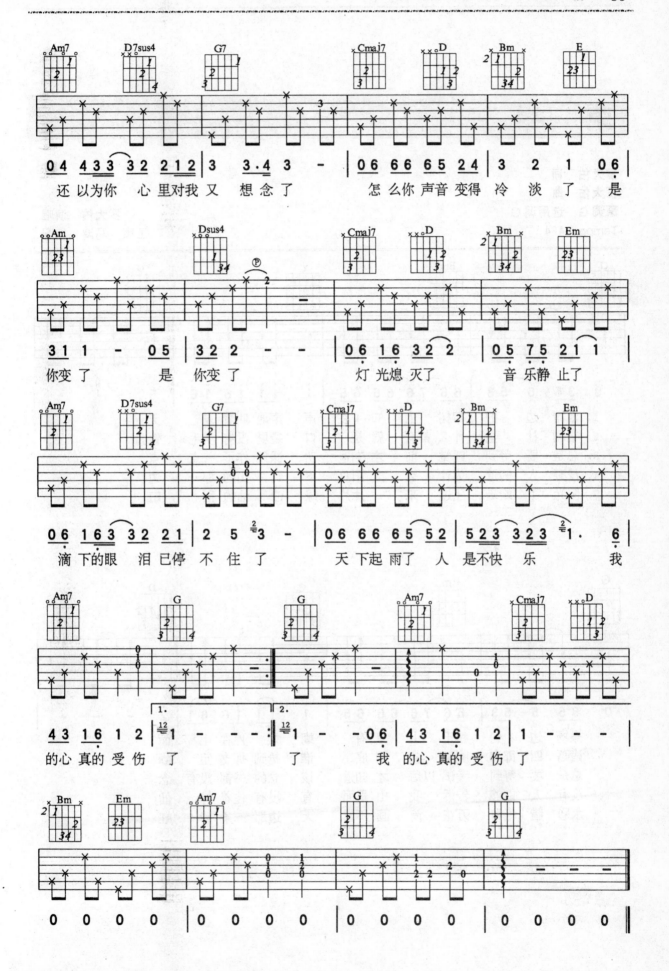

童　年

罗大佑　词
罗大佑　曲
原调 G　选用调 G
Tempo　4/4

罗大佑　演唱
王鹰　马鸿　编配

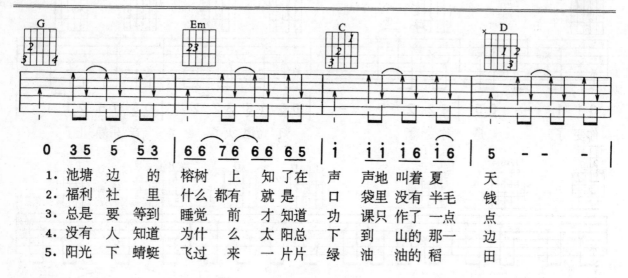

```
0  35  5  53 | 66 76 66 65 | i  ii 16 16 | 5 - - - |
```

1. 池塘　边　的　　榕树　上　知　了在　声　声地　叫着　夏　　天
2. 福利　社　里　什么　都有　就　是　口　袋里　没有　半毛　天　钱点
3. 总是　要　等到　睡觉　前　才　知道　功　课只　作了　一点　点
4. 没有　人　知道　为什　么太　阳总　下　到　山的　那一　边
5. 阳光　下　蜻蜓　飞过　来　一片　片绿　油　油的　稻　　田

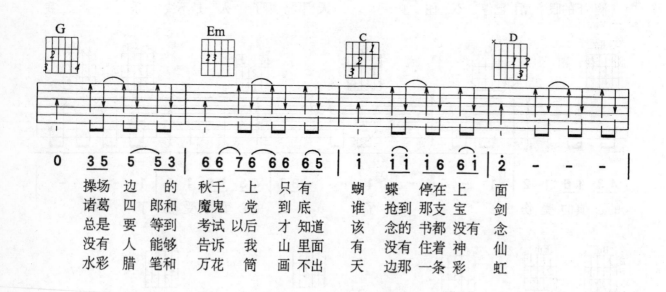

```
0  35  5  53 | 66 76 66 65 | i  ii 16 6i | 2 - - - |
```

操场　边　的　　秋千　上　只　有　蝴　蝶　停在　上　　面
诸葛　四　郎和　魔鬼　党　到　底　谁　抢到　那支　宝　剑念
总是　要　等到　考试　以后　才　知　山　里面　有　没有　念仙
没有　人　能够　告诉　我　山里　面那　天　边那　一条　彩
水彩　腊　笔和　万花　筒　画不　出　天　边那　一条　彩　虹

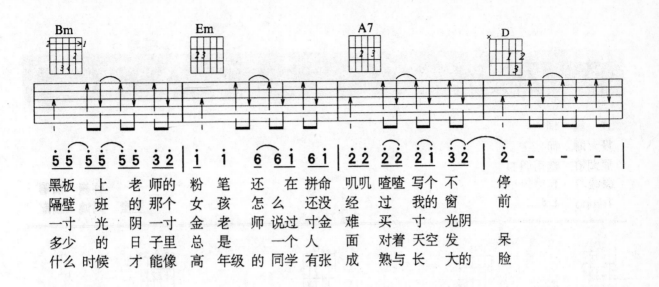

| Bm | Em | A7 | D |

5 5 5 5 5 5 3 2 | i i 6 6 i 6 i | 2 2 2 2 2 1 3 2 | 2 － － － |

黑板 上 老师的 粉 笔 还 在拼命 叽叽 喳喳 写个 不 停
隔壁 班的 那个 女 孩 怎么 还没 经过 我的 窗 前
一寸 光 阴一寸 金 老 师 说过 寸金 难 买 寸 光阴
多少 的 日 子里 总是 一个 人 面 对着 天空 发 呆
什么 时候 才 能像 高 年级 的 同学 有张 成 熟与 长 大的 脸

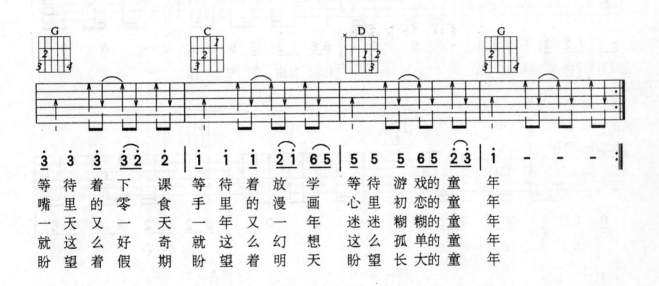

| G | C | D | G |

3 3 3 3 2 2 | i i i i 2 1 6 5 | 5 5 5 6 5 2 3 | i － － － :|

等 待着 下 课 等 待着 放 学 等 待 游 戏的 童 年
嘴 里的 零 食 手 里的 放学 年 心 里 初 恋 糊 糊的 童 年
就 这么 好 奇 就 这么 幻 明 天 盼 望 着假 期
盼 望着 假 期 盼 望 着 盼 望 长 大的 童 年

注: 1. Bm和弦也可以弹为Dm6和弦:

2. 女生可以用变调夹夹第五品演唱。

蓝莲花

许 巍 词
许 巍 曲
原调♭E　选用调D
Capo　1
Tempo　4/4

许巍　演唱
王鹰　马鸿　编配

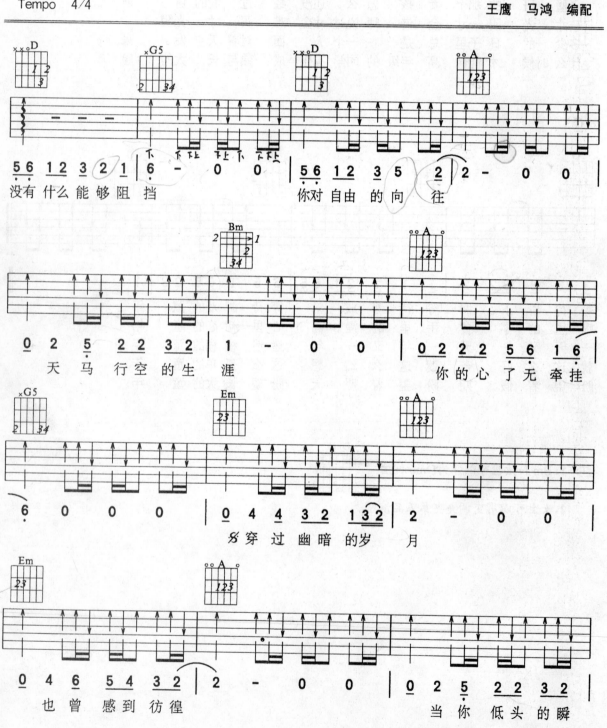

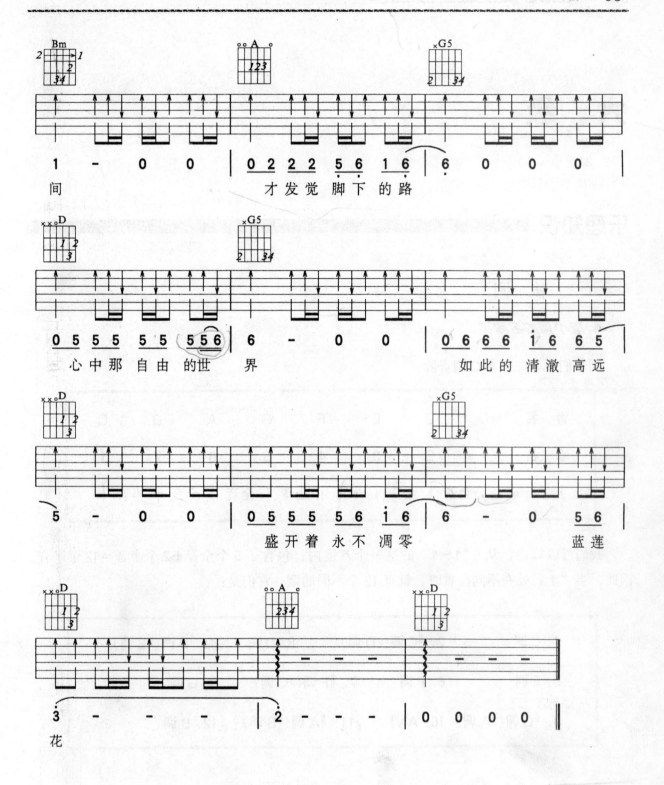

六　级

乐理知识

（一）移　调

▲ 12 个调的名称

同学们还是先来看 C 调音阶：

音 名	C	D	E	F	G	A	B	Ċ
唱 名	1	2	3	4	5	6	7	i
	全音	全音	半音	全音	全音	全音	半音	

我们可以算出，从 "1－i" 的这一个八度内，包含了 5 个全音＋2 个半音＝12 个半音，因此，当 "1" 处在不同位置时，就有 12 个不同的调，它们是：

1. C 调	2. #C 调（♭D 调）	3. D 调	4. #D 调（♭E 调）
5. E 调	6. F 调	7. #F 调（♭G 调）	8. G 调
9. #G 调（♭A 调）	10. A 调	11. #A 调（♭B 调）	12. B 调

▲ 变调夹

到目前为止，我们仅仅接触到了 A 调、C 调和 G 调，当你弹唱前面的练习曲时，有时也许会感觉调子并不适合自己，或是偏高了，或是偏低了。那么，如果你碰到一首不适合自己音域的歌曲时，有没有办法把它改成适合自己的调子来弹奏呢？

当然有办法了！

变调夹是民谣吉他演奏中常用的工具，英文名为"Capo"，它的作用就是改变吉他的固有音高——吉他相邻的品格相差半音，所以，当 Capo 夹在不同的位置，吉他空弦音的音高就会发生改变。

我们以《雪绒花》为例：如果你感觉唱 C 调太低，可以把 Capo 夹在吉他的第一品，这样，吉他的六根空弦音都比原来升高了半音，如果你仍然按 C 调指法弹奏，乐曲实际上已经变成 ♯C 调了；如果 Capo 往下再移一品，歌曲变成了 D 调；再下移一品，变成 ♭E 调……这样，你无需更改和弦，只要不断改变 Capo 的位置，就可以轻易地找到适合自己的调子。

上面讲的是升高调子的方法，而实际情况也许是：原曲本来就太高，你想降低了唱，那又该怎么办呢？

我们以《丁香花》这首歌为例：如果 G 调对你来说偏高了一些，降调的办法有两个：

1. 低八度演唱。如果这样又过低的话，这时你可以套上 Capo 一边试一边往下移动，直至找到适合你音区的品位。不过，当你的变调夹移到第五品以下时，吉他的音色已经变得很单薄了，除非有特殊编曲的需要，如果此时的调子还不适合你，就该想想别的办法了。

2. 我们学过"音级"的概念，下面的表格也应该很熟悉：

调 ＼ 音级	I	II	III	IV	V	VI
C	C	Dm	Em	F	G	Am
G	G	Am	Bm	C	D	Em

现在，你试试把歌曲改成 C 调来唱，和弦就参考上面的表格。这样一来，效果是不是完全不一样了？如果此时你又觉得 C 调稍稍低了一点，没关系，移动 Capo 就解决了。

（二）新的调号与和弦

▲ 8个常用调的基本音阶及和弦

音乐作品中共有 12 个调号，分别是 C、♯C（♭D）、D、♯D（♭E）、E、F、♯F（♭G）、G、♯G（♭A）、A、♯A（♭B）、B，它们在吉他伴奏中都会被用到。而其中 C、D、E、F、G、A、♭B、B 这八个调号又是最常用的。对于初级水平的同学来说，只要掌握了 C 调和 G 调的常用和弦，再配上变调夹这把"万能钥匙"，一般的歌曲都可以对付过去了。不过，对于进入了中高级、想让自己的吉他水平达到更高层次的朋友，新的调号、新的和弦就必须学好。

我们知道，C大调的音阶是这样排列的：

音 名	C	D	E	F	G	A	B	C
唱 名	1	2	3	4	5	6	7	i
	全音	全音	半音	全音	全音	全音	半音	

同时，任何一个自然大调的音阶，其每个音之间的音程距离同C大调音阶相同，这样我们可以很容易地找到以下各调的音阶。

音阶 调号	1	2	3	4	5	6	7	i
C调	C	D	E	F	G	A	B	C
D调	D	E	#F	G	A	B	#C	D
E调	E	#F	#G	A	B	#C	#D	E
F调	F	G	A	♭B	C	D	E	F
G调	G	A	B	C	D	E	#F	G
A调	A	B	#C	D	E	#F	#G	A
♭B调	♭B	C	D	#D	F	G	A	♭B
B调	B	#C	#D	E	#F	#G	#A	B

而分别以C大调音阶中的七个音作为根音，可以得到C大调的七个顺阶和弦：

C   Dm   Em   F   G   Am   Bdim

同理，我们以各调各自的七个自然音阶为根音也可以找到与其相对应的顺阶和弦：

音级 调号	I	II	III	IV	V	VI	VII
D调	D	Em	#Fm	G	A	Bm	#Cdim
E调	E	#Fm	#Gm	A	B	#Cm	#Ddim
F调	F	Gm	Am	♭B	C	Dm	Edim
G调	G	Am	Bm	C	D	Em	#Fdim
A调	A	Bm	#Cm	D	E	#Fm	#Gdim
♭B调	♭B	Cm	Dm	#D	F	Gm	Adim
B调	B	#Cm	#Dm	E	#F	#Gm	#Adim

以上的和弦，除了减和弦（我们也暂不要求掌握），大部分我们都使用过或者至少接触过，新的三和弦只有下面几个。

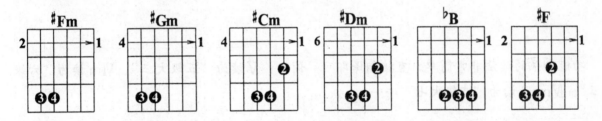

作为中等水平的同学，理应熟悉本级新学的调号里所有常用的和弦。任何一位吉他高手都曾经有过"背和弦"这个痛苦的历程，你也不能例外。尽管后面我们会讲到一些记忆和弦的方法，但那都是建立在牢固的理论基础之上的，现阶段别想找捷径，其实死记硬背的东西最扎实。

另外，虽然上面列出的是大调的常用和弦，对与它们有着相同调号的关系小调，上表同样适用。以F调的关系小调d小调为例，我们同样可以认为它的I级和弦为F、VI级和弦为Dm。这虽然有悖于传统的古典和声学，但在流行音乐中却很实用。

（三）功能和弦

其实，流行音乐中常常使用的和弦标记法有两种，一种是标出和弦的具体名称，如C、Am、Fmaj7、Bdim等，另一种是乐队总谱中使用的"功能谱"，它是根据根音的级数及和弦的性质进行标记的，所以叫做"功能和弦"。

我们来看下面一组和弦进行：

Ⅰ—Ⅵm—Ⅱm7—Ⅴ—Ⅰ

Ⅰ 代表根音为Ⅰ级的大三和弦，如 C 调中的 C 和弦。

Ⅵm 代表根音为Ⅵ级的小三和弦，如 C 调中的 Am 和弦。

Ⅱm7 代表根音为Ⅱ级的小七和弦，如 C 调中的 Dm7 和弦。

Ⅴ 代表根音为Ⅴ级的大三和弦，如 C 调中的 G 和弦。

功能和弦的优点是移调很方便，因为它没有规定音高和调性。根据上面的功能谱，可以弹奏 12 个调中的任意调。如：

G 调：G—Em—Am7—D—G

A 调：A—#Fm—Bm7—E—A

E 调：E—#Cm—#Fm7—B—E

……

功能和弦的读法非常简单，直接翻译即可。例如：Ⅴ 读为"五级大三"，Ⅵm 读为"六级小三"，Ⅳmaj7 读为"四级大七"……

虽然绝大多数吉他谱并不使用功能谱，但同学们还是应该掌握它，谁不希望组织一个乐队，享受合作的快乐呢？

（四）"挂二"与"加九"

和弦建立在三度音的基础之上，三音与根音之间的音程关系决定了该和弦是"大三"类和弦还是"小三"类和弦。

然而，在现代音乐中，人们却往往用其他音取代三音。

以 C 和弦为例：

1. 用"**4**"替代"**3**"。

"**1 4 5**"构成 Csus4 和弦，读做"C 挂四和弦"。

2. 用"**2**"替代"**3**"。

"**1 2 5**"构成 Csus2 和弦，记用"C 挂二和弦"。

现在我们换个方法：将 C 和弦的三个组成音保留，额外增加一个"**2**"音。"**1 3 5 2**"四个音组成的和弦被称为"C 加九和弦"，记法是 Cadd9。

很明显，Csus2 与 Cadd9 的区别在于：前者没有三音，所以既非"大三"类和弦，又非"小三"类和弦；而后者则性质明显。

值得一提的是，由于"**2**"音与根音的音程关系为九度，所以不少人把"C 挂二"与"C 加九"通称为"C 九和弦"。这么叫不算错，不过不够准确。严格意义上的九和弦必须包含"七音"这个特性音，是一个不协和的和弦。

技巧训练

（一）连　音

吉他演奏的技巧纷繁复杂，连音、滑音就极富特色。如果学会将它们运用到弹奏之中，你对吉他的驾驭能力就提高了一大步。我们先来学习连音。

▲ *上行连音*

上行连音是由低音到高音。演奏方法是：

第一个音弹出后，左手手指用力敲击琴弦发出第二个音。

右谱例的演奏方法是：

第一拍是弹响第②弦第一品的"**i**"音后，左手无名指敲击该弦第三品发出"**2̇**"音；第二拍要先弹响第①弦的空弦音"**3̇**"，然后用食指敲击该弦第一品发出"**4**"音。"Ⓗ"是六线谱中上连音的记号，"H"是英文"Hammer－on"的缩写，意思是"击打"。

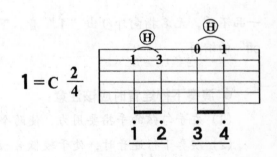

$$1 = C \quad \frac{2}{4}$$

● **演奏上行连音时应注意：**
（1）左手手指应当垂直击打琴弦，这样用力才集中。
（2）敲击时要用较大的力量，动作要迅速干脆。
（3）击弦的位置与按弦位置一样，应在音品附近，这样才能获得最佳的音色。
（4）敲出的音与弹出的音音量越接近，上连音的质量也越高。

在一些快速乐句中，右手拨弦无法完成一些音符，这时就可以用到"任意上行连音"。

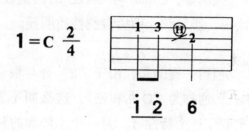

例如右谱：

如果右手来不及弹响 "**6**"音，便可以用左手指用力击打这个音所在的第③弦第二品，当然力量必须足够大才能使它发出音。

任意上行连音的特点在于"快"，而且手指击打的音符与上一个音符是从不同的弦上发出的。这不但在电吉他的演奏中很常见，在木吉他上也越来越普遍了。

▲ *下行连音*

下行连音由高音进入低音，演奏方法是：

左手两指同时按住指定音，第一个音弹响后，按在较高音上的那个手指由内向外勾出，发出第二个音。

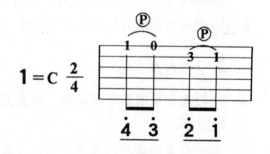

右谱例的演奏方法是：

第一拍先弹响第①弦的 "**4̇**"音，然后左手勾出第二个音 "**3̇**"；第二拍稍微难一些，左手的食指与无名指先要同时按在各自相应的位置，弹响第一个音 "**2̇**"后，食指仍然按紧第②弦第一品不放，无名指向外勾出 "**1̇**"音。下连音在六线谱中用"Ⓟ"表示，"P"是英文"pull-off"的缩写。

● 演奏下行连音时应该注意：

（1）左手勾弦的手指要用力，使两个音的音量尽量均衡。

（2）演奏下行连音时，处于较低音位置的手指一定要用力按住弦，否则勾弦时会发出破响声。

（3）勾弦时尽量不要碰到相邻的弦。

在实际演奏中，上行连音与下行连音经常同时出现。

右谱例的演奏方法是：

先弹响第①弦的空弦，食指敲击第①弦第一品，发出"$\dot{4}$"音后再立即勾出"$\dot{3}$"音；第二拍是先弹出第②弦第三品的"$\dot{2}$"音，无名指敲击出第五品的"$\dot{3}$"音后，马上勾出"$\dot{2}$"音，注意食指一直不能松开。

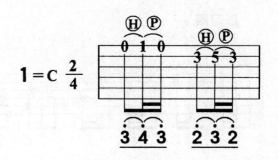

下面提供一组有关连音的专门练习。

▲ *连音练习*

练习一

● 提示：第一、二、三、四小节请分别用左手的食指、中指、无名指、小指敲击。

练习二

练习三

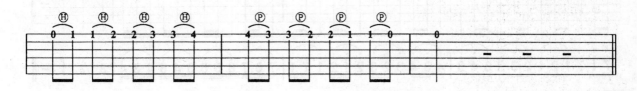

练习四

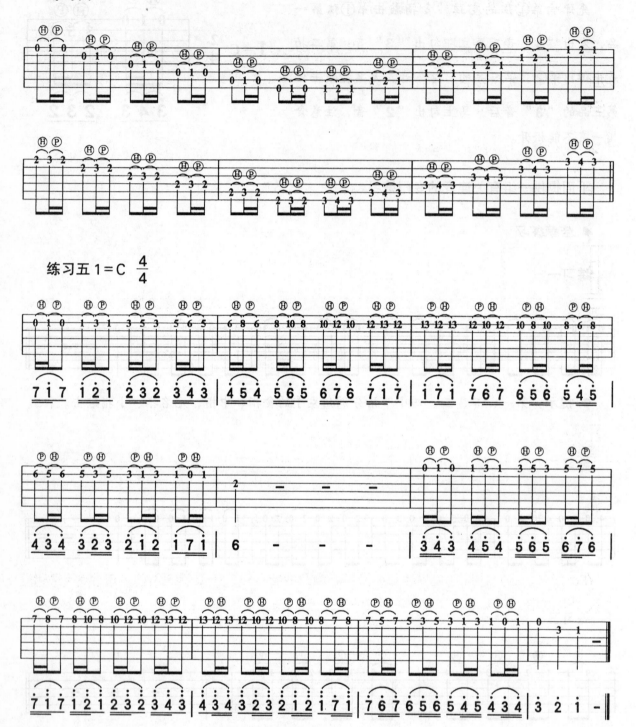

练习五 1=C $\frac{4}{4}$

（二）在分解和弦中使用连音

连音是吉他的特殊技巧之一，这种美妙的装饰音在旋律的 Solo 中被大量使用。它使旋律的进行更圆润、更有情趣。当然，在吉他伴奏中它的作用也同样无法取代，现在我们就来学习它在分解和弦中的用法。

▲ *分解和弦中几种常用的连音套子*

例一　1=C　4/4

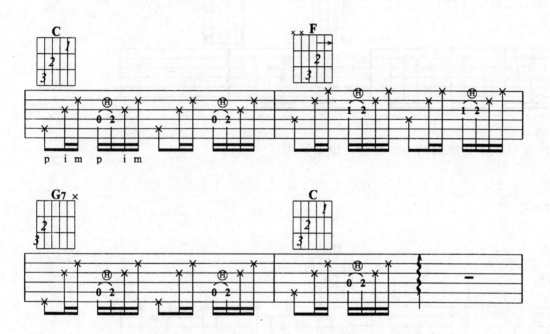

在上谱中，连音的出现使乡村歌曲清新、幽默的特点凸现于人们的面前，请注意用拇指、食指、中指来演奏。F 和弦也可以利用第③弦的空弦来演奏圆滑音：

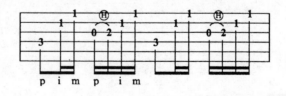

例二　1=G　$\frac{4}{4}$

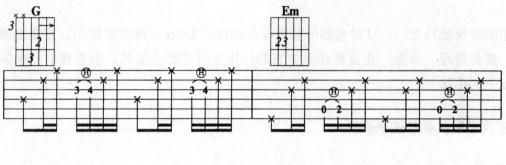

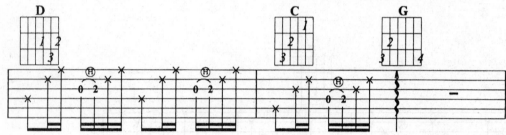

以上是伴奏 G 调乡村歌曲的一个套子，也很实用。

例三　1=C　$\frac{4}{4}$

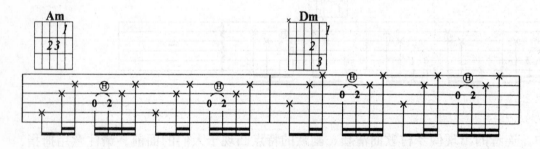

下面我们换一种音型，分解和弦又有不同的效果：

例四　1=C　$\frac{4}{4}$

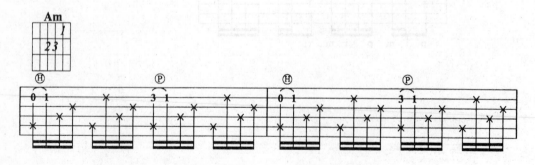

例五   1=C $\frac{4}{4}$

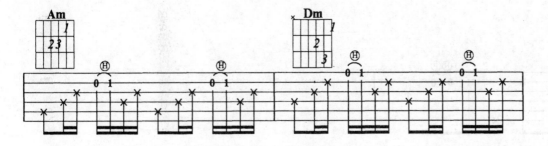

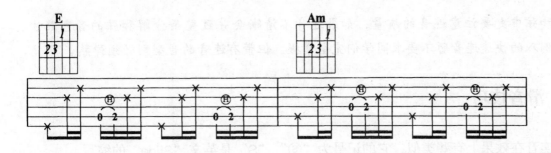

例六   1=F $\frac{4}{4}$

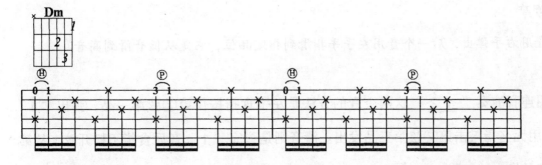

上面讲的都是带连音的分解和弦音型，其实，由于连音具有速度快这一优势，它也经常在分解和弦需要快速装饰音的时候出现。

例七   1=C $\frac{4}{4}$

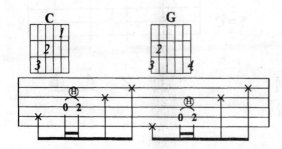

例八   1＝C $\frac{4}{4}$

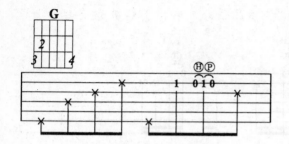

在分解和弦中更要注意连音的质量，如果连音不清晰会导致整条分解和弦的音色混浊。本课例七、例八的快速连音暂不要求同学们完全掌握，但带有连音的音型则必须弹熟。

（三）滑音技巧

滑音同连音在效果上有些类似，它的记号为"Ⓢ"。"S"是英文"Slide"的缩写。

滑音有多种不同的类型：

▲ 上行滑音

前一个音用右手弹出，后一个音用左手手指滑到指定品位，它是从低音滑到高音。

例如：用连音演奏"$\dot{1}\,\dot{2}$"这两个音的方法是左手食指按住第②弦第一品，弹出"$\dot{1}$"音，"$\dot{2}$"音用无名指敲击第②弦第三品发出。滑音则是弹完"$\dot{1}$"音后食指不松开弦，从第一品滑到第三品发出"$\dot{2}$"。

与同时值的连音相比，滑音多了一个滑动的过程，所以产生的效果更为圆顺。同时，连音受手指的跨度的局限，音程往往比较小，而滑音则有更大的空间。只要效果好，你可以滑到任意一个品格。

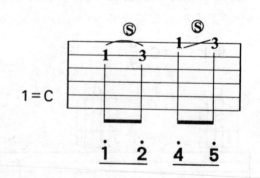

不过，右谱中第二拍"4"到"5"的滑音与第一拍的滑音相比，又多了一个程序，即弹完"4"再滑到"5"这个过程结束之后，"5"音还应该弹出来——看到没有？"4"和"5"之间可没有连线哦！

▲ 下行滑音

前一个音用右手弹出，后一个音用左手手指滑到指定品位而发音，下行滑音是由高音滑到低音。

和上行滑音一样，右谱例中的第一拍只弹一个音，第二拍则两个音都要弹响。

无论演奏上行滑音还是下行滑音，左手手指都应垂直按弦，滑行时手指不能松动，但也不可按得太死。只有力量均匀适中、滑动平稳，滑音的效果才悦耳。

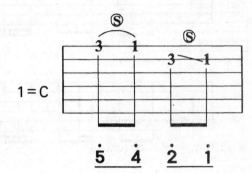

▲ 无头滑音

从一个比目标音低几品或高几品的不定音高开始滑弦，随着手指的滑动逐渐加大压弦力度，滑到目标音后，按实琴弦，这就是无头滑音的效果。

从右谱可以看出，无头滑音没有确定起始音，你可以从合适的任意一品出发滑弦。

▲ 无尾滑音

与无头滑音相反，无尾滑音是从一个确定的起始音滑到一个比它低几品或高几品的不定音。

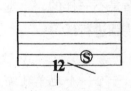

无尾滑音的第一个音要弹实在并持续一段时间，之后手指开始滑弦，并逐渐放松压弦力度，然后在感觉合适的任意品格完全松开琴弦，产生一种声音逐渐消失的感觉。

无头滑音和无尾滑音在民谣吉他演奏中作为装饰音被大量使用，本教程中《丁香花》《旋木》这两首歌的伴奏都使用了这种技巧。

（四）带附点或切分音的节奏型

前面我们学到的节奏型都是在八分音符与十六音符的不同组合上做文章，而在实际运用中，带附点或切分音的节奏型往往更具有感染力。

▲ 6种较复杂的节奏型

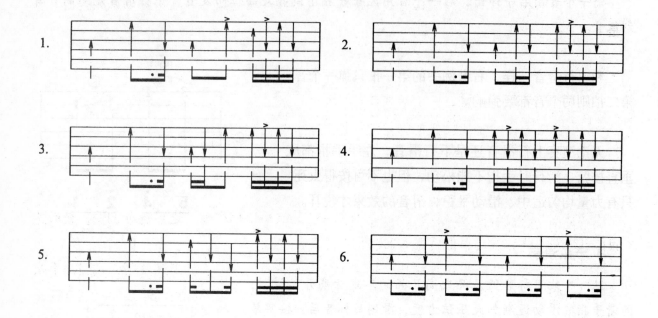

▲ 如何进行节奏型的训练

同学们千万不可忽视节奏型的训练，不能弹会了就再不习练。在实际的歌曲伴奏中，用一个节奏型从头奏到尾的情况很少，吉他手通常需要根据自己的感觉即兴发挥。针对同一首歌，他在录音时弹的节奏型可能就与平时弹的有一定的区别，因为不同环境、不同时间，各人的情绪是不一样的，感觉不同，手上出来的东西自然也不同。以上这些节奏型，请大家按以下的步骤进行练习：

（1）一个一个地单独练。

（2）选择两组自己钟爱的和弦进行，把一个节奏型用在里面。

（3）在和弦进行当中，每个小节都使用不同的节奏型，使之产生变化。

（4）即兴发挥，自由组合。

总之，每个节奏型都应练得滚瓜烂熟，对它们各自的感觉要仔细体会并了然于心，这样，在需要的时候才可以信手拈来。

（五）快速节奏

快速节奏是一项非常重要的伴奏技巧，它的使用范围并不仅仅局限于快歌，在中速甚至是慢歌的过渡部分都有用武之地。

▲ *基础练习*

快速节奏有相当的难度，要练好这门技巧必须通过严格的、循序渐进的训练来完成。首先是下面这条基础练习：

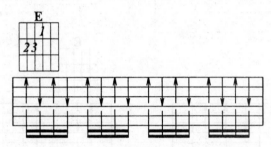

左手按住 E 和弦，手指或拨片上下来回扫弦。开始可以用中速，之后逐渐加快，最后达到自己的极限速度，并尽量保持最长的时间。

要使自己的吉他演奏技术达到较高的水平，速度最为关键。而提高速度则必须强化手指和手腕的机能。同体育锻炼一样，练习吉他也离不开高强度的训练，当然这是建立在方法正确的基础之上，否则会"走火入魔"。

快速扫弦时握拨片的手指要非常松弛，使拨片与琴弦在高速的来回摩擦时仍然能转动自如。拨片握得太紧会使手指和小臂过度紧张，而且拨片上下运动若不灵活会增大琴弦对它的阻力，有时候拨片还会被震飞。

做上面的练习时，小臂的肌肉会感到酸痛，这属于正常现象，这时需要坚持，超负荷的锻炼收效才快。不过，有的同学不到十秒钟小臂就感觉疲劳，这就属于方法的问题。切记发力的主要部位是手腕，小臂只起辅助作用，应尽量放松。

做这条练习时还要特别注意扫弦的质量，六根弦的音量应平衡，音色要统一。我们选择 E 和弦不只因为它的指法简单，还有一个重要因素是：这个指法中正好有三根空弦，而扫弦时空弦音与其他三根弦的音色是否一致，正是考验你的扫弦技术的重要一环。

当然，刚开始练习时让右手彻底放松不是那么容易的，初学者扫弦的音量往往比较大。当你的状态调整好之后，应该多练习小音量的快速扫弦，这种音色细碎纯净，在电箱琴上效果更佳。

练习古典吉他的朋友都会力求吉他的音色达到最干净的程度。特别是在录音时，哪怕细小的手指过弦的声音都会被视为白璧微瑕，而民谣吉他却往往把这种"杂音"视为一种辅助音色。扫弦时，拨片与琴弦摩擦时发出的"嚓嚓"声便是一种辅助音色，因为发出这种声音是建立在正确扫弦方法的基础之上的：首先是力度控制得比较好，和弦本身的音量不大、不躁，否则这种细微的擦弦的声音根本听不到；其次和弦的高、低音弦音色均匀、整齐，否则吉他的音色会很"脏"。

▲ 马蹄节奏

马蹄节奏的典型例子是《西班牙斗牛士》，这个节奏活泼，跳跃，气势磅礴，很具感染力。它的基本类型有两种：

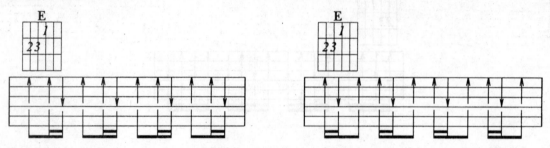

这两种类型的区别很明显：前一种节奏中每一拍的后半拍是两个十六分音符，而后一种节奏的十六音符则出现在每拍的前半拍。两种节奏型不可混淆，要分开来一一练熟。

在吉他伴奏中，马蹄节奏也被广泛运用。

例一　两个小节之间的过渡

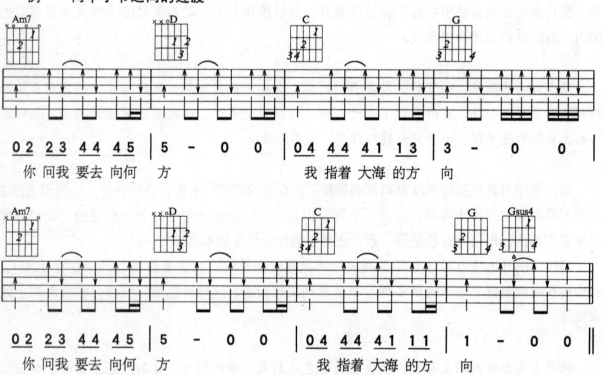

$$0\ 2\ \ 2\ 3\ \ 4\ 4\ \ 4\ 5\ |\ 5\ -\ \ 0\ \ 0\ |\ 0\ 4\ \ 4\ 4\ \ 4\ 1\ \ 1\ 3\ |\ 3\ -\ \ 0\ \ 0\ |$$

你 问我 要去 向何　方　　　我 指着 大海 的方　向

$$0\ 2\ \ 2\ 3\ \ 4\ 4\ \ 4\ 5\ |\ 5\ -\ \ 0\ \ 0\ |\ 0\ 4\ \ 4\ 4\ \ 4\ 1\ \ 1\ 1\ |\ 1\ -\ \ 0\ \ 0\ |\!|$$

你 问我 要去 向何　方　　　我 指着 大海 的方　　向

（1＝G 4/4　崔健《花房姑娘》）

例二 伦巴节奏型

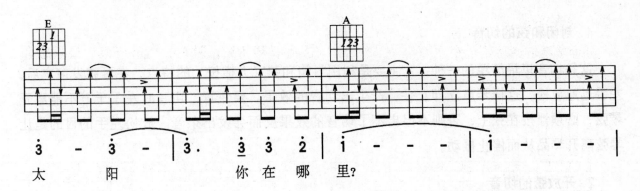

太　阳　　　　你 在 哪 里?

(1 = E 4/4　唐朝乐队《太阳》)

▲ 带附点的快速节奏

快速节奏在摇滚味较浓的民谣作品中很受欢迎。下面的摇摆节奏很有味道，也较有演奏难度。注意下例中的附点节奏实际上是三连音节奏（参看本级中《对面的女孩看过来》）。

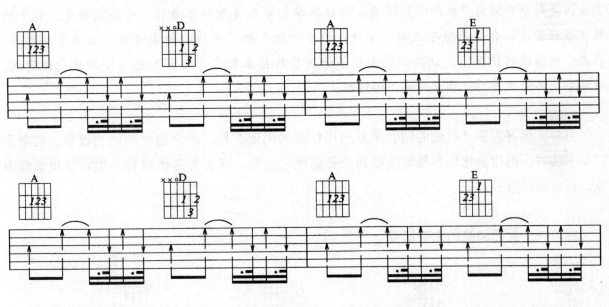

(1 = A 4/4　崔健《从头再来》)

（六）"切音"的概念与记号

切音就是使已经振动的琴弦停止发声，它有着很强的震撼力，六线谱记号是"ᛚ"。

演奏时，左手、右手都可以切音，这根据每个吉他手自己的习惯而定。下面我们逐一讲解。

▲ *左手切音*

1. 封闭和弦的切音

这是切音里最简单的一种，它主要是利用封闭和弦（大横按）的特点，在琴弦发声之后，左手迅速放松，这样琴声立即止住，产生出切音的效果。要注意，切音时左手千万不能离开琴弦，必须浮按在弦上，否则不但出不了切音的效果反而会发出杂音。放松左手的目的是让琴弦离开琴品从而停止振动。

2. 开放弦的切音

左手开放弦的切音就比较困难了。我们以 Em 和弦为例：当右手弹和弦之后，左手的手腕迅速上抬，按弦的中指与无名指自然倒向高音弦并使它们止音，同时，第⑥弦的音也被左手拇指消去。

左手开放弦切音的关键是要理解：切音是由抬高并转动手腕这一动作发起的，手指倒向高音弦是转动手腕后产生的必然结果。所以同学们要反复练习体会转动手腕的感觉。这个动作完成好了，切音便是顺理成章的事情。许多吉他手把"手指倒向高音弦"当成主要动作，在左手腕僵硬的情况下，让按弦的手指第一指节折指来切音，还有人还用小指来切低音弦，这些方法不能说不对，但至少是不够理想。

另外，练习左手开放弦的切音最好选用标准的民谣吉他，因为这种琴的指板窄，在左手转动手腕时，拇指会比较容易地接触到低音弦使之止音。而古典吉他或普及型吉他指板都很宽，低音弦很难被止住。

练习一　封闭和弦的左手切音

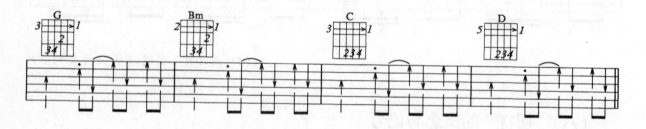

练习二　开放弦的左手切音

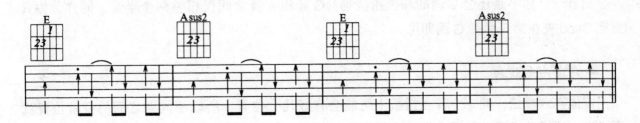

▲ *右手切音*

无论封闭和弦还是开放和弦，右手切音的方法都相同：琴弦发声之后，右手手掌的鱼际部位（拇指外侧或小指下方内侧）迅速轻放于琴弦上使之止音。右手切音的难点在于"手掌放在弦上"这个动作要轻巧柔和。不少吉他手在切音时右手动作过大，手腕又僵硬，这样，他的手掌不是"轻放"在弦上而是用力"敲打"在弦上，这样琴箱会发出"啪啪"的杂音。尤其在使用电箱琴演出时，这种"啪啪"声会显得特别刺耳。

（七）变调夹的使用技巧

六级的内容比较多，最后我们还要总结一下 Capo 的一些使用技巧。Capo 除了能在不改变和弦指法的前提下提高歌曲的音高之外，还有其他一些用法。

▲ *简化和弦*

假如一首歌曲原调是♭E 调，而你又不熟悉♭E 调的和弦指法，这时，你就可以通过以下步骤推算：

1. C 调的主音是 C；
2. ♭E 调的主音是♭E；
3. C 音与♭E 音之间相差三个半音；
4. 所以把 Capo 夹第三品弹 C 调的和弦指法即可。

同理，Capo 夹在第四品弹 C 调实际弹的是 E 调。

不过，假如原调是 A 调的话就有些麻烦了。
先算一下：

C—♯C—D—♯D—E—F—♯F—G—♯G—A

C 和 A 之间相差了九个半音，但如果把 Capo 夹在第九品，吉他的音色过于尖利，而且还不方便按和弦。

别着急，你不是还会 G 调的和弦指法吗？G 音和 A 音之间仅相差两个半音，同样，你只要把 Capo 夹在第二品弹 G 调即可。

▲ 营造特别效果

吉他有六根弦，同一个音在指板上可能会有好几个位置，所以不同调之间的音阶位置就不一样，这样造成了调与调之间和弦的指法以至于和弦的色彩都有差别。

例如：

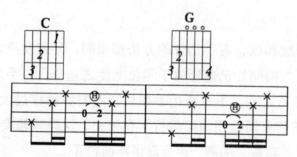

这是 C 调歌曲在乡村音乐中的常用的音型，不过，假如你想唱 D 调，这个调的和弦指法就难以达到上面的效果了。

不过，有了 Capo 后一切都变得很简单了，你只要把它夹在吉他的第二品，就完全可以按照上面的 C 调和弦的指法演奏了。这样既保留了伴奏音型的效果，又处在适合自己的音域。

曲目分析

1. 《后来》中大横按较多，和弦之间的连接应做到流畅自然。

2. 《江南》的连音应该弹得清晰饱满，副歌部分弹与唱之间的配合有一定难度。

3. 《晴天》的伴奏织体变化较复杂，和弦也往往不在想像中的地方出现，这是考验你的乐感的时候。

4. 《对面的女孩看过来》中摇摆节奏是关键，弹不好就没有 Swing 的感觉了。

5. 《那些花儿》的指法虽然很简单，但音型的巧妙安排使节奏产生错位感，其"弹"与"唱"的配合并不容易。

6. 《明天我要嫁给你》中⑥弦调成了 F 音，千万不能忽略。

家 乡

韩 红 词
韩 红 曲
原调D　选用调D
Tempo　4/4

韩红　演唱
王鹰　马鸿　编配

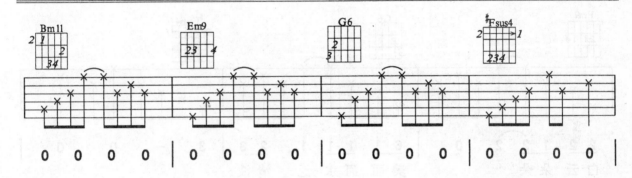

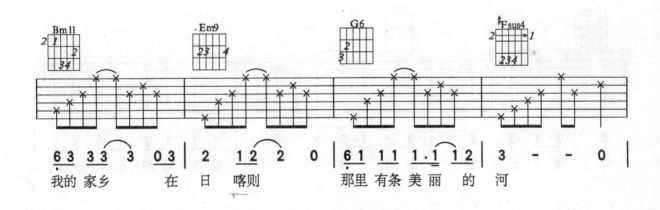

我的 家乡　　在 日 喀则　　那里 有条 美丽 的 河

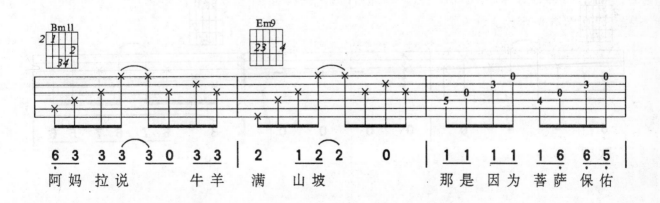

阿妈 拉说　　牛羊 满 山坡　　那是 因为 菩萨 保佑

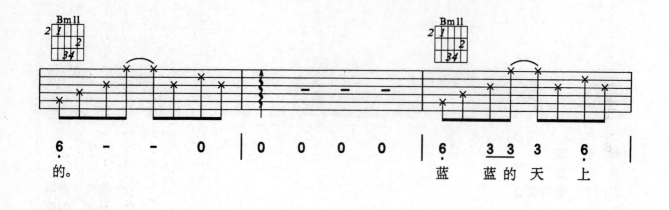

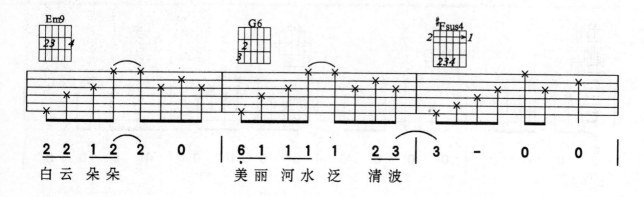

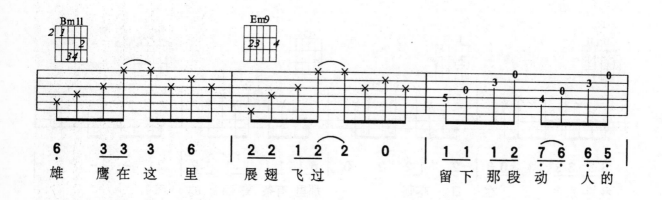

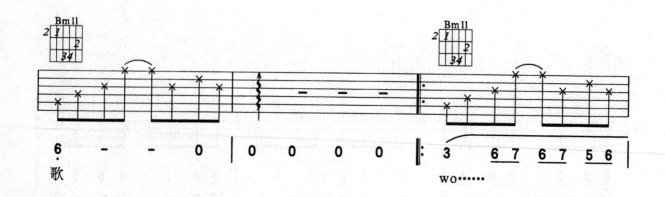

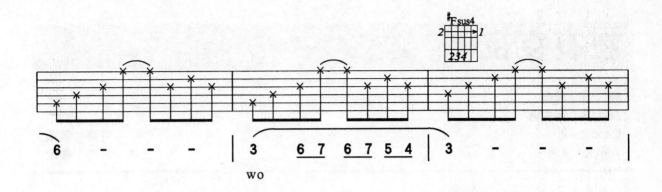

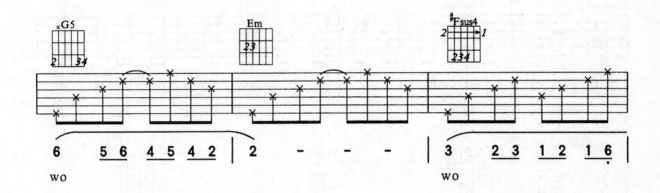

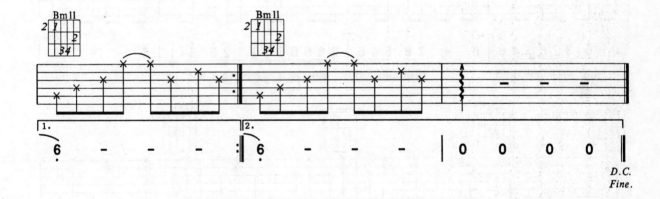

夜夜夜夜

熊天逸　词曲
原调 B　选用调 A
Capo　2
Tempo　4/4

齐秦　演唱
王鹰　马鸿　编配

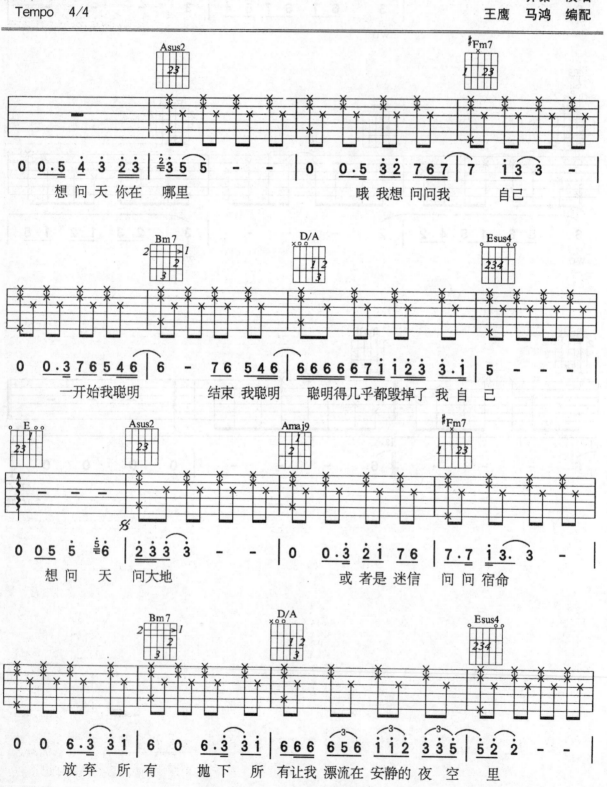

想问天 你在 哪里　　　　哦 我想 问问我　自己

一开始我聪明　结束 我聪明　聪明得几乎都毁掉了 我 自 己

想问 天 问大地　　　或 者是 迷信 问问 宿命

放弃 所有　抛下 所 有让我 漂流在 安静的 夜 空 里

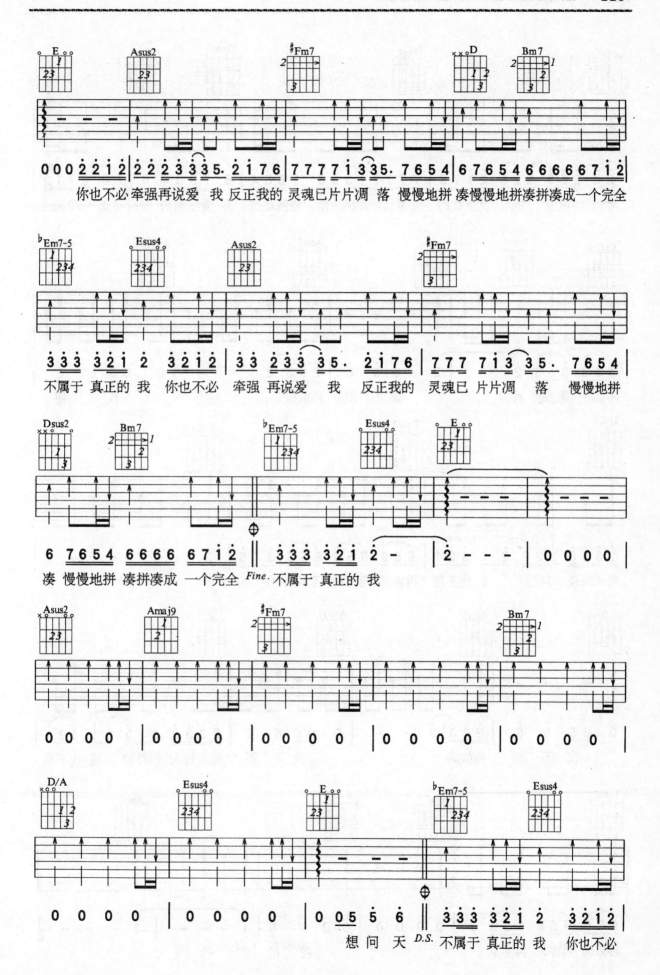

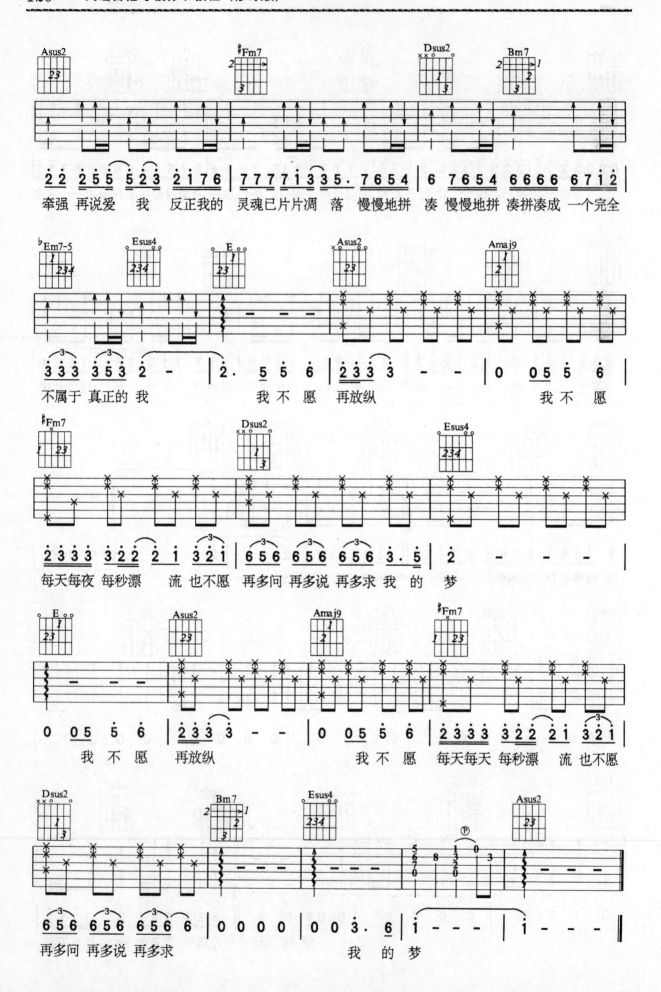

后 来

施 人 城　词
玉成干春　曲
原调♭E　选用调D

Capo　1
Tempo　4/4

刘若英　演唱
王鹰　马鸿　编配

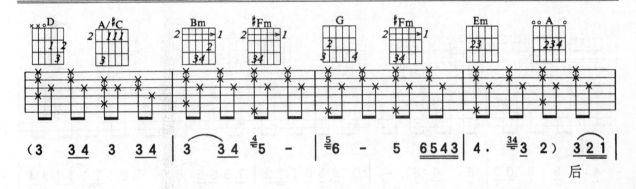

（3 34 3 34 | 3 34 5 — | 6 — 5 6543 | 4. 32 2） 321
后

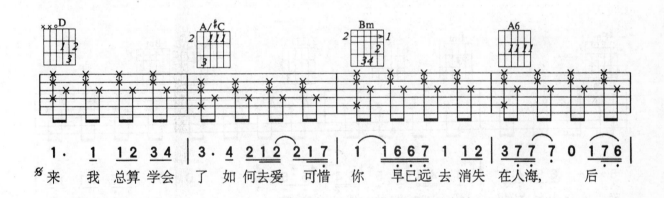

1. 1 1234 | 3. 4 212 217 | 1 1667 112 | 377 70 176 |
来 我 总算学会 了 如何去爱 可惜你 早已远去 消失在人海， 后

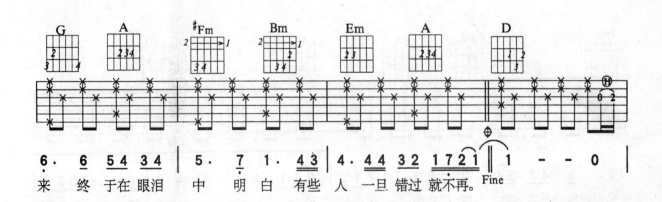

6. 6 5434 | 5. 71. 43 | 4. 4432 1721 | 1 — — 0 |
来 终于在眼泪 中 明白 有些 人 一旦错过就不再。 Fine

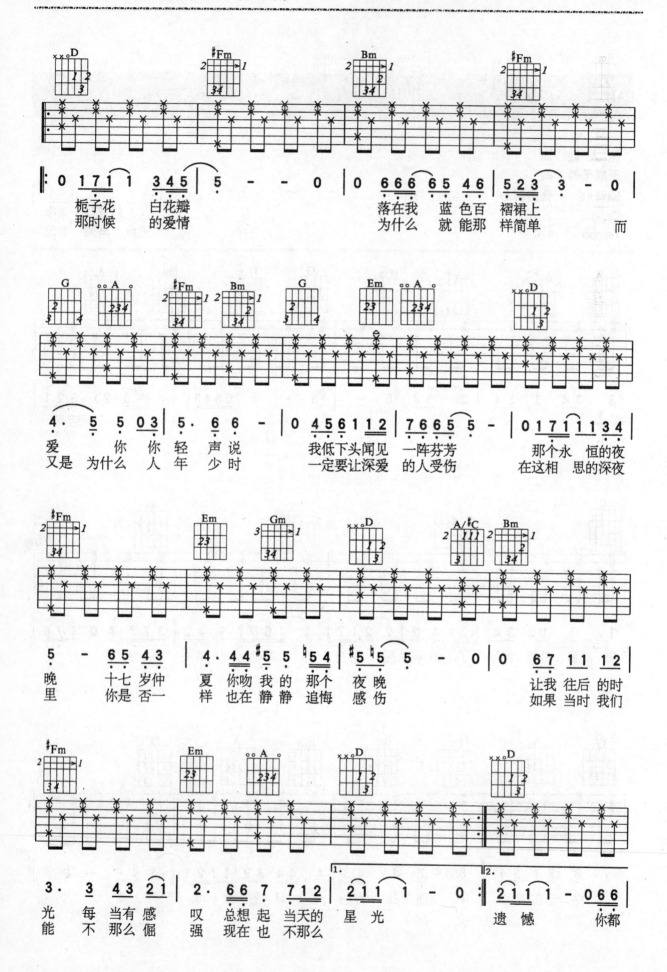

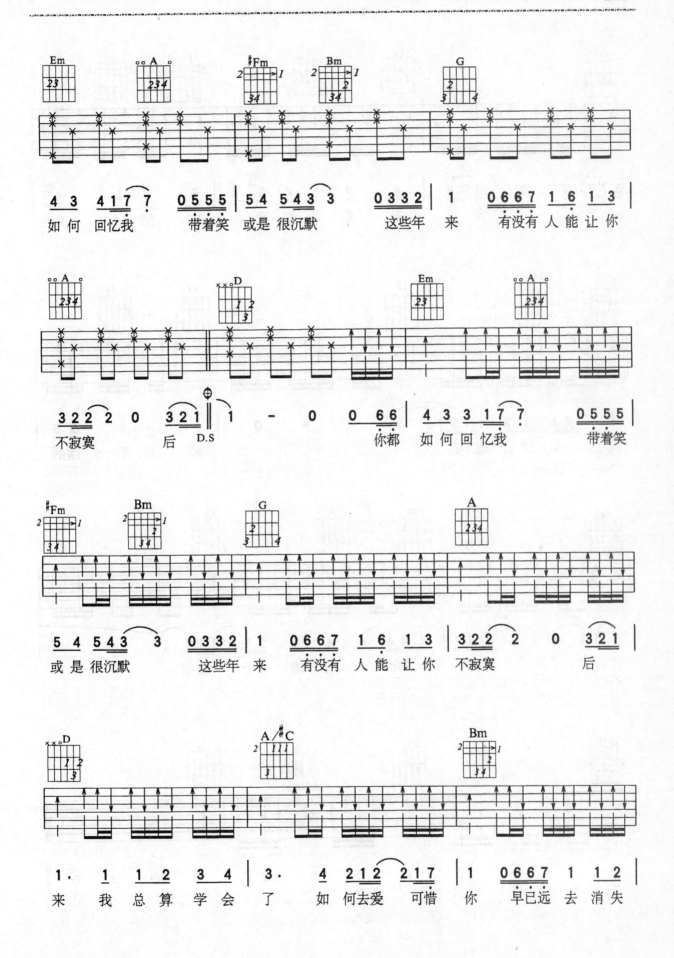

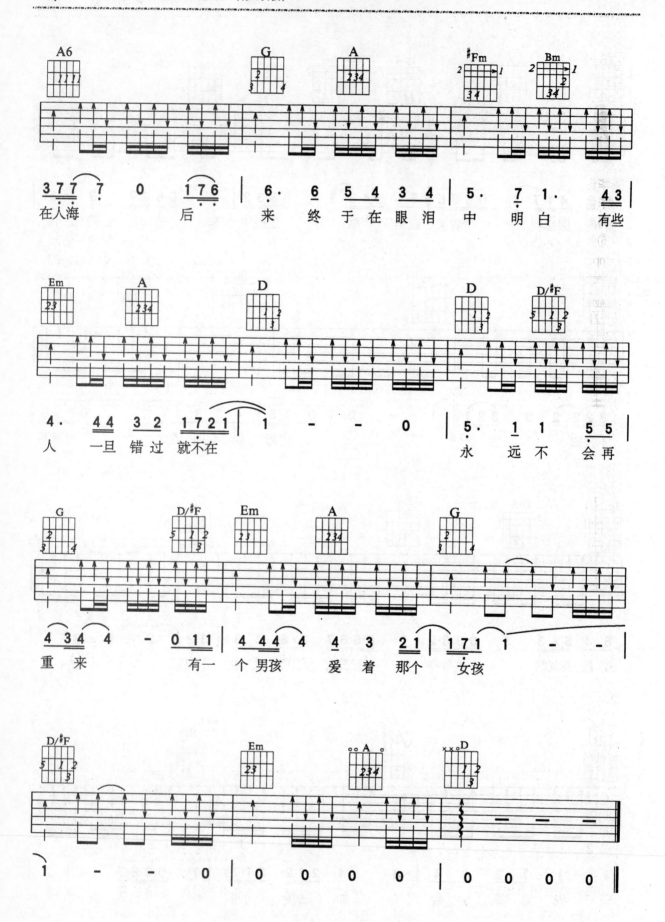

明天我要嫁给你

周华健　词
周华健　曲
原调F　选用调F
第⑥弦空弦调高半音
Tempo　4/4

周华健　演唱
王鹰　马鸿　编配

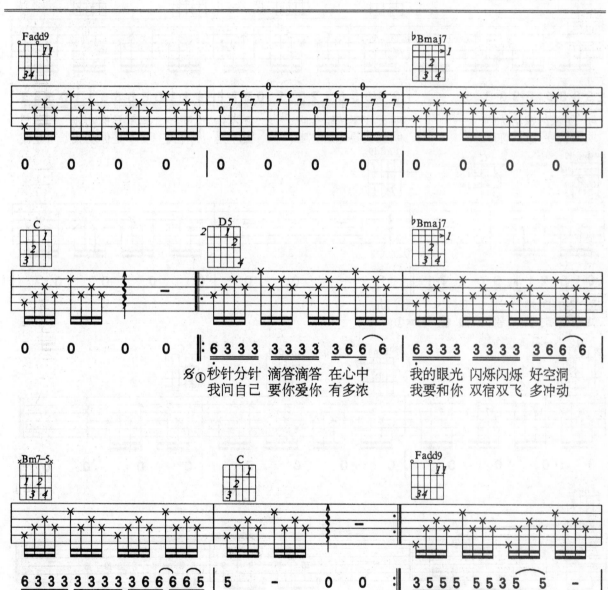

6 3 3 3　3 3 3 3　3 6 6　6　｜6 3 3 3　3 3 3 3　3 6 6　6

①秒针分针　滴答滴答　在心中　　我的眼光　闪烁闪烁　好空洞
　我问自己　要你爱你　有多浓　　我要和你　双宿双飞　多冲动

6 3 3 3 3 3 3 3 3 6 6 6 6 5　5 —　0　0　｜3 5 5 5　5 5 3 5　5 —

我的心跳扑通扑通地阵阵　悸　动　　　　　　明天我要　嫁给你啦
我的内心忽上忽下地阵阵　悸　动　　　②明天我要　嫁给你啦

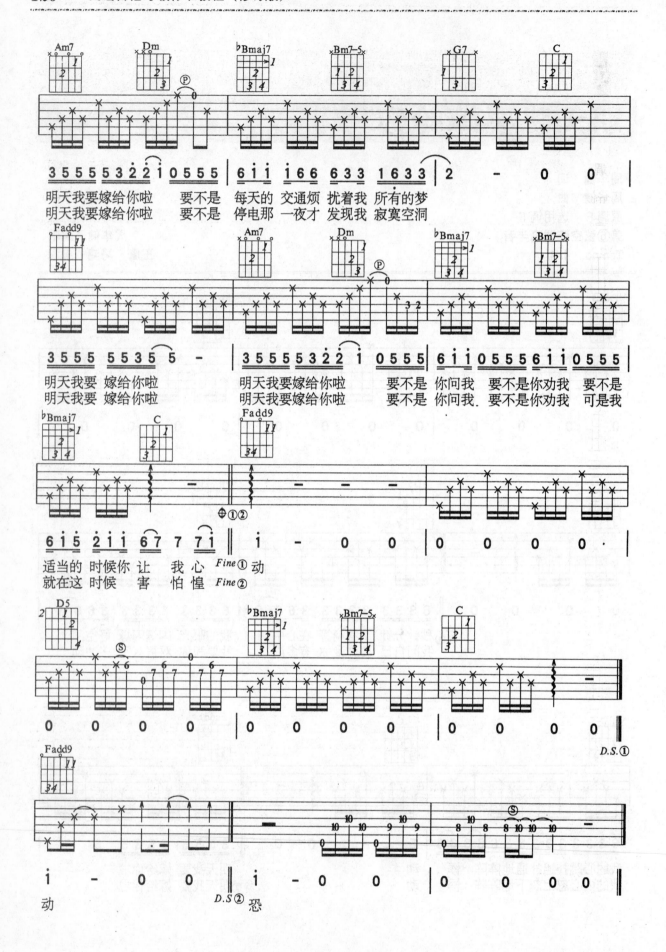

对面的女孩看过来

阿牛　词
阿牛　曲
原调C　选用调C

任贤齐　演唱

Tempo　4/4

王鹰　马鸿　编配

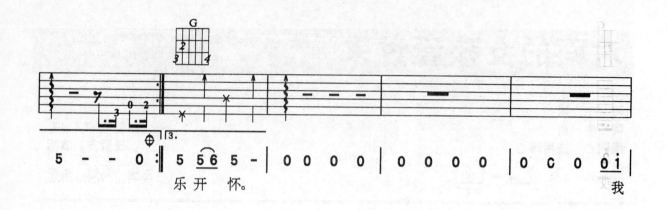

5 - - 0： ‖ 5 5̂6 5 - 0 0 0 0 ｜ 0 0 0 0 ｜ 0 c 0 0 ｜ 0 1̇ ｜

　　　　　　乐 开 怀。　　　　　　　　　　　　　　　　　　我

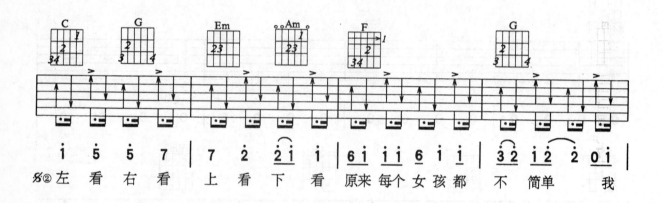

1̇ 5̲ 5 7 ｜ 7 2̇ 2̲1̇ 1̇ ｜ 6̲1̇ 1̇ 1̇ 6̲ 1̇ 1̇ ｜ 3̲ 2̇ 1̇2̇ 2̇ 0 1̇ ｜

8②左 看 右 看 上 看 下 看 原来每个女孩 都 不 简单 我

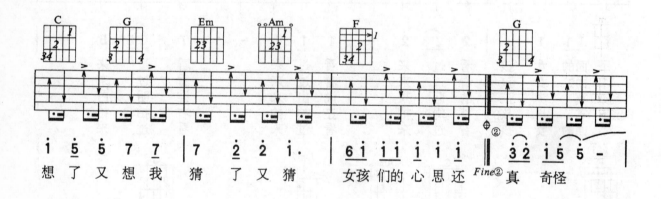

1̇ 5̲ 5 7 7 ｜ 7 2̇ 2̇ 1̇. ｜ 6̲1̇ 1̇ 1̇ 1̇ 1̇ ‖ 3̲ 2̇ 1̇ 5 5 - ｜

想了又想我 猜 了 又 猜　　女孩们的心思还 Fine②真 奇怪

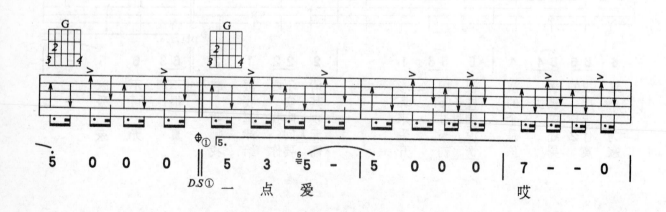

5̇ 0 0 0 ‖ 5 3̇ 5 - ｜ 5 0 0 0 ｜ 7 - - 0 ｜

D.S①一 点 爱　　　　　　　哎

哎　　　　我^{D.S②}真奇怪　　哎真奇怪来……………

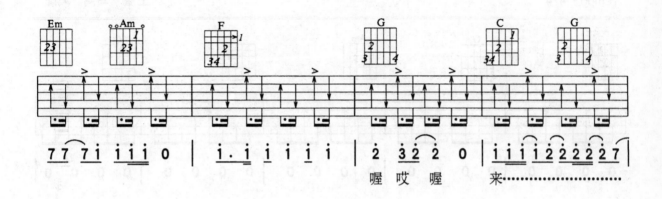

喔哎喔　来……………

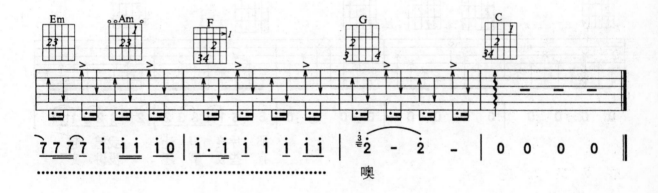

噢

那些花儿

朴 树 词
朴 树 曲
原调#C 选用调C
Capo 1
Tempo 4/4

范玮琪 演唱
王鹰 马鸿 编配

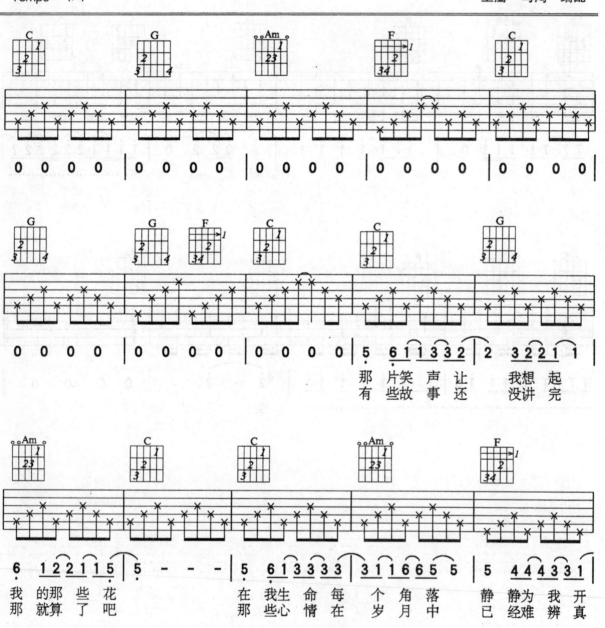

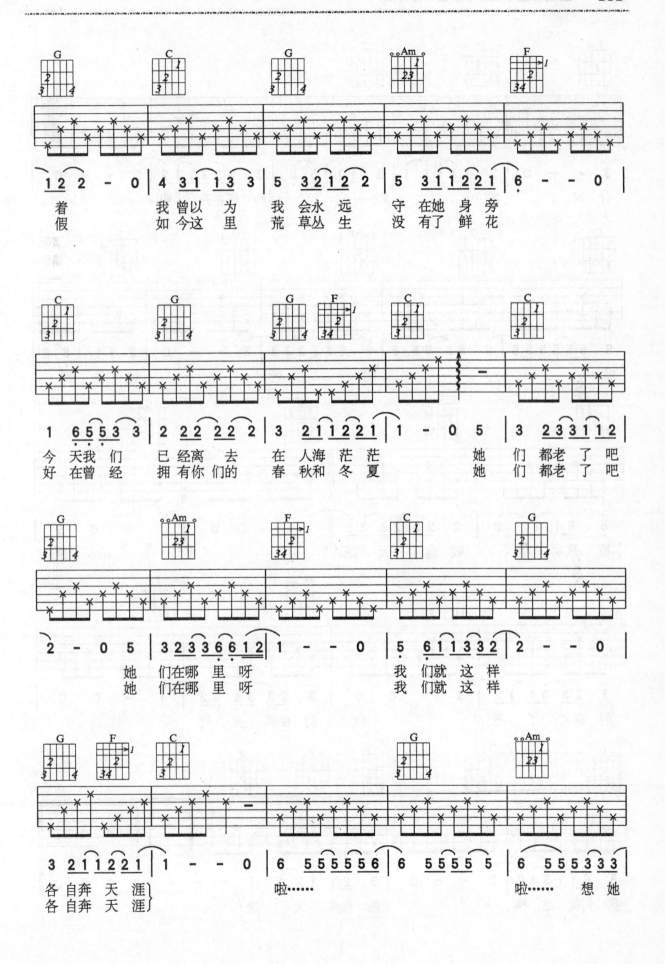

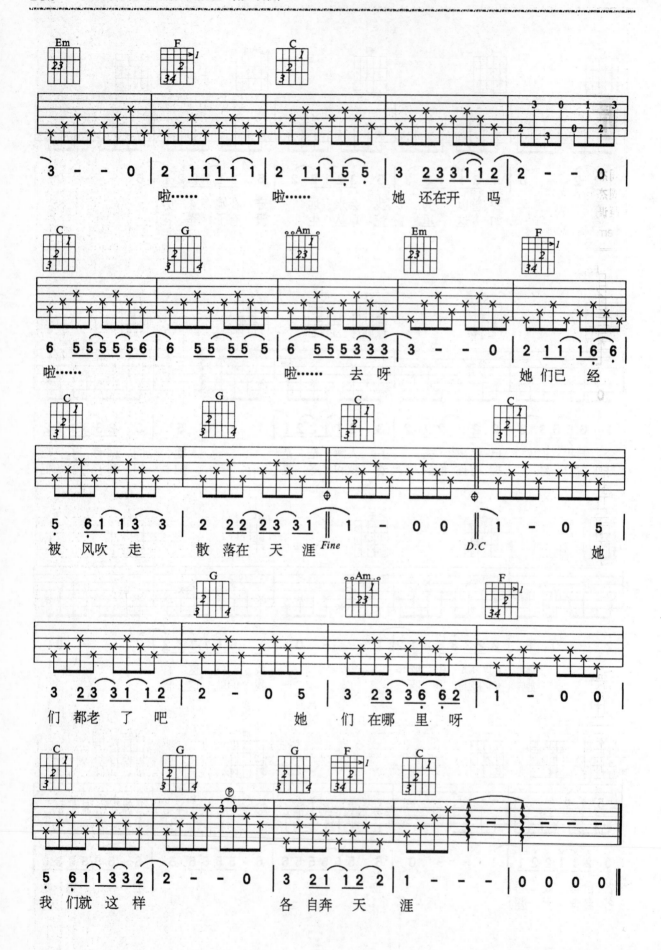

晴 天

周杰伦　词
周杰伦　曲
原调 G　选用调 G
Tempo　4/4

周杰伦　演唱
王鹰　马鸿　编配

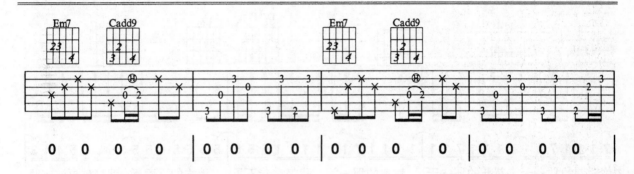

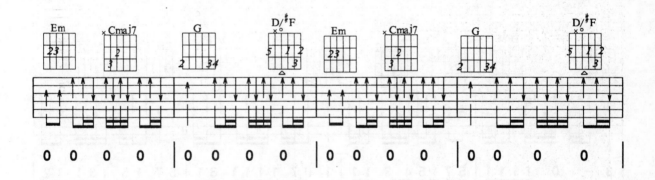

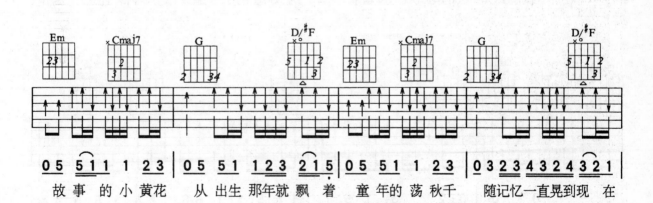

故事 的 小黄花　从 出生 那年就 飘 着　童年 的 荡秋千　随记忆一直晃到现 在

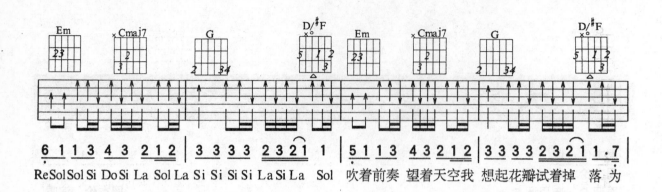

ReSolSolSi DoSi La Sol La Si Si Si Si LaSiLa Sol 吹着前奏 望着天空我 想起花瓣试着掉 落 为

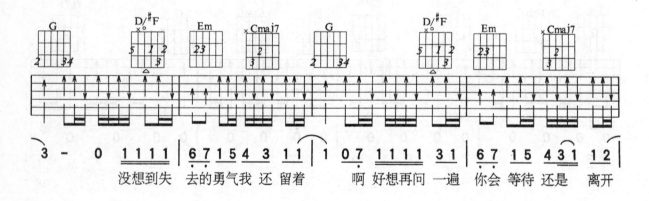

你翘课的那一天 花落的那一天 教室的那一间 我怎么看不见 消失的下雨天 我好想再淋一遍

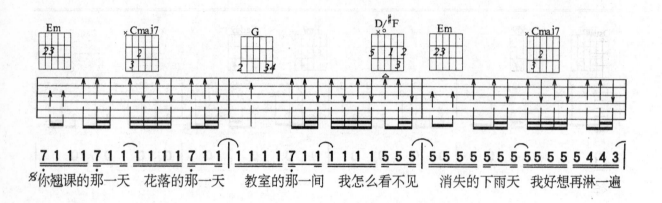

没想到失 去的勇气我 还 留着 啊 好想再问 一遍 你会 等待 还是 离开

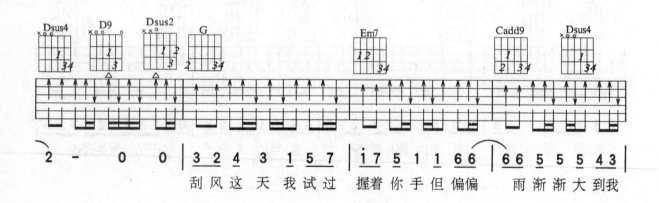

刮风这 天 我试过 握着你手但偏偏 雨渐渐大到我

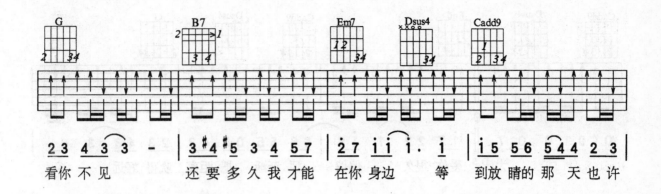

2 3 4 3 3 - | 3 #4 #5 3 4 5 7 | 2̇ 7 i i i · i | i 5 5 6 5 4 4 2 3 |
看你不见　　还要多久我才能　在你身边　等　到放晴的那天也许

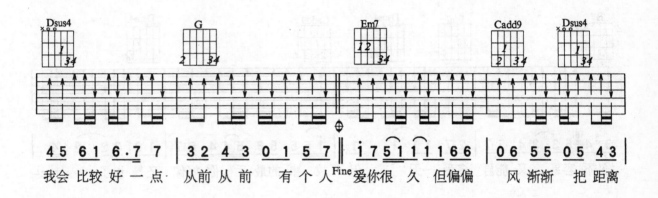

4 5 6 1 6·7 7 | 3 2 4 3 0 1 5 7 ‖ i 7 5 i i i i 6 6 | 0 6 5 5 0 5 4 3 |
我会比较好一点　从前从前　有个人 Fine 爱你很　久　但偏偏　风渐渐　把距离

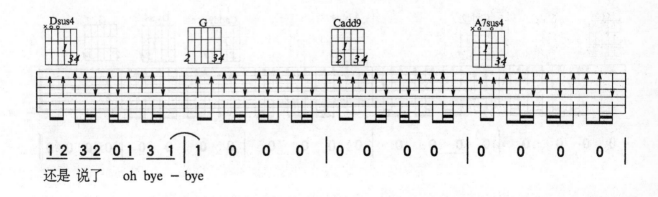

2 3 4 3 3 - | 3 #4 #5 3 3 4 5 7 | 2̇ 7 i i i · i | i 5 5 6 5 4 4 6 7 |
吹得好远　　好不容易　又能再　多爱一天　但　故事的最后你好像

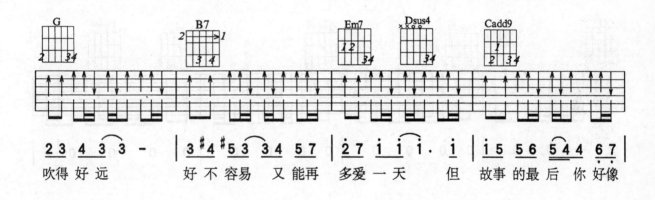

1 2 3 2 0 1 3 1 | 1 0 0 0 0 | 0 0 0 0 0 | 0 0 0 0 |
还是 说了　oh bye－bye

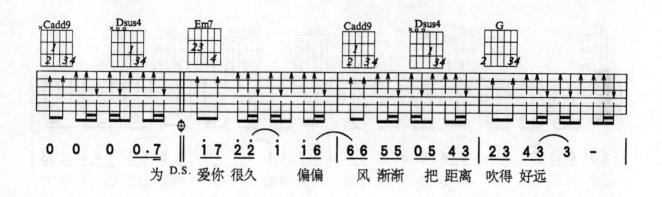

为 D.S. 爱你 很久　偏偏　风 渐渐　把 距离 吹得 好远

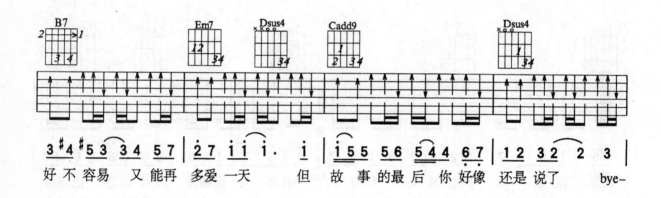

好 不 容易　又 能再　多爱 一天　但　故 事 的最后　你 好像　还是 说了　bye-

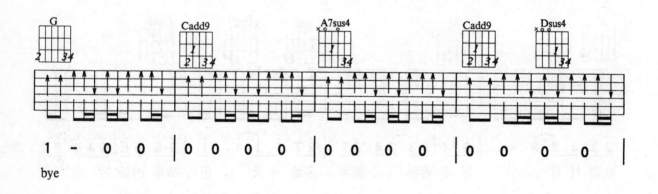

bye

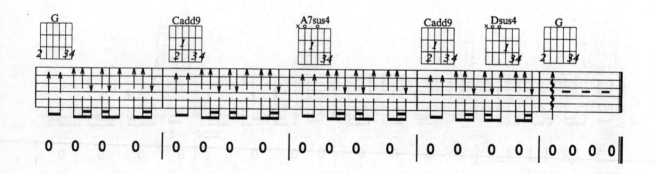

江 南

李瑞渝　词
林俊杰　曲
原调♭B　选用调 G

Capo　3
Tempo　4/4

林俊杰　演唱

王鹰　马鸿　编配

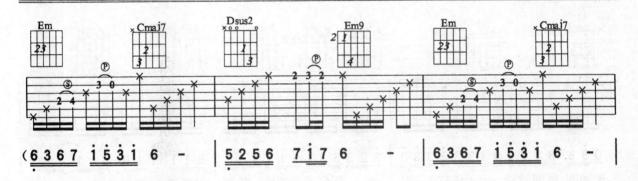

```
(6 3 6 7  1 5 3 1  6  - | 5 2 5 6  7 1 7 6  - | 6 3 6 7  1 5 3 1  6  - |
```

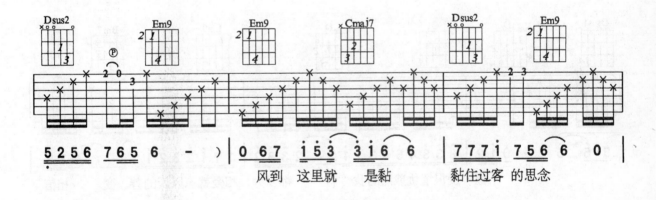

```
5 2 5 6  7 6 5 6  - ) | 0 6 7  1 5 3  3 1 6  6 | 7 7 7 1  7 5 6  6  0 |
```

风到　这里就　　是黏　黏住过客 的思念

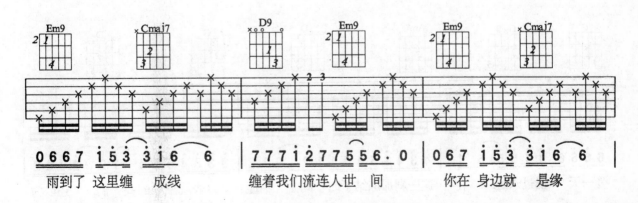

```
0 6 6 7  1 5 3  3 1 6   6 | 7 7 7 1 2 7 7 5 5 6 . 0 | 0 6 7  1 5 3  3 1 6  6 |
```

雨到了 这里缠　　成线　　缠着我们流连人世　间　　你在 身边就　　是缘

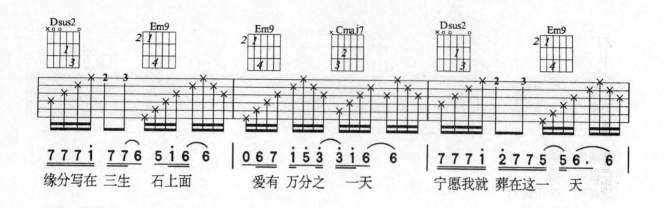

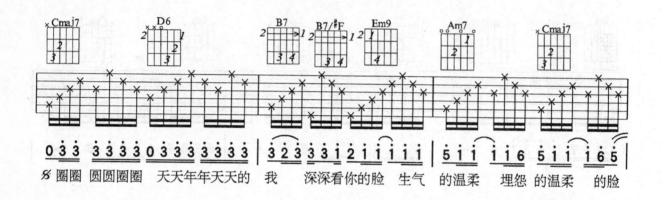

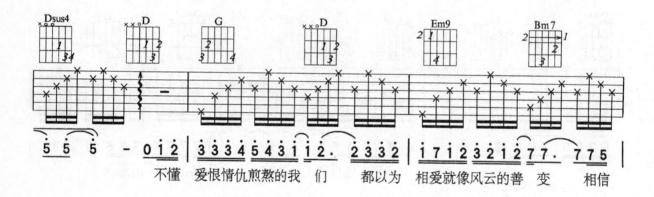

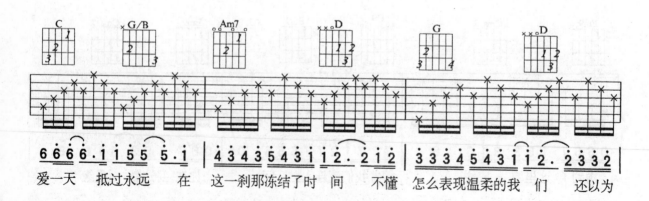

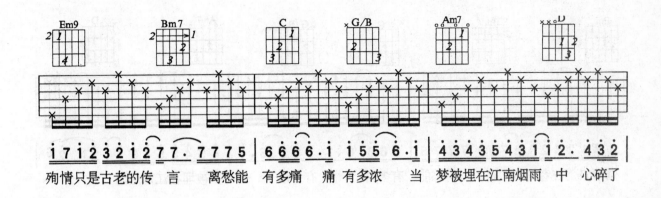

殉情只是古老的传　言　离愁能　有多痛　痛　有多浓　当　梦被埋在江南烟雨　中　心碎了

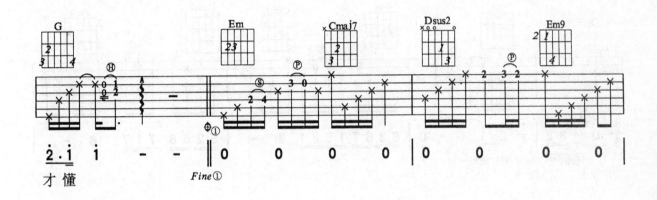

才 懂　　　Fine①

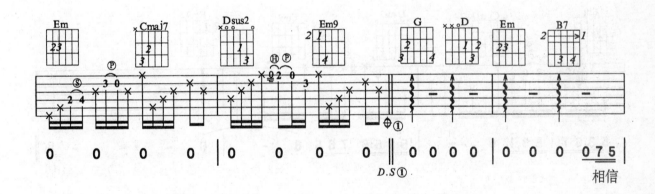

D.S①　　　相信

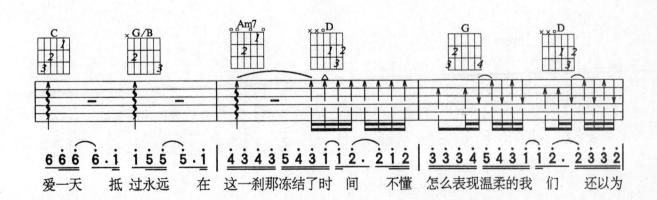

爱一天　抵 过永远　在 这一刹那冻结了时　间　不懂 怎么表现温柔的我　们　还以为

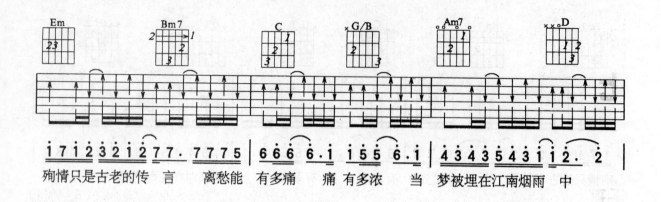

殉情只是古老的传　言　　离愁能　有多痛　痛有多浓　当　梦被埋在江南烟雨　中

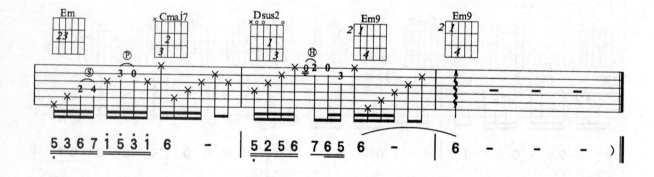

心碎了　　才 懂

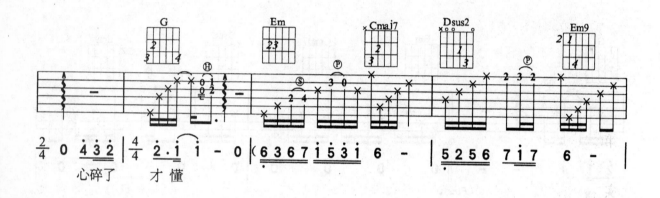

七　级

乐理知识

常用的和弦技巧

1. 斜线和弦（Slash）

在以前的学习中，我们再三提醒同学们演奏和弦时不要弹错了低音，像 C 和弦的低音要弹第⑤弦，而 G 和弦的低音则应弹第⑥弦，因为那时我们弹的低音是这个和弦的根音。

然而，学到一定程度之后我们发现，总是以和弦的根音作为低音的话有时显得过于呆板。其实，和弦内所有的音都可作为它的低音，像三和弦的三音、五音，七和弦中的七音等，也就是说，当你演奏 G 和弦或 Em 和弦时，低音弹第⑤弦也不为错。不过，此时和弦的性质发生了变化，记法也变成了分数的形式：G/B。

这种以分数的形式记录的和弦，我们也称之为"**分数和弦**"，也有人叫它"**斜线和弦**"（Slash）。

Slash 和弦分为两种：**转位和弦**和**复合和弦**。

以和弦的根音为低音的和弦叫做"**原位和弦**"，以和弦内其他音作为低音的和弦叫做"**转位和弦**"。以 C 和弦为例，当低音为"**1**"时是原位和弦，当低音为"**3**"或"**5**"时是转位和弦。

C 和弦的低音为"**3**"时，记作 C/E，
C 和弦的低音为"**5**"时，记作 C/G，

另一种 Slash 和弦就比较复杂了，它的分母并非和弦上方的三音、五音或七音，而是和弦外音（Non Harmonic Tones），如 Am／#G、C／♭B。

复合和弦的组成有多种情况，下面我们来看其中的四种：

Ⅳ／Ⅰ　分子是分母的Ⅳ级和弦，如 F/C。

Ⅴ／Ⅰ　分子是分母的Ⅴ级和弦，如 G/C。

Ⅱ／Ⅰ　分子是分母的Ⅱ级和弦，如 D/C。

♭Ⅶ／Ⅰ　分子是分母的♭Ⅶ级和弦，如♭B/C。

复合和弦看似复杂，其实在使用上还是有一定的规律。大家平时碰到以上各种情况时，应该分析多总结。

请大家注意，♭Ⅶ／Ⅰ是固定调的说法，从首调上讲它多表现为Ⅳ／Ⅴ，如 C 调中的 F/G，也就是人们常说的"五分之四和弦"；Ⅱ／Ⅰ则多表现为Ⅴ／Ⅳ，如 C 调中的 G/F，它是Ⅴ级向Ⅲ级进行时常用的一个经过和弦。

Slash 有时是从和弦色彩上考虑；有时则是配合和声走向，制造出一条相对独立的低音声部。这是编曲的常用技巧之一。

2. Cliches

在一个和弦的根音或五音上以半音或级进的方式作上行或下行，形成一条旋律线，使和弦内容更加丰富，这就是"Cliches"技巧。

例一

低音进行：　$\underset{\cdot}{6}$ → $\flat\underset{\cdot}{6}$ → $\underset{\cdot}{5}$ → $\flat\underset{\cdot}{5}$ → $\underset{\cdot}{4}$ → $\underset{\cdot}{3}$ → $\underset{\cdot}{6}$

和弦进行：　Am→Am /♭A→Am / G→Am /♭G→Fmaj7→Em7→Am

（1＝C 3/4　万芳《温哥华悲伤一号》）

Cliches 还经常出现在中音声部：

例二

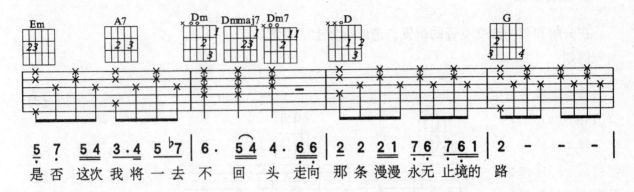

5 7 5 4 3．4 5 ♭7 ｜ 6． 5 4 4．6 6 ｜ 2 2 2 1 7 6 7 6 1 ｜ 2 － － － ‖
是 否 这次 我 将 一 去 不 回 头 走向 那 条 漫漫 永无 止境的 路

（1＝C 4/4 苏芮《是否》）

有时还在高音声部：

例三

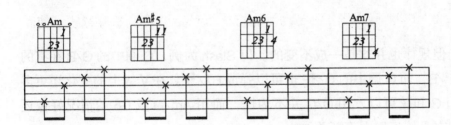

上面的例子中，Cliches 都是从小三和弦出发的，其实它也经常建立在大三和弦之上：

例四

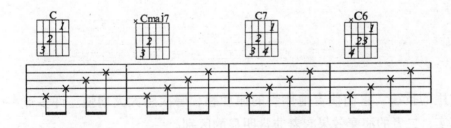

例五

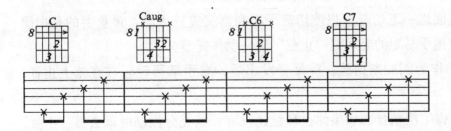

3. 重音移位

在分解和弦中改变重音的位置，造成听觉上的错觉。

例如：

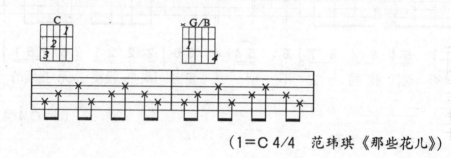

(1=C 4/4　范玮琪《那些花儿》)

在这个谱例中，和弦的低音改变了重音的位置，使十六分音符的"4/4"拍节奏听起来像三连音节奏，令人耳目一新。

以上都是常用的套路，但规律也并非是一成不变的。以 Slash 为例，C 调中的 G/B 在有的情况下可以弹成 E7/B 或 Em/B，而 G 调中的 D/#F 也可以弹成 B7/#F。在 V 级上的变化还更多一些，以 C 调为例，直接用 G 和弦可以，用 C/G 并不为怪，而用 Am/G 或 G6 的情况好像还更常见，这些都有待于我们在具体运用中不断总结。

技巧训练

（一）制音、闷音

制音和闷音是弹唱中常用的技法，它们使吉他伴奏的律动感、层次感大大增强。许多吉他手都把它们混为一谈，其实，二者的演奏效果有着非常明显的区别。

▲ 制 音

学习制音之前我们还是回忆一下切音。想使切音干净利落又震撼人心，最重要的是把握好切音的时机。大多数的吉他手易犯的毛病是"止弦"这一动作提前。

我们以右手切音的慢动作为例：先扫弦，待琴音发出后，右手掌再轻轻放在弦上止音，这样才算真正的切音。

现在，以正常的速度再做一次切音，如果你在琴弦还没有开始充分振动时就去做"止弦"这个动作，发出的就不是清脆明亮的"切音"，而且"噗噗"的"制音"，记号为"↑"。

　　制音也是吉他伴奏的一种常用手法。由于制音是没有音高的，所以在演奏快速节奏时它就大有用武之地。初学者在快速变换和弦时，如果左手不够灵活会出现断音，而太顾忌左手的话右手节奏型又会出现混乱。采用制音就可以为大跨度的快速和弦转换提供一个过渡的时间——反正制音没有音高。

　　例如：

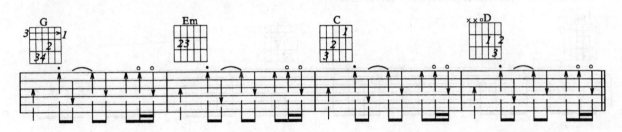

　　其实，在我们前面学过的许多节奏型中，都可以使用制音的技巧，你现在就可以倒回去试一试。用不用制音，用在什么地方，可以自己体会。制音这个技巧很讲究个性，全凭各人的韵律感决定。

　　制音在 Funk、R&B 和一些复杂的高级节奏中用得较多。

　　例如：

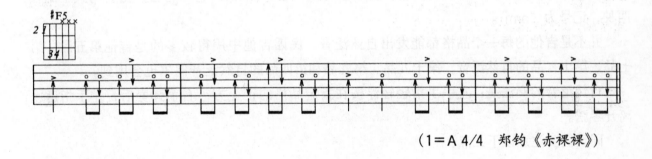

（1＝A 4/4　郑钧《赤裸裸》）

▲ 闷 音

　　闷音和制音经常被混淆，在我们以前编的一些曲谱中，有时也将二者共用一个记号"↑"。其实，它们是两种完全不同的手法，闷音的标准记号为"M"。

　　把右手小指下方的内侧（即切音的部位）贴在靠近琴马的地方，拨片或手指照常弹奏，音色朦胧迷人，这就是闷音效果。注意手掌的位置很重要，直接放在琴马上不能闷住弦，离琴马太远琴弦又不能发声，变成了制音，正确位置需要反复体会。

　　闷音在古典吉他和电吉他演奏中被大量使用，在弹唱时也常被用做点缀以增加伴奏的色彩，唐朝乐队的代表作《月梦》的间奏木吉他弹的就是闷音。

切音、制音、闷音这三种技巧都是我们学习弹唱所必须掌握的。它们都有一定难度，但同学们不能畏惧，要反复琢磨，刻苦训练，力争每种技巧都弹得无可挑剔。

（二）泛　音

泛音的音响效果类似敲钟的声音，所以也有人叫它"钟音"。它分为自然泛音与人工泛音两种，记号为"arm"。

并不是吉他的每一个品格都能发出自然泛音，民谣吉他中用得较多的是吉他第五品、第七品、第十二品的自然泛音，第十九品、第九品和第四品的自然泛音偶尔也会用到。

自然泛音的奏法是：左手手指轻轻浮按在指定品格的正上方，右手弹奏后，左手指迅速离开琴弦。

同学们要注意以下几点：

（1）左手手指触弦时不能加力，否则无法发出泛音。手指只要轻轻接触到琴弦即可。

（2）右手弹奏后，左手手指要以最快的速度离开琴弦。

（3）右手在靠近琴马处弹奏，泛音的音量会比较大。

弹奏泛音要多找感觉，主要是左、右手要配合好。开始时可以在第十二品处练习，那里的泛音音量最大。

人工泛音在弹唱时极少使用，这里不再赘述。

最基本的自然泛音系统有6个音：D、E、#F、G、A、B，如果把它们组合一下你会发现：

1.G—A—B—（C）—D—E—#F，这是一个缺少C音的G大调音阶。

2.D—E—#F—G—A—B—（#C），这是一个缺少#C音的D大调音阶。

任贤齐的那首《心太软》中用泛音奏出的前奏大家一定很熟悉。

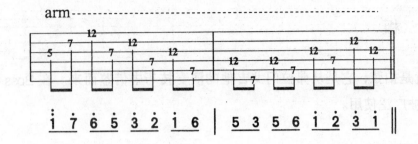

（1＝G 4/4　任贤齐《心太软》）

还有唐朝乐队翻唱的《明月千里寄相思》的前奏：

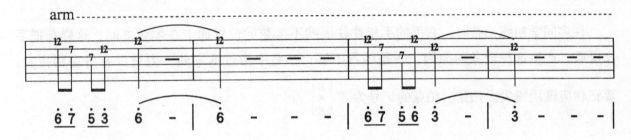

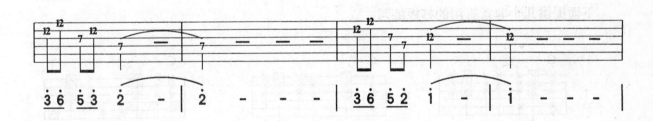

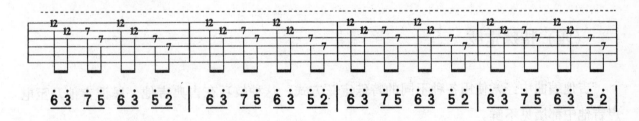

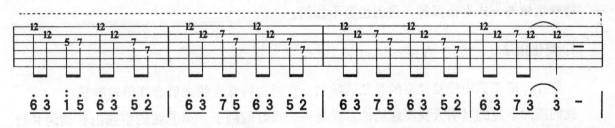

（1＝G 4/4　唐朝乐队《明月千里寄相思》）

（三）打 板

打板其实就是拍弦，它是从弗拉门戈吉他的演奏技巧中借鉴而来。在 Boss Nova、R&B、Folk Rock 中都被广泛使用。

演奏方法是：右手食指、中指、无名指略微弯曲，力贯指尖，拍打琴弦发出"啪"的短促音，它其实相当于切音的效果。注意拍弦时手腕应放松，拍击的部位要在音孔前方靠近指板的位置。如果拍弦的音量太小，可能就是右手太靠近琴马了。

许多同学初练拍弦时，右手的手指往往因找不准弦的位置而卡在琴弦之间，这样会把手指磨破。产生这种现象的原因，一是练习不够；二是手指过度弯曲，力量没有贯穿到指尖。要记住应该用指尖去拍弦。拍弦的记号为"×"。

当然，拍弦的方法不止这一种，有人采用拇指来拍弦，有的人甚至用右手的鱼际部位（切音的位置）来拍弦。这些方法同学们都可以借鉴，然后选择自己最得心应手的一种。

下面提供几个非常有用的打板练习：

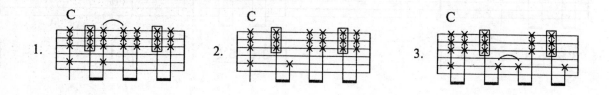

（四）特殊定弦

吉他编曲中经常使用各种不同的特殊定弦方式，这种技巧在古典吉他、民谣吉他乃至电声吉他中都屡见不鲜。

特殊定弦的方式有很多种，目的也各不相同。

1. 简化指法

一些在标准调弦中较难弹奏的和弦或乐句，在经过特殊定弦之后会变得较容易。

我们前面学过的《明天我要嫁给你》就是一个很好的例子。第⑥弦的空弦由 E 调为 F 后，曲中使用频率极高的 Fadd9 和弦根音变成了空弦。

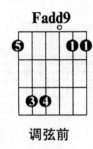

Fadd9

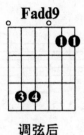

Fadd9

调弦前　　　　　　　　　调弦后

在一些欧美女歌手的演唱会中，我们经常会看到她们左手只用一根手指就弹完全曲的有趣现象。这种定弦方式要特别一些，因为吉他的六根空弦被调成了一个和弦。

最常见的为 Open G：吉他的第⑥到第①弦依次被调为 D、G、D、G、B、D，这是一个 G和弦。

于是，伴奏 G 调歌曲就变得非常简单了——空弦音就是主和弦 G，一根手指横按第五品就是下属和弦 C，再下移两品就是属和弦 D。

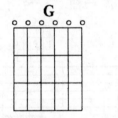　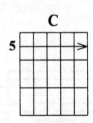　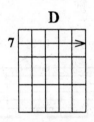

（Tune：D G D G B D）

不少古典吉他爱好者都钟爱一首叫《科庸巴巴》的作品，这首曲子也采用了特殊定弦，使空弦音组成了一个 Dm 和弦，Dm 正好是这首 d 小调作品的主和弦。

2. 营造特殊音响效果

周华健有首老歌叫《两种》，作品是 G 大调。编曲者将吉他的第①弦调为 D 音。由于 D 音与 I 级、IV 级、V 级和弦都不冲突，所以一直贯穿全曲，营造出一种和谐、空旷的音响效果。

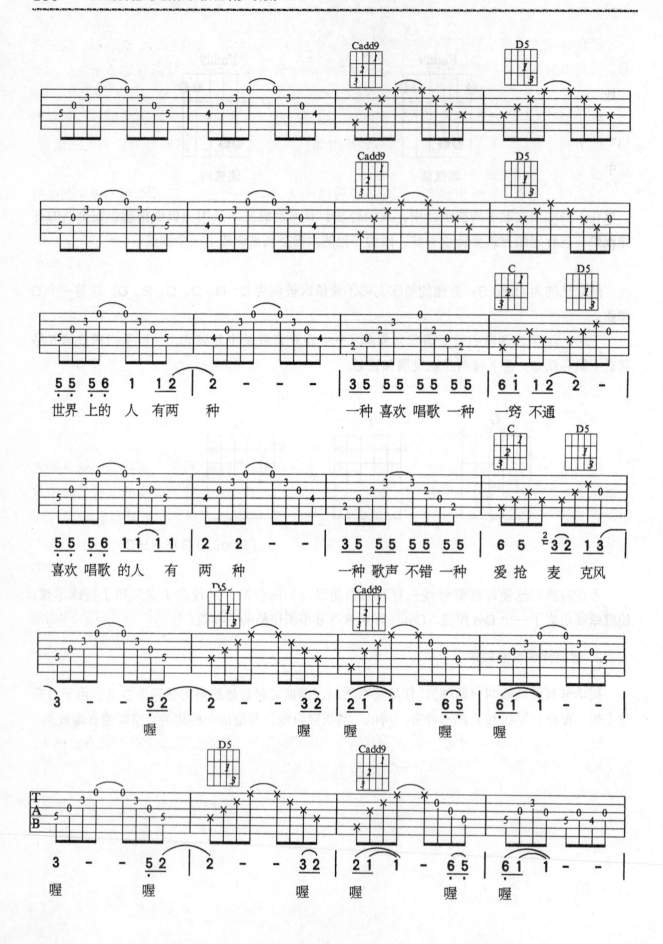

编曲高手非常善于营造音乐的"空间感"，也就是利用音程、和弦的远、近、明、暗的色彩。五度音程的空旷感非常明显，所以只有根音和五音的"五和弦"就能在这方面发挥用武之地。

将乐曲的高、低音声部拉开，使 Bass 与 Melody 之间的距离加大，这也是一个营造"空间"感的好办法。许多 D 大调的乐曲都会使用降低了大二度的第⑥弦来作为主和弦的低音，其中的道理你现在一定明白了。

特殊调弦法包含的学问很多，琴弦不但可以降低，也可以升高，组成空弦开放和弦的方式更是多种多样。下面我们列出几种常用的定弦套路，大家可以自己找一找新的音阶与和弦，并在实践中去分析、体会。注意"Tune"表示调弦后的结果。

（1）空 G　　　Tune　　D G D G B D

（2）空 D　　　Tune　　D A D #F A D

（3）空 Dm　　Tune　　D A D F A D

（4）空 Dsus4　Tune　　D A D G A D

（5）空 Dsus2　Tune　　D A D E A D

最后还要补充一点：因为特殊指法的需要，有时会将吉他的六根弦全部降低。这样，六根空弦之间的音程关系完全不变，只是音高发生了变化。比如今后我们要学的《爱情》这首歌，它是 C 大调作品。但必须用 D 大调指法编曲才好听。所以，我们将六根空弦统统调低大二度后，再用 D 调指法演奏，目的就轻松达到了！

曲目分析

1．《怕黑的女人》节奏比较复杂，对弹唱配合的要求较高。

2．《电台情歌》中的圆滑音一定要弹清晰、流畅。

3．《彩虹》中有很多跨小节的切分音，这是歌曲的韵味之所在，要严格照谱弹奏。

4．王菲的《我愿意》有两个版本，比较常见的是弦乐版。本级中的这个版本是木吉他版，原曲是由一把尼龙弦吉他弹奏的，各位同学可以找这个版本来对照学习。

十 年

林 夕 词
陈小霞 曲
原调♭A 选用调G
Capo 1
Tempo 4/4

陈奕迅 演唱
王鹰 马鸿 编配

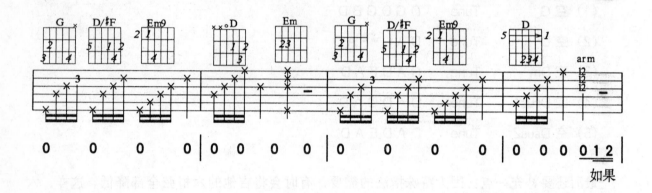

0 0 0 0 | 0 0 0 | 0 0 0 0 | 0 0 0 0 1 2 |
　　　　　　　　　　　　　　　　　　　　　　　　如果

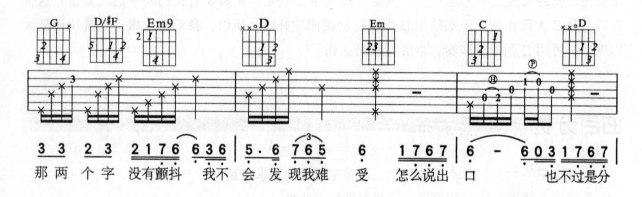

3 3 2 3 2 1 7 6 6 3 6 | 5 · 6 7 6 5 6 | 1 7 6 7 | 6 - 6 0 3 1 7 6 7 |
那 两 个 字 没有颤抖 我不 会 发现我难 受 怎么说出 口　　也不过是分

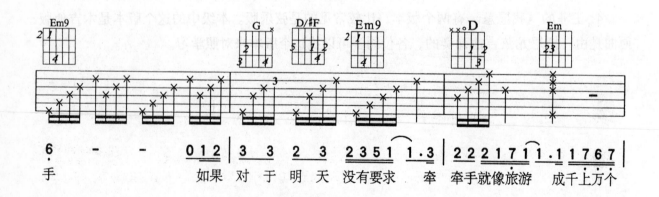

6 · - - 0 1 2 | 3 3 2 3 2 3 5 1 1 · 3 | 2 2 2 1 7 1 1 · 1 1 7 6 7 |
手　　　如果 对 于 明天 没有要求 牵 牵手就像旅游 成千上万个

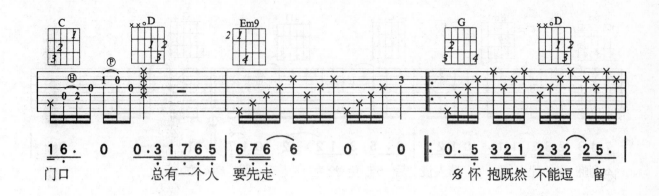

1 6. 0 0.3 1 7 6 5 | 6 7 6 6. 0 0 : 0.5 3 2 1 2 3 2 2 5.

门口　　总有一个人 要先走　　　　　怀抱既然 不能逗 留

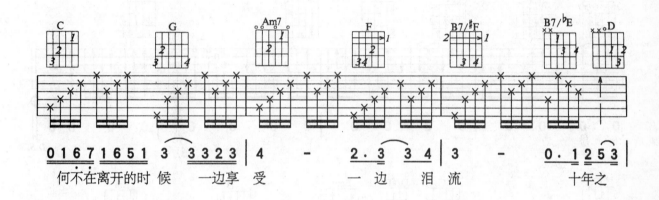

0 1 6 7 1 6 5 1 3 3 3 2 3 | 4 — 2.3 3 4 3 — 0.1 2 5 3

何不在离开的时 候 一边享 受　　一边　泪流　　　十年之

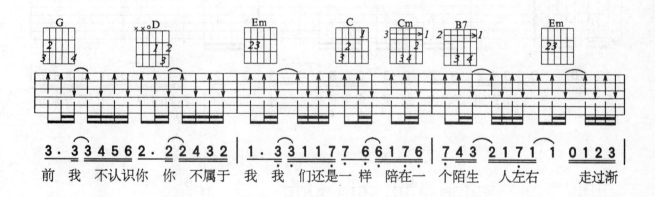

3.3 3 4 5 6 2.2 2 4 3 2 | 1.3 3 1 1 7 7 6 6 1 7 6 | 7 4 3 2 1 7 1 1 0 1 2 3

前 我 不认识你 你 不属于 我 我们还是一样 陪在一 个陌生 人左右　走过渐

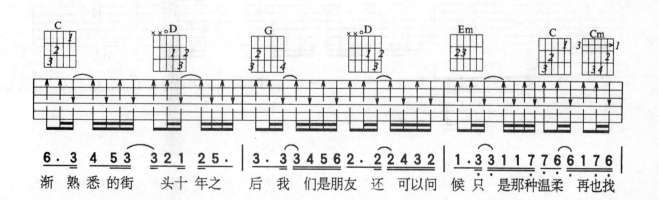

6.3 4 5 3 3 2 1 2 5. | 3.3 3 4 5 6 2.2 2 4 3 2 | 1.3 3 1 1 7 7 6 6 1 7 6

渐 熟悉的街 头十年之 后 我们是朋友 还 可以问 候只 是那种温柔 再也找

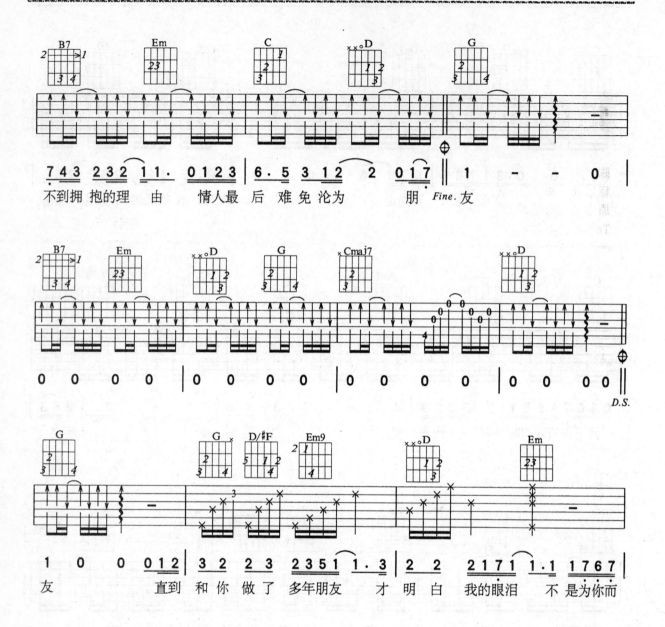

不到拥 抱的理　由　　情人最 后 难 免 沦为　　　朋 Fine.友

友　　　　　直到 和 你 做了 多年朋友　　才 明 白　我的眼泪　不 是 为你而

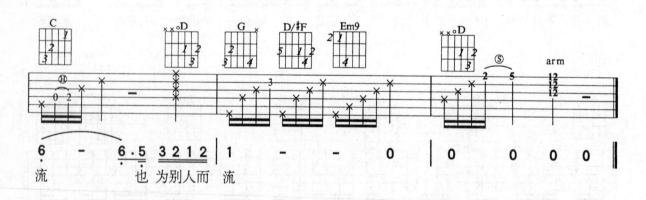

流　　　　也 为别人而 流

怕黑的女人

陈　涛　词
杨乐强　曲
原调G　选用调G
Tempo　4/4

田震　演唱
王鹰　马鸿　编配

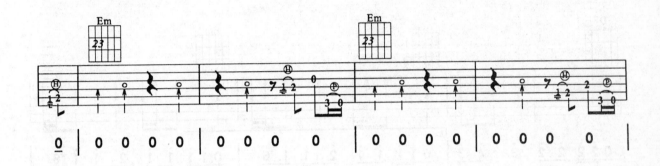

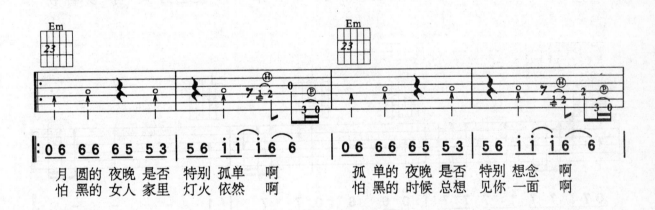

月 圆的 夜晚 是否 特别 孤单 啊
怕 黑的 女人 家里 灯火 依然 啊
孤 单的 夜晚 是否 特别 想念 啊
怕 黑的 时候 总想 见你 一面 啊

想 念的 恋情 是否 特别 遥远 啊
哪 怕是 说的 已经 与爱 无关 啊
遥 远的 人你 可曾 抬头 望天
她 的心 也会 感到 一点 温暖

Fine

过去 的信 可以 不看　可以 将它撕 成两半　直到旧情一 刀两 断

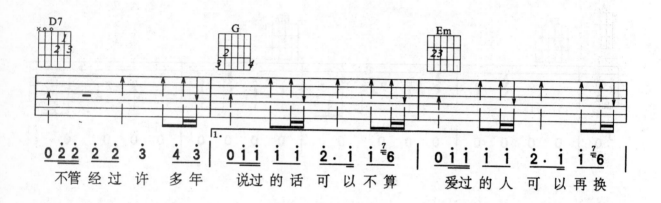

不管 经过 许 多年　说过 的话 可以 不算　爱过 的人 可 以 再换

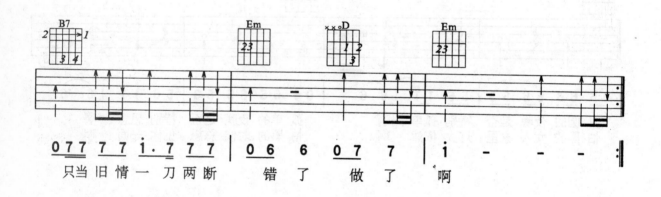

只当 旧情 一 刀 两 断　错了 做了 啊

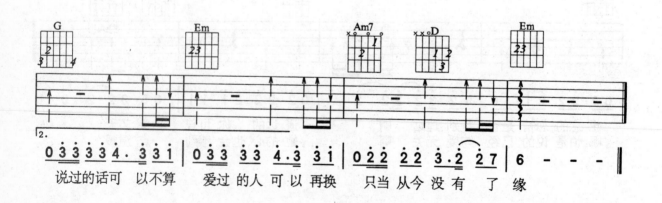

说过 的话 可 以 不算　爱过 的人 可 以 再换　只当 从今 没有 了 缘

Scarborough Fair

原调 G 选用调 C

Capo 7

Tempo 3/4

by Simon & Garfunkel

王鹰 马鸿 编配

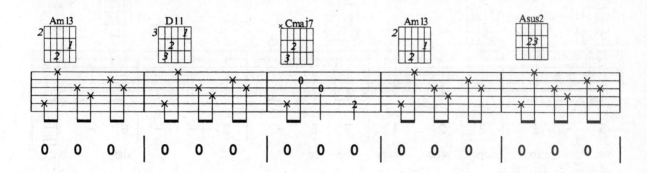

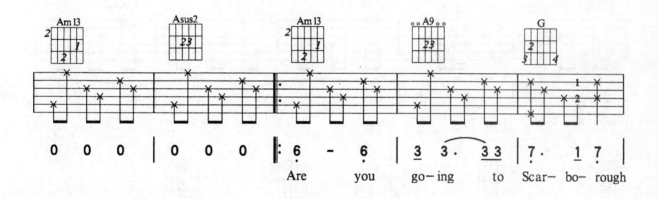

Are you go-ing to Scar- bo- rough

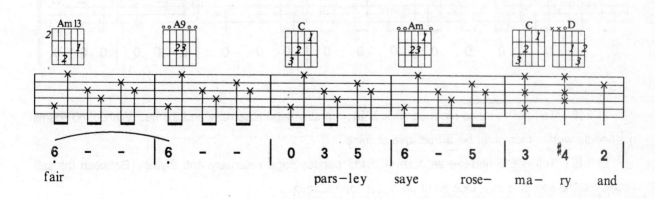

fair   pars—ley saye rose— ma— ry and

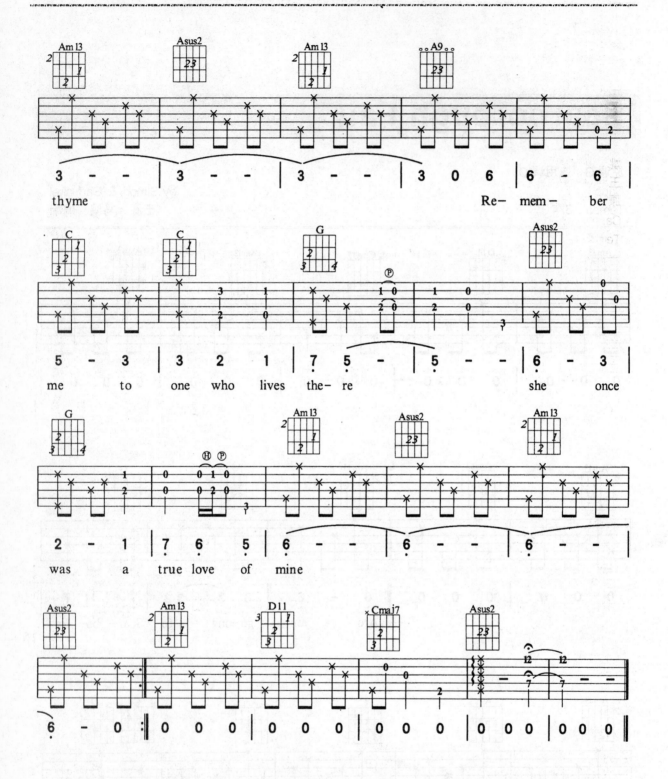

第 2 段：Tell her to make me a cambric shirt, parsley sage rosemary and thyme. Without no seams nor needle work, then she'll be a true love of mine.

第 3 段：Tell her to find me an acre of land, parsley sage rosemary and thyme. Between the salt water and the sea strands, then she'll be a true love of mine.

第 4 段：Tell her to reap it with a sickle of leather, parsley sage rosemary and thyme, and gather it all in a bunch of heather, then she'll be a true love of mine.

电台情歌

姚　谦　词
王治平　曲
原调 D　选用调 C
Capo　2
Tempo　2/4

莫文蔚　演唱
王鹰　马鸿　编配

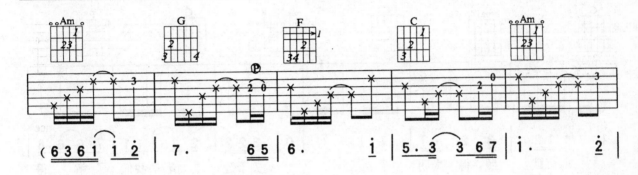

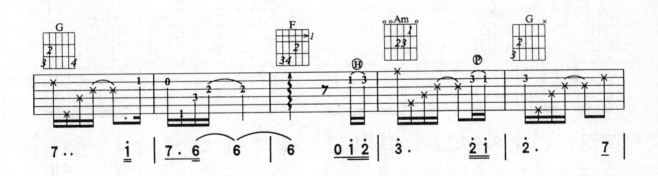

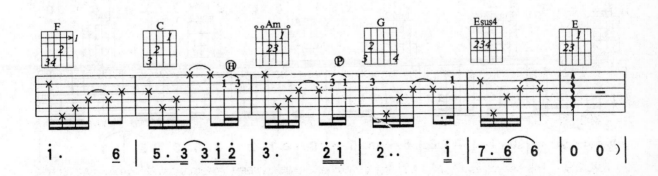

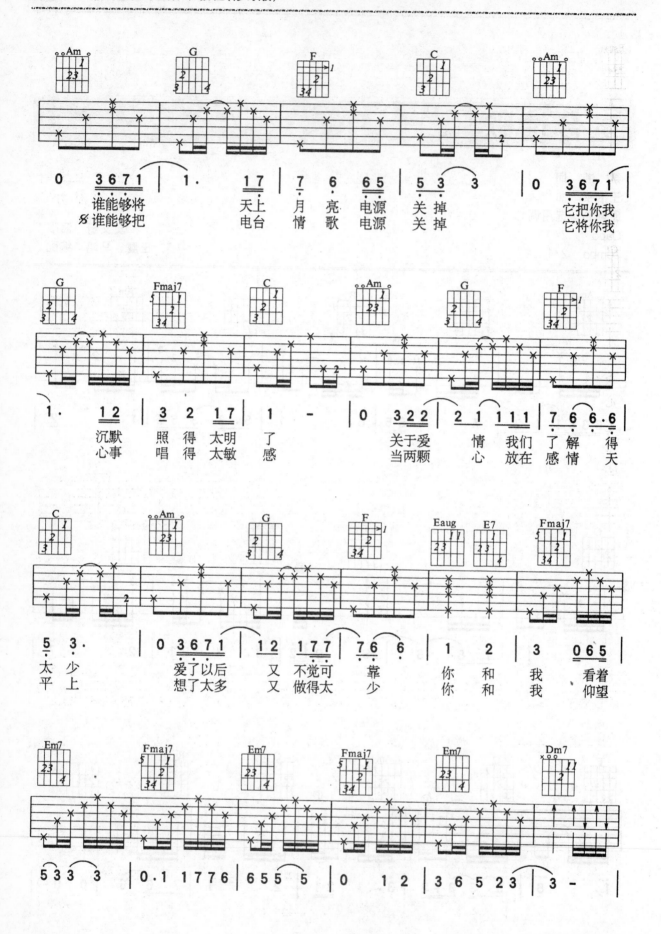

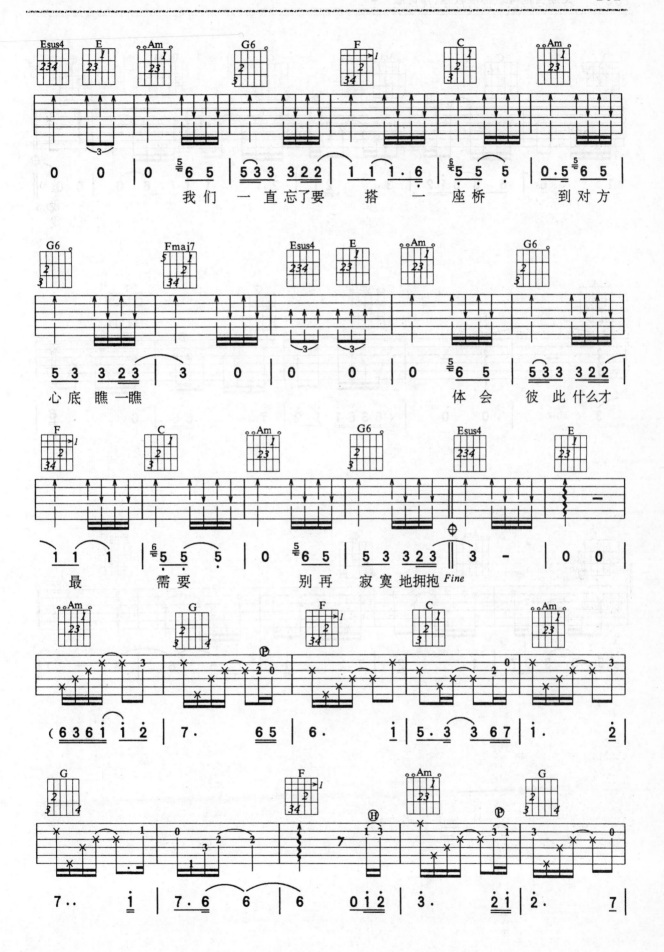

我们 一直忘了要 搭 一 座桥 到对方

心底瞧一瞧　　　　　　　　体会 彼 此什么才

最　　　需要　　　别再 寂寞地拥抱 *Fine*

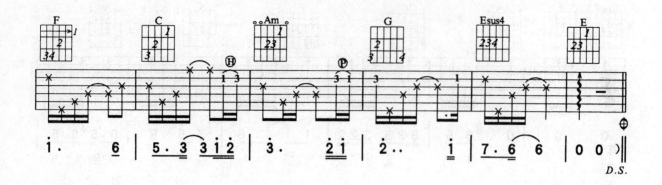

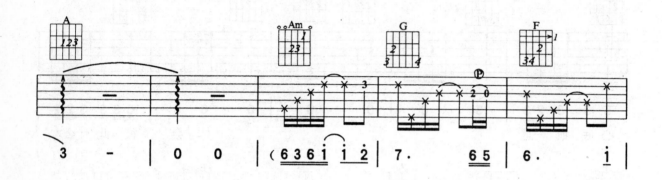

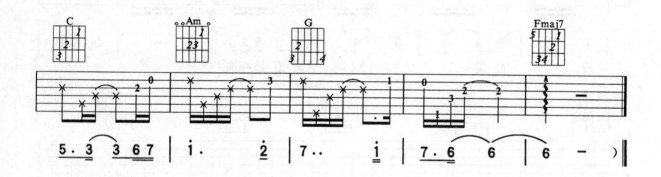

彩　虹

陈羽凡　词
陈羽凡　曲
原调 G　选用调 G
Tempo　4/4

羽·泉　演唱
王鹰　马鸿　编配

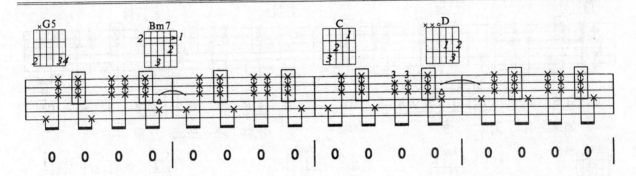

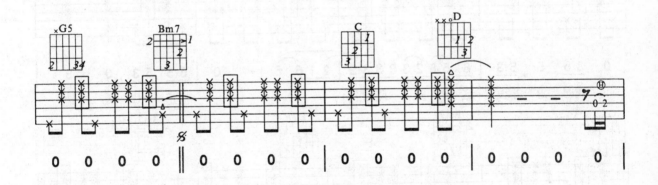

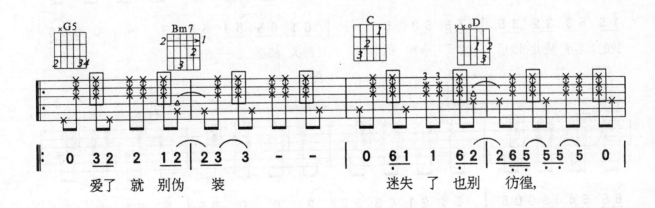

爱了　就别伪　装　　　　　　迷失　了　也别　彷徨,

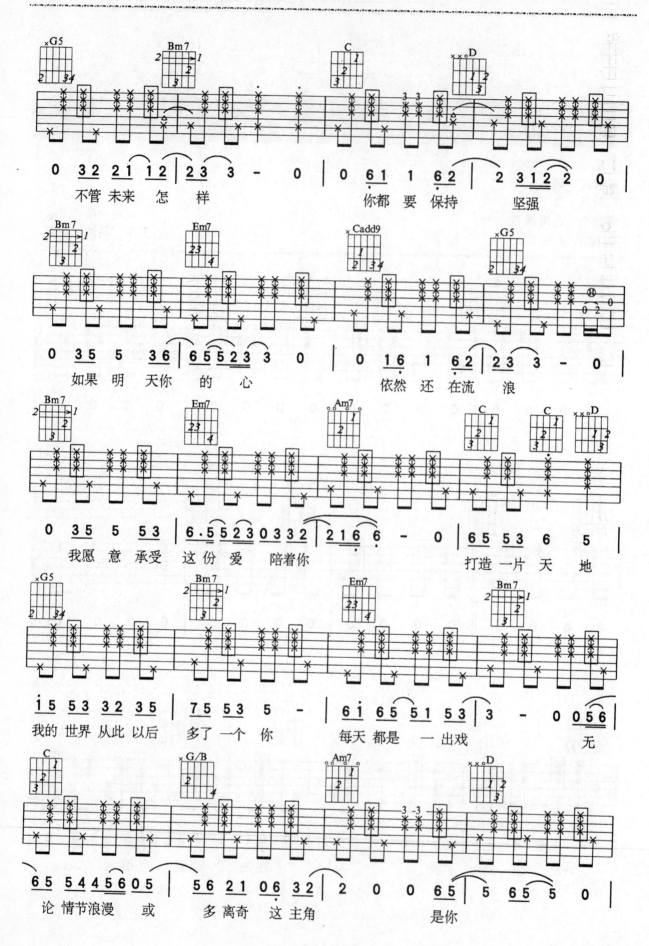

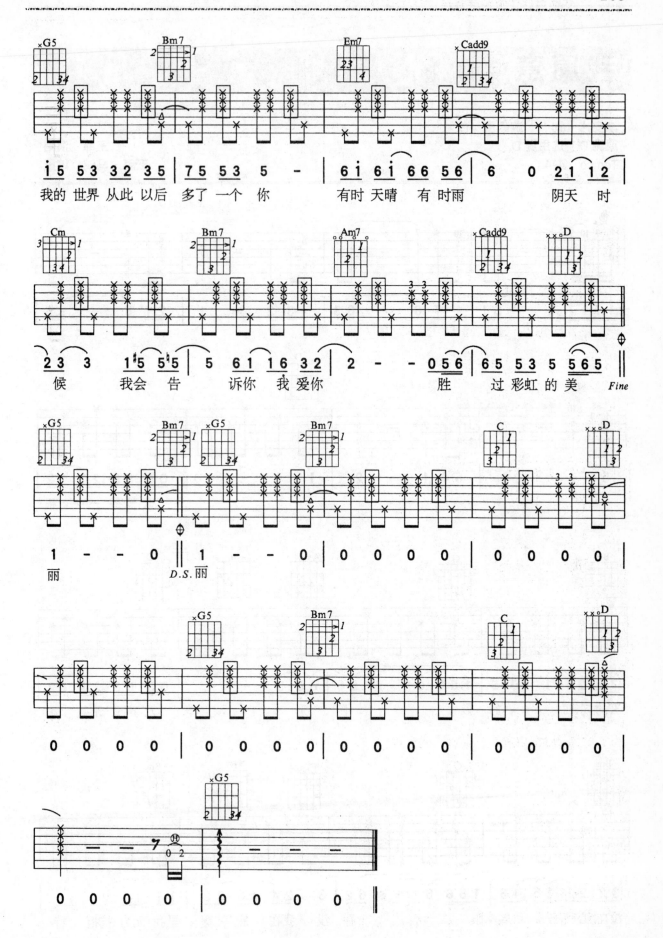

我愿意(木吉他版)

李安修 词   游家豪 曲
原调 D   选用调 D   王菲 演唱
Tempo 4/4   王鹰 马鸿 编配

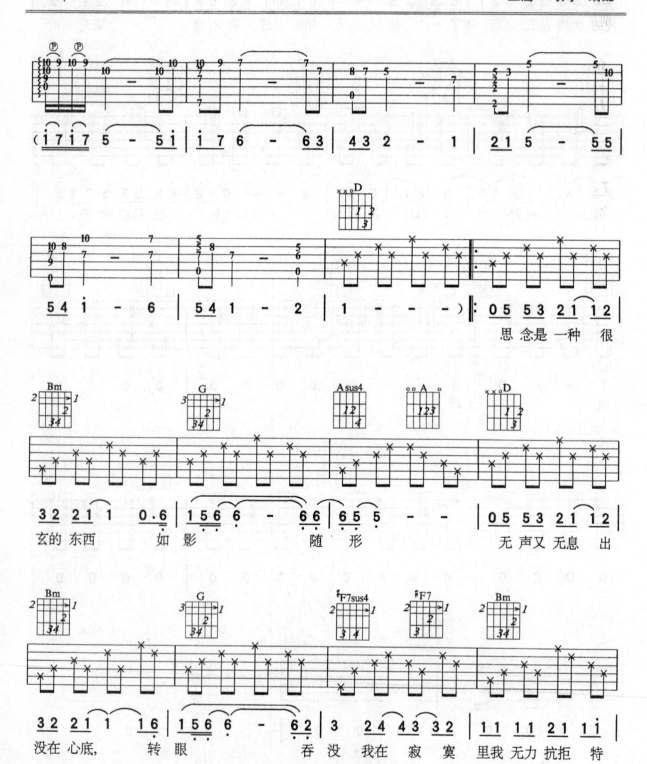

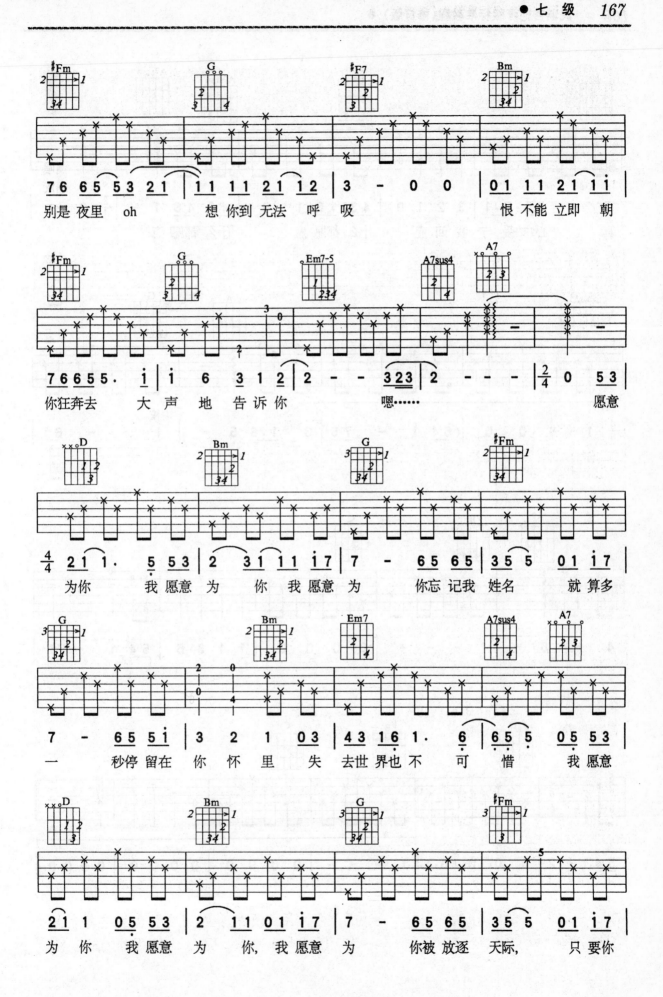

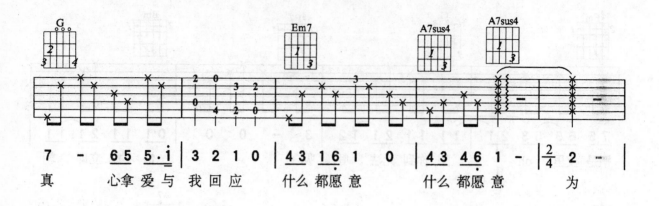

7 — <u>6 5</u> <u>5 · i</u> | 3 2 1 0 | <u>4 3</u> <u>1 6</u> 1 0 | <u>4 3</u> <u>4 6</u> 1 — | 2/4 2 — |

真　　心 拿 爱 与 我 回 应　什 么 都 愿 意　　什 么 都 愿 意　　为

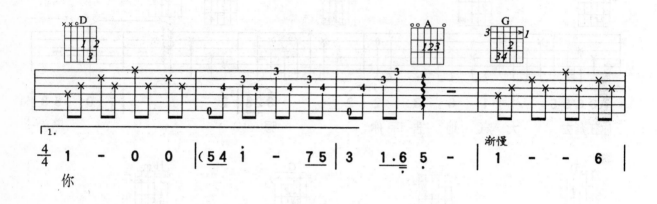

4/4 1 — 0 0 | (<u>5 4</u> i — <u>7 5</u> | 3 <u>1 · 6</u> 5 — | 1 — — 6 |

你　　　　　　　　　　　　　　　　　　　　　　　　渐慢

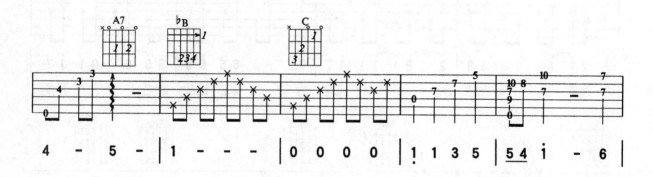

4 — 5 — | 1 — — — | 0 0 0 0 | 1 1 3 5 | <u>5 4</u> i — 6 |

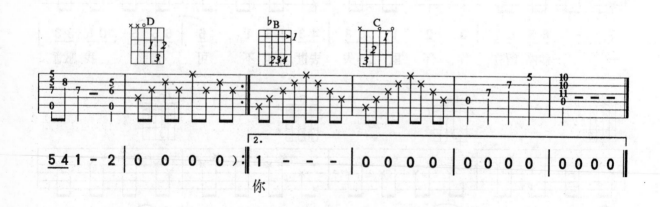

<u>5 4</u> 1 — 2 | 0 0 0 0) : | 1 — — — | 0 0 0 0 | 0 0 0 0 | 0 0 0 0 ‖

你

遇　见

易家扬　词
林一峰　曲
原调♭A　选用调G
Capo　1
Tempo　4/4

孙燕姿　演唱
王鹰　马鸿　编配

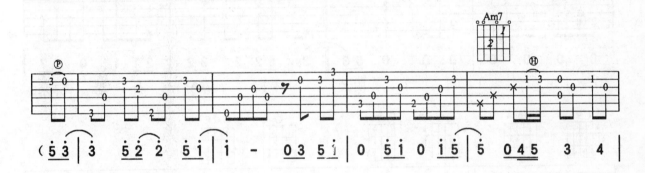

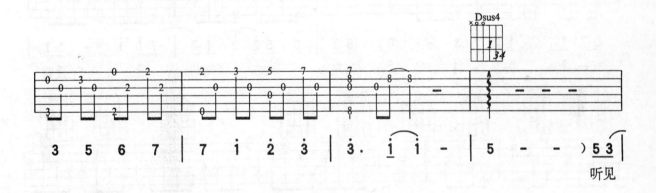

听见

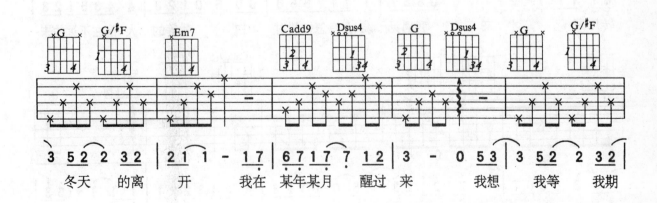

冬天　的离　开　　我在　某年某月　醒过　来　　我想　我等　我期

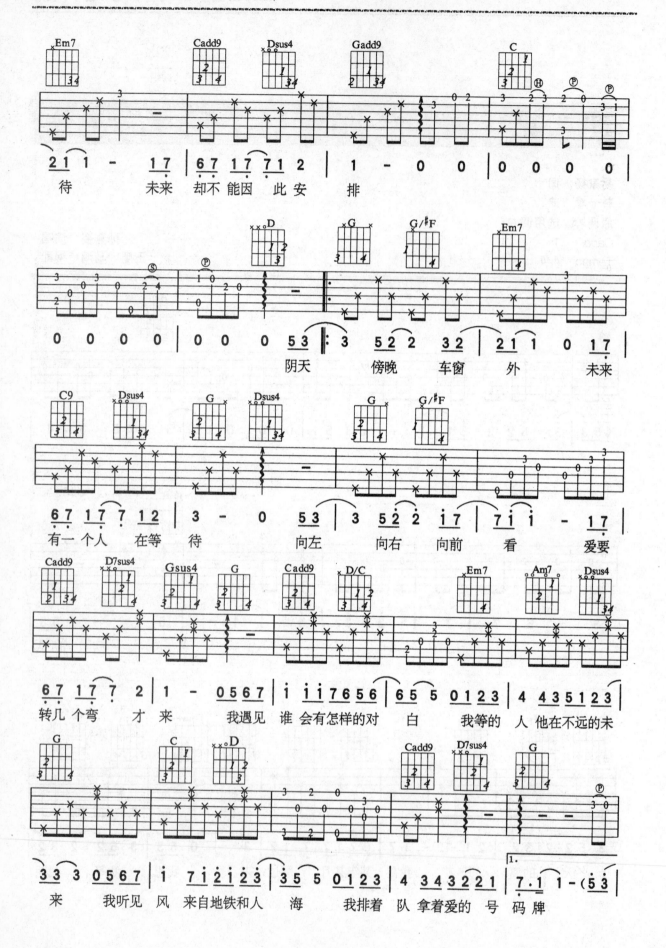

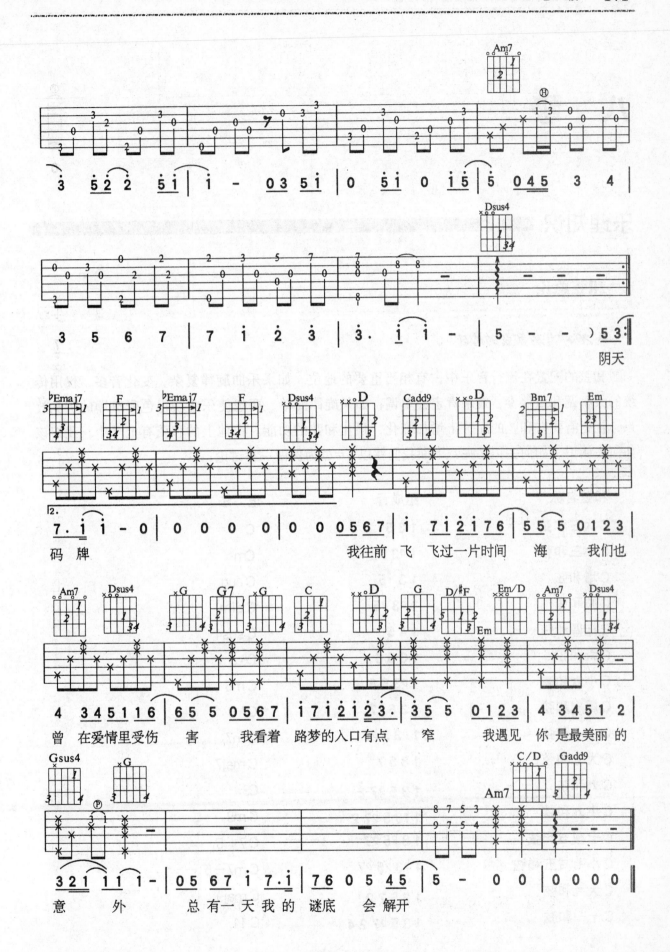

八　级

乐理知识

和弦总论

▲ 20 种常用和弦的构成

和弦的配置在流行音乐中占有相当重要的地位。如果乐曲旋律复杂，变化音多，仅用传统的大小调和弦伴奏，效果肯定会单调；如果旋律简单，要想使乐曲获得色彩斑斓的听觉效果，就更需要在和弦的配置上增加变化，强化和弦的功能。吉他上的和弦有上千个，我们该如何去认识、如何去记忆呢？下面我们就以 1＝C 为例做一番讨论：

和弦名称	组成音	记　法
C 大三和弦	1 3 5	C
C 小三和弦	1 ♭3 5	Cm
C 增和弦	1 3 ♯5	C aug
C 减和弦	1 ♭3 ♭5	C dim
C 挂四和弦	1 4 5	C sus4
C 六和弦	1 3 5 6	C6
C 小六和弦	1 ♭3 5 6	C m6
C 属七和弦	1 3 5 ♭7	C7
C 小七和弦	1 ♭3 5 ♭7	C m7
C 大七和弦	1 3 5 7	C maj7
C 九和弦	1 3 5 ♭7 2̇	C9
C 小九和弦	1 ♭3 5 ♭7 2̇	C m9
C 七减五和弦	1 3 ♭5 ♭7	C 7−5
C 小七减五和弦	1 ♭3 ♭5 ♭7	C m7−5
C 大九和弦	1 3 5 7 2̇	C maj9
C 十一和弦	1 3 5 ♭7 2̇ 4̇	C 11

C 小十一和弦	1 ♭3 5 ♭7 2 4̇	C m11
C 十三和弦	1 3 5 ♭7 2 4̇ 6̇	C 13
C 七挂四和弦	1 4 5 ♭7	C 7sus4
C 减七和弦	1 ♭3 ♭5 ♭♭7	C dim7

▲ 和弦的分类记忆法

以上 20 例都是现代音乐中比较常用的和弦，其实还有一些和弦因过于生僻，我们没有列出来。许多人看到这个表一定感到头都大了，仅 C 系列这么多和弦，怎么分得清啊，何况另外还有 11 个调！不用害怕，一切都要讲方法。

当我们告诉你，在某首歌的某个小节需要使用 Cm7−5 和弦，你能不能马上在脑海中反应出这个和弦的构成音呢？让我们按以下步骤进行分析：

1. 和弦虽多，但绝大多数还是从两个大类即"1 3 5"系列和"1 ♭3 5"系列中衍生出来的，有"m"即"小"符号的肯定是在"1 ♭3 5"系列中，反之即在"1 3 5"系列中。显然我们先要写出的前三个音是"1 ♭3 5"。

2. 符号"7"表示"降 Si（♭7）"音，因此加上第四个音成为"1 ♭3 5 ♭7"。

和弦标记法中的"7"符号，如 C7、Cm7，不要同"Si"音混淆，"7"符号表示的音为根音上方小七度"♭7（降 Si）"；"maj7"符号表示的音才是"Si"音，"maj"为意大利文"major"（意思"大的"）的缩写。

3. 符号"−5"表示将根音上方五度音降半音，这样，我们得出 Cm7−5 的组成音为："1 ♭3 ♭5 ♭7"。

再举一个例子 C 7sus4：

1. 没有"m"符号，显然前三个音为"1 3 5"。

2. 符号"7"表示第四个音为根音上方小七度"♭7（降 Si）"

3. "sus4"表示和弦根音上方的三度音"3"被四度音"4"音所取代，这样 C 7sus4 组成音便是"1 4 5 ♭7"。

和弦的记忆并非枯燥无味的，这一列一列的数字、一个一个的定义本身虽然十分浩繁，但我们并非要让各位死记硬背。音乐并非一门死的学问，它有许多规律可循，你会发现原来看似杂乱无章、纷繁复杂的和弦其实非常简单：

这里给大家提供一个记忆和弦的方法：

1. 先把和弦分为两大类，"1 3 5"类与"1 ♭3 5 类"；

2. "1 3 5"是C，"1♭3 5"是Cm；

3. "1 3 5 6"是C6，"1♭3 5 6"是Cm6；

4. "1 3 5♭7"是C7，"1♭3 5♭7"是Cm7；

5. "1 3 5 7"是Cmaj7，"1♭3 5 7"是Cmmaj7；

6. "1 3 5♭7 2̇"是C9，"1♭3 5♭7 2̇"是Cm9；

7. "1 3 5♭7 2̇ 4̇"是C11，"1♭3 5♭7 2̇ 4̇"是Cm11；

......

看到这里已经很清楚了，以"1 3 5"或"1♭3 5"为基础，六和弦或小六和弦即是分别在后面加根音上方大六度音"6"；属七和弦或小七和弦是分别在后面加根音上方小七度音"♭7"，大七和弦或小大七和弦是在后面加根音上方大七度音"7"；再往后面发展，九和弦或小九和弦加根音上方九度音"2"，十一和弦或小十一和弦加根音上方十一度音"4"，这样顺理成章地记住了十四个和弦。

当然还有些特别的和弦，例如：

1. 增和弦表示将大三和弦的五度音升高半音，"1 3 5"变成"1 3 #5"；减和弦表示将小三和弦的五度音降低半音，"1♭3 5"变成"1♭3♭5"。

2. C7-5表示将C7（"1 3 5♭7"）中根音上方的五度音降低半音变成"1 3♭5♭7"，而"1♭3♭5♭7"则自然是Cm7-5。

3. 在"1♭3♭5♭7"的基础上再发展一步，将根音上方小七度音"♭7"再降半音就变成减七和弦"1♭3♭5♭♭7"即Cdim7。

4. "挂四"自然指的是挂留根音上方四度音"4"以取代"3"，"1 3 5"变为"1 4 5"，即Csus4，而C7sus4则是加上根音上方小七度音变成"1 4 5♭7"。

行了，到此为止，几乎绝大多数常用和弦你都记住了，而且显然不是漫无头绪死记下来的，一切都是那么自然，那么有规律可循。

也许有的朋友要问了，记住了C系列和弦的组成，那么A系列、D系列、G系列、♭B系列又怎么办呢？给我一个♭Bmaj7和弦让我去构造岂不太强人所难了吗？

从实用的角度上讲，推算任何调的和弦最好都用首调。比如♭B和弦是大三和弦，当1=♭B时，它们的组成音从首调的角度讲是"1 3 5"；♭Bmaj7从首调的角度来看则是由"1 3 5 7"四个音构成的。我们刚才的和弦记忆法虽是以C系列为例子，其实它适用于任意调。你要建立这么一个观念：从首调上讲，任何大三和弦构成音都是"1 3 5"，任何大七和弦构成音都是"1 3 5 7"，任何十一和弦的构成音都是"1 3 5♭7 2̇ 4̇"......

理论必须走与实践相结合的道路，了解各种和弦构成的最终目的还是为了在吉他上迅速找出它们的位置，要做到这一点就比较困难了。

天底下没有免费的午餐，要做好任何一件事都必须付出辛勤的汗水。希望大家分步骤记住下列和弦：

1. 第一把位的大三和弦，C、D、E、F、G、A 及它们的七和弦。

2. 第一把位的小三和弦，Am、Dm、Em 及它们的小七和弦。

3. 第一把位的 C maj7、D maj7、E maj7、F maj7、G maj7、A maj7 和弦。

4. 第一位的 Csus2、Dsus2、Esus2、Fsus2、Gsus2、Asus2 和弦。

5. 第一把位的 C6、D6、E6、F6、G6、A6 和弦。

6. 第一把位的 A m9、D m9、E m9 和弦。

7. 第一把位的 A m6、D m6、E m6 和弦。

8. 第一把位的 C sus4、D sus4、E sus4、G sus4、A sus4 及它们的七挂四和弦。

9. 第一把位的 D dim7、E aug 和弦。

任务的确艰巨，但如果你的目标是成为一名民谣吉他高手的话，就没什么条件可讲了。不过死记中也有"活办法"，关键是记住几个三和弦，另外的和弦都可以通过加入特性音的办法推导出来。以 A 和弦为例（首调）：

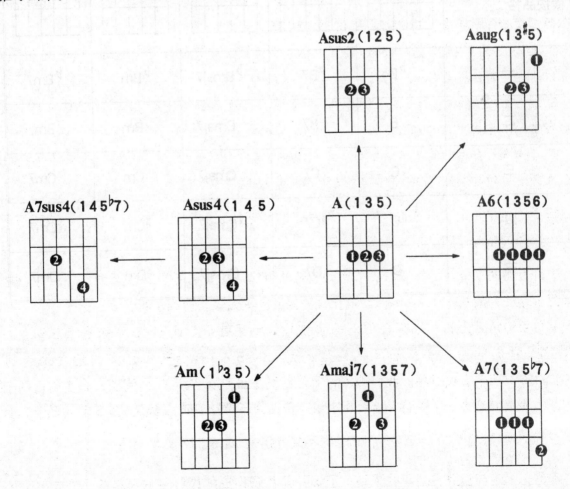

这样，以 A 为中心，众多 A 系列和弦都可以推算出来。**其他系列的和弦推算也是同样的道理，都是从首调的角度，由大三和弦开始，所求的和弦需要什么组成音就在吉他上找出这个音。**

▲ 利用封闭和弦推导和弦

封闭和弦就是平常说的"大横按"。我们知道，在吉他上相邻的品格之间相差半音，而封闭和弦的食指就相当于一个 Capo，Capo 往下移一品，琴上六根弦的音便都升高了半音。这样，如果我们利用大横按把和弦全部往下移一个品位，那么这个和弦内所有音都升高了半音。例如，F 和弦，往下移一品变成♯F 和弦，再往下移一品就变成了 G 和弦，再往下是♭A 和弦……如此一来，和弦世界在我们眼中真的是"山重水复疑无路，柳暗花明又一村"了。

A 指 型

横按品格＼指型	A	A7	Amaj7	Am	Am7
一	♭B	♭B7	♭Bmaj7	♭Bm	♭Bm7
二	B	B7	Bmaj7	Bm	Bm7
三	C	C7	Cmaj7	Cm	Cm7
四	♯C	♯C7	♯Cmaj7	♯Cm	♯Cm7
五	D	D7	Dmaj7	Dm	Dm7

E 指 型

指型 横按品格	E	E7	Emaj7	Em	Em7
一	F	F7	Fmaj7	Fm	Fm7
二	#F	#F7	#Fmaj7	#Fm	#Fm7
三	G	G7	Gmaj7	Gm	Gm7
四	#G	#G7	#Gmaj7	#Gm	#Gm7
五	A	A7	Amaj7	Am	Am7

上面是最常用也是最基本的几类封闭和弦，将它们熟练掌握之后推导其他和弦也很方便。比如，从 A 和弦或 E 和弦都可以推出 ♭B 和弦，在 ♭B 和弦基础之上加入根音的上方大七度音——也就是说"Si"音（首调）即可得到♭B maj7和弦。

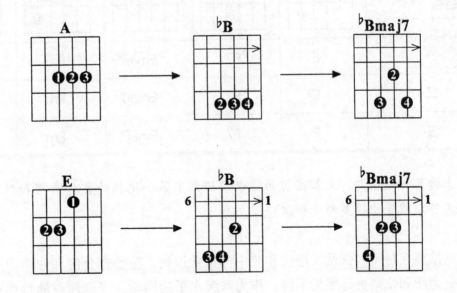

C 指 型

指型 横按品格	C	C7	Cmaj7
一	#C	#C7	#Cmaj7
二	D	D7	Dmaj7
三	♭E	♭E7	♭Emaj7

注意：此指型中属七和弦不弹第①、第⑥弦，所以下移时不用横按。

D 指 型

指型 横按品格	D	D7	Dmaj7	Dm	Dm7
一	♭E	♭E7	♭Emaj7	♭Em	♭Em7
二	E	E7	Emaj7	Em	Em7
三	F	F7	Fmaj7	Fm	Fm7

　　除了上面几种指型外，大家在前面还专门研究了第一把位的各种常用和弦，通过它们的封闭和弦又可以推导出很多新的和弦。

　　和弦的推算在封闭和弦及低把位和弦中都常常用到，至于在分解和弦中由基本和弦音加入特性音变为新和弦则更是屡见不鲜。作为八级水平的同学，根据和弦的特性迅速找到新和弦的按法，应该是你必须具备的修养。你也许已经注意到了，同一和弦在吉他上有不同的按法，而它们的效果也不尽相同。对这些不同排列、不同把位的相同和弦，我们都应做到心中有数。这样在编配时就可以选择最适合乐曲表现的和弦按法——绝非最简单、最好记的按法。如果不肯多听、多试、多比较，吉他水平也就无法迅速提高。

技巧训练

（一）扒　带

"扒带"这两个字乍听起来很深奥，事实上它并不难，仅仅是一种很公式化的学习方法。通俗地说，扒带就是通过自己的耳朵和对吉他的了解程度对原曲进行 Copy（复制）。它是任何搞音乐、特别是搞流行音乐的人都必须经过的一个阶段。

如果要进行扒带，事先应当准备好以下"工具"：

▲ 放音设备

扒带时，我们常常会遇到一些变化复杂的分解和弦音型或比较怪异的多音和弦，这时必须一小段一小段反复听。以前，乐手们只能把歌曲从 CD 转到磁带上然后来回倒带，而现在电脑普及了，建议大家把 CD 转成 mp3 或 wma 文件，然后使用 Windows Media Player 来放音，它能对这两种格式的音频文件进行慢速播放，操作简单又方便。

▲ 耳　机

使用耳机，不但可以隔绝外界干扰，而且在听觉上具有更好的层次感。有时歌曲中的吉他伴奏淹没在强大的电声乐队之中，通过耳机可以把它们较容易地区分开来。

▲ 变调夹

很多歌曲的伴奏使用了 Capo，这就要先确定 Capo 的位置后再扒带。否则，硬用食指按封闭和弦的话，许多精彩的指法便无法进行。

扒带的基本步骤如下：

1. 先确定调性，即找到歌曲的"Do"音落在吉他的哪个位置上。落在 C 音名上是 C 大调或它的关系小调 a 小调，落在 F 音名上自然是 F 大调或 d 小调。当然，这是建立在吉他已是标准音定弦的基础之上。

2. 很多情况下，歌曲会是 ♭A 调或 ♯F 调的，这时伴奏一般会使用 Capo，你就得先把 Capo 的位置确定好。如果原曲不是吉他伴奏的，你可以选择自己擅长的那个调。假设原曲是 B 调的，你可以把 Capo 夹在第一品弹 A 调，也可以夹在第三品弹 G 调，甚至可以夹第五品弹 F 调。

　　如果原曲是吉他伴奏的，这就要凭经验了，你必须首先听出原唱采用的是什么调的和弦。第三品的 G 调和弦与第五品的 F 调和弦虽然音区相同，但由于和弦中的音在吉他上的排列不同，实际的听觉效果有很大差别，了解这一点在吉他编配中相当重要。像 Paul Simon 和江建民等吉他大师的高明之处就在于此，他们最擅长利用各调和弦的不同音响特征来达到自己所希望的效果。

　　3. 确定好调性和 Capo 的位置之后，便可以开始扒带了。扒带首先"扒"的是低音，低音一出来，整个和弦就基本上出来一半了。假如原曲是 G 调的，而和弦的低音弹的是"Do"，那么这个和弦无疑是 G 系列和弦，会是 G? 会是 G7? 会是 G9 还是 Gmaj7? 总之是在这个范围之内。假如原曲是 E 调，而和弦低音弹的是"Re"，这个和弦肯定是 #F 系列的，不是 #Fm 就是 #F，或是 #Fm7……当然，有少数情况例外，如和弦是转位和弦或低音只是经过音，但也还是有规律可循。低音一般都比较容易听出来，因为它进行得比较慢，如果一小节之内有好几个低音，那么一般情况下，落在重拍上的是该和弦的根音。

　　4. 有了低音后便可以开始确定和弦。分解和弦较为简单，它们基本上都落在所猜想的和弦之内。假如某 C 大调歌曲中，你确定了某和弦根音是"Fa"，而在分解和弦的高音部分又听到"La"和"Do"，那么这个和弦一定是 F 和弦，再一听还有个"Mi"音，那赶快修改——这是个 Fmaj7 和弦。

　　5. 如果原曲的吉他伴奏没有分解和弦而全是 Pick 扫弦，"扒"这种歌曲就需要一定功力了。你必须对不同色彩的和弦有极为清晰的概念，比如说，小九和弦极不协和，因为"Si"和"Do"这个小二度有激烈的撞击感；挂二和弦听起来比较空旷，因为"2"和"5"之间是四度音程。更多的时候则要凭感觉和经验，以 1＝C 调为例：当你听到低音弹"Si"时，这个和弦的最大可能是 G 或 G7 甚至是 Em 或 E 和弦的转位，如果它的下一个和弦是 Ⅶm（Am），那就基本确定无疑了。不过如果下一个和弦是 E7，那它就很可能是 Bm7－5 和弦。

　　6. 听音要讲技巧。如果你的能力还达不到仅凭 Pick 一扫就能够确定出和弦名称的水平也不要紧，那就一个音一个音地听。把先听出的音记下来，然后强迫自己不去听这些音而去听另外一个音，直到把所有的音听出来为止。这个过程是很痛苦的，刚开始你肯定无法做到不受已经确定的音的影响，以至于翻来复去听到的都是那个音，这时需要耐心。如果伴奏中还有其他乐器则更好，因为许多关键音在乐队中都有所体现，你不妨去弦乐中找一找。

　　7. 吉他伴奏的节奏型很多，变化亦复杂，你事先必须对一些基本节奏型有所了解，例如 Walts、Rumba、Bossa Nova、Slow Rock 等等。歌曲伴奏一般来说万变不离其宗。"扒"节奏时要一边听音乐一边打拍子，找到重音、切音、闷音、休止这些关键地方的位置，有时节奏型的重音落在后半拍甚至连续切分，这更需要仔细辨别。还有一点很重要，那就是必须会读节奏型。鼓手有"鼓经"，吉他手更须在弹奏之前把节奏型"读熟"。对节奏型有恐惧感的朋友一定要马上试一下，找一条曾让你手足无措的节奏型，把它读准读熟之后再去弹，你一定会发现翻天覆地的变化。

扒带的学习需要分步进行。刚开始可"扒"一些以民谣吉他为主进行伴奏的歌曲，如《丁香花》《明天我要嫁给你》等。这些歌使用了一些变化和弦，但左手较简单，右手指法也不复杂，原曲中其他乐器成分不重，吉他声音清晰可辨。其次再"扒"扫弦较多的歌曲。

希望大家准备一个笔记本，记录下扒带过程中的一些感受：如 IVm 很飘、IV／V 很浪漫、挂二和弦很空旷……还可以记录一些你"扒"过可能又容易忘记的歌曲，嫌麻烦的话可以只记和弦名称或和弦的级数。最好还能写写心得体会，如某首歌的和弦配置有什么特点、其那样配是何种原因等等。

扒带是学习的手段而非目的。"扒"出一支不会的歌，可以自弹自唱了，这是一大收获；同时在扒带的过程中还要吸取别人的伴奏方式和编曲技巧，通过分析体会，融会贯通，全面提高自己的音乐素养，这才是扒带的最终目的。

（二）Travis 奏法（三指法）

Travis 奏法得名于乡村吉他手 Merle Travis。方法是：右手拇指交替弹奏几根低音弦，其余手指弹奏高音弦。这种伴奏技巧在民谣风格的作品中非常流行。

▲ 三指法

Travis 风格的伴奏以"三指法"为代表，即拇指弹低音弦，食指和中指弹高音弦。例如：

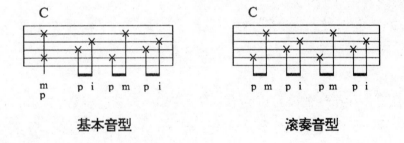

基本音型　　　　　　　　　滚奏音型

Simon & GarFankel 的代表作《The Boxer》《Kathy's Song》、齐秦的《外面的世界》、李宗盛的《生命中的精灵》，都是"三指法"的代表作品。

▲ 二指法

"二指法"仍然是用拇指演奏低音弦，不过，高音弦只用食指来完成，这也是欧美民谣歌手常用的技巧。

右谱便是"二指法"的基本音型，很容易发现它和

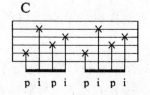

"三指法"的演奏手法有异曲同工之妙：

　　"二指法"看似简单，但如果编排得好却可以产生非常奇妙的效果。大家可以弹一弹Ferron 的《Ain't Life a Brook》中的下面这一段：

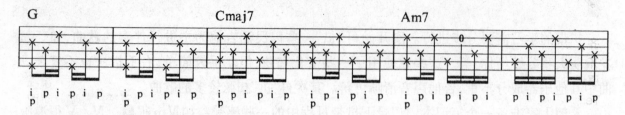

　　上谱要求拇指按均匀的拍子弹奏，食指则通过精心的安排后在不同位置出现，产生切分的效果。校园民谣《来自我心》也是一个很好的例子。

　　"二指法"和"三指法"其实可以相互替代，这根据吉他手的个人习惯决定，同学们在学习中也不必太拘泥。

曲目分析

　　1.《外面的世界》采用了"三指法"的技巧。原曲是两把吉他伴奏的，在重新编曲时，我们把两把吉他糅到一起，伴奏丰富多了，但演奏的难度也增大了。

　　2.《红豆》和《蜗牛》的前奏都是根据原曲的钢琴改编的，有一定难度，演奏时要特别注意换把的流畅性。

外面的世界（民谣版）

齐 秦 词
齐 秦 曲
原调 G　选用调 G
Tempo 4/4

齐秦　演唱
王鹰　马鸿　编配

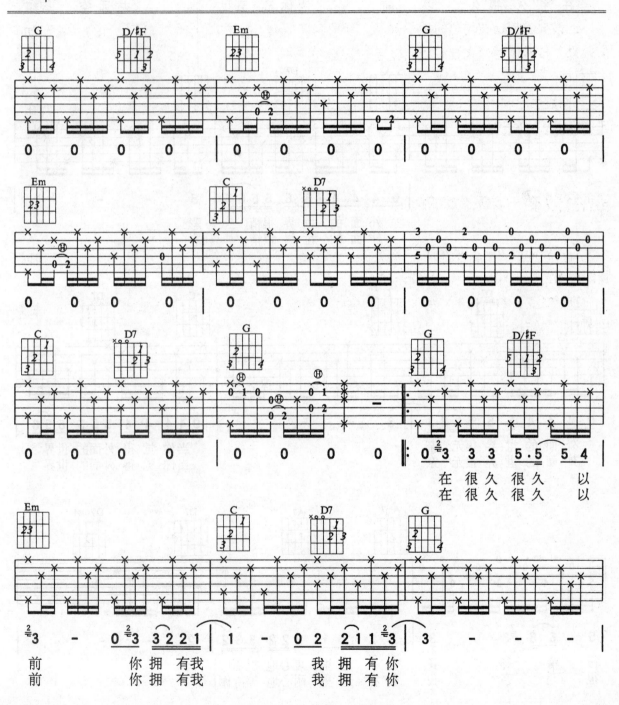

在 很久 很久 以
在 很久 很久 以

前　　　你拥 有 我
前　　　你拥 有 我

我拥 有 你
我拥 有 你

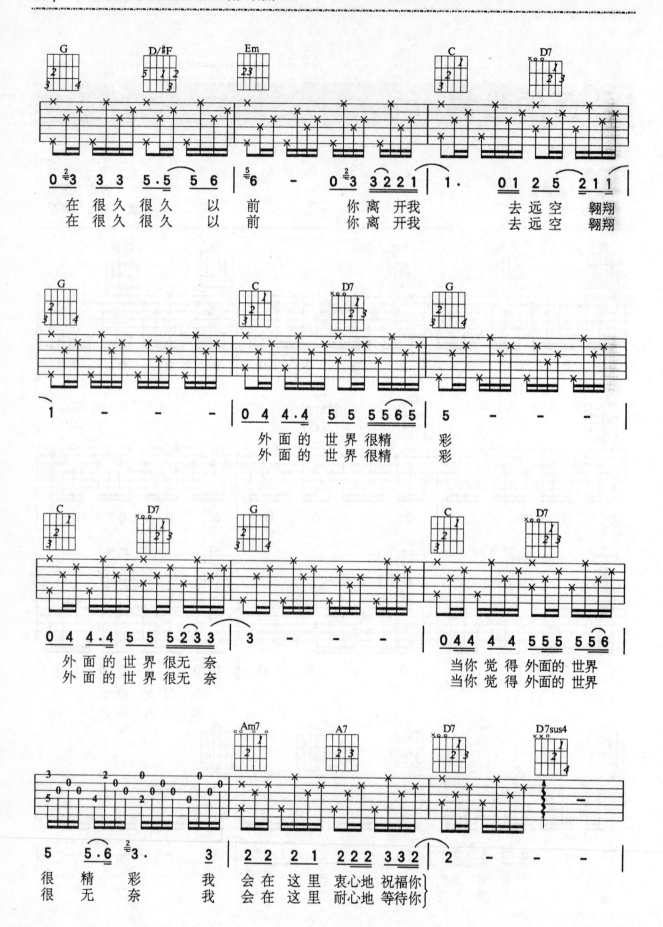

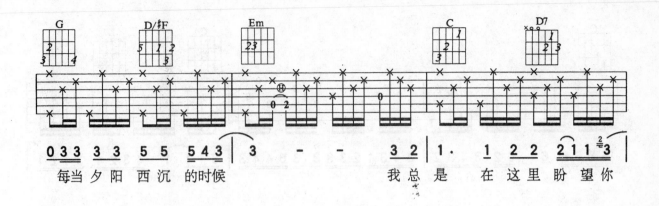

03 33 3 55 543 | 3 - - 32 | 1. 1 22 211²3
每当夕阳 西沉 的时候　我总是　在这里盼望你

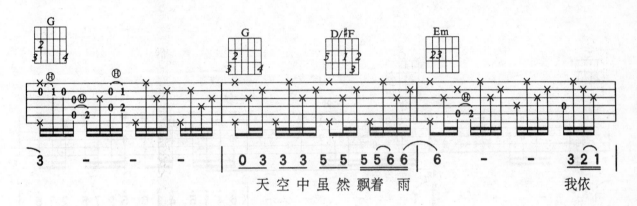

3 - - - | 0 33 55 556 6 | 6 - - 321 |
天空中虽然飘着 雨　我依

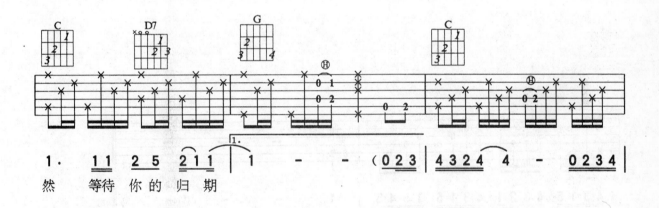

1. 11 25 211 | 1 - - (023 | 4324 4 - 0234 |
然 等待 你的 归期

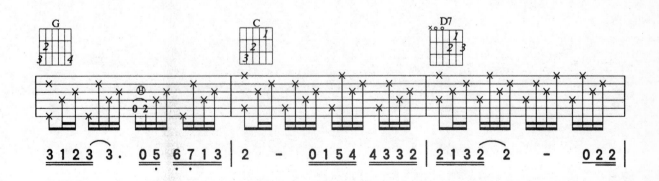

3123 3. 0 567 13 | 2 - 0154 4332 | 2132 2 - 022

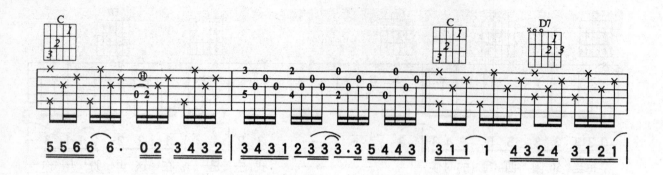

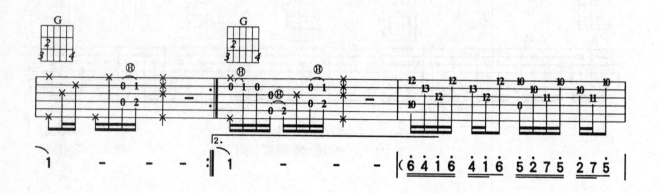

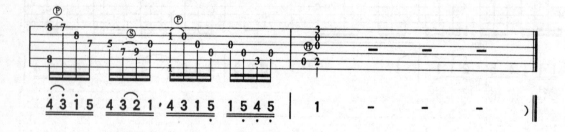

寂寞的季节

娃 娃 词　　陶 喆 曲

原调 #C　选用调 C　Capo　1

Tempo　4/4

陶　喆　演唱

王鹰　马鸿　编配

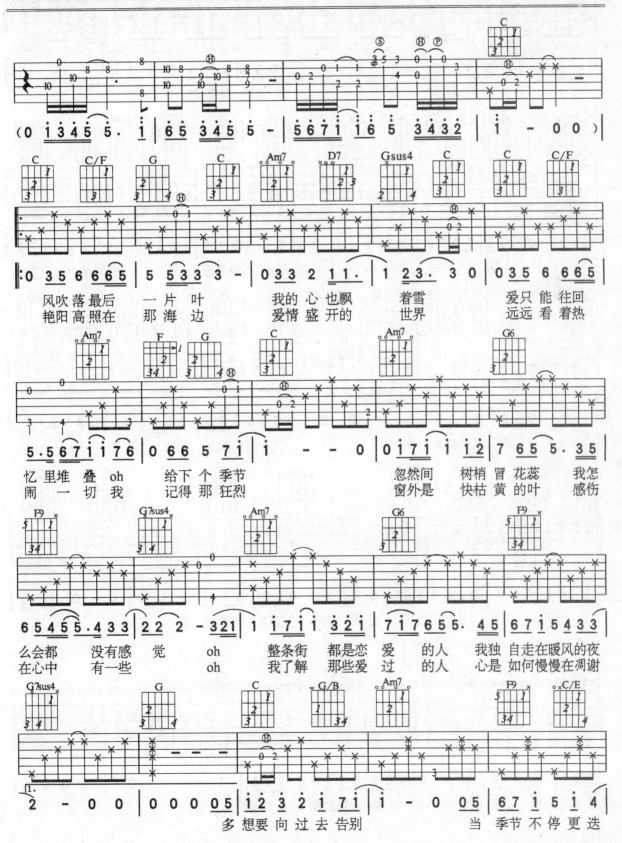

（0 1̣ 3 4 5 5. | 1̣ 6̣ 5 3 4 5 5 - | 5 6 7 1̣ 1̣ 6̣ 5 3̣ 4̣ 3̣ 2̣ | 1̣ - 0 0）

C　C/F　G　C　Am7　D7　Gsus4　C　C　C/F

0 3 5 6 6 6 5 | 5 5 3 3 3 - | 0 3 3 2 1 1. | 1 2 3. 3 0 | 0 3 5 6 6 6 5 |

风吹落最后　一片叶　　我的心也飘　　着雪　　爱只能往回

艳阳高照在　那海边　　爱情盛开的　　世界　　远远看着热

Am7　F　G　C　Am7　G6

5. 5 6 7 1̣ 1̣ 1̣ 7 6 | 0 6 6 5 7 1̣ | 1̣ - - 0 | 0 1̣ 7 1̣ 1̣ 1̣ 2 | 7 6 5 5. 3 5 |

忆里堆叠 oh　给下个季节　　　忽然间　树梢冒花蕊　我怎

闹一切我　记得那狂烈　　　窗外是　快枯黄的叶　感伤

F9　G7sus4　Am7　G6　F9

6 5 4 5 5. 4 3 3 | 2 2 2 - 3 2 1 | 1 1̣ 7 1̣ 1̣ 3̣ 2̣ 1̣ | 7̣ 1̣ 7 6 5 5. 4 5 | 6 7 1̣ 5 4 3 3 |

么会都　没有感　觉　oh　整条街　都是恋爱　的人　我独自走在暖风的夜

在心中　有一些　　oh　我了解　那些爱过　的人　心是如何慢慢在凋谢

G7sus4　G　C　G/B　Am7　F9　C/E

2 - 0 0 | 0 0 0 0 5 | 1̣ 2 3̣ 2̣ 1̣ 7̣ 1̣ | 1̣ - 0 0 5 | 6 7 1̣ 5 1̣ 4 |

多想要 向过去告别　　　当 季节不停更迭

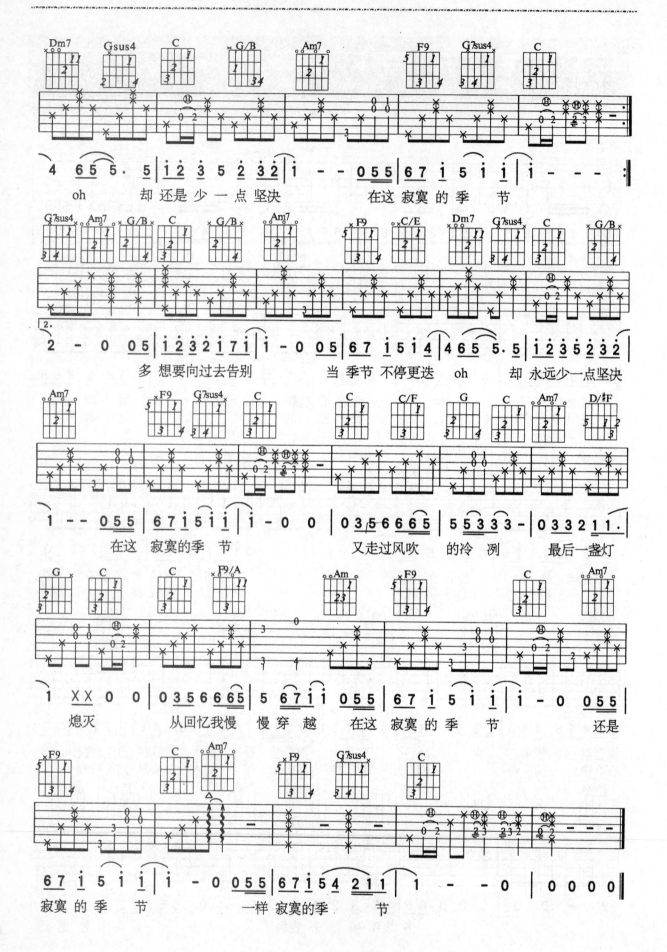

没那么简单

姚若龙　词
萧煌奇　曲
原调 #F　选用调 G
各弦空弦均调低半音
Tempo　3/4 转 6/8

黄小琥　演唱
王鹰　马鸿　编配

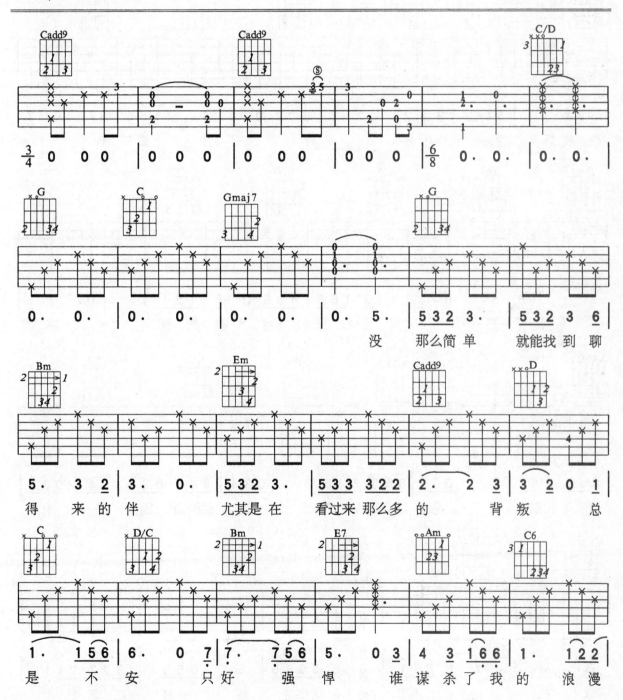

没 那么简单　就能找到聊

得 来的伴　尤其是在　看过来那么多的　背叛 总

是 不安　只好 强悍　谁谋杀了我的 浪漫

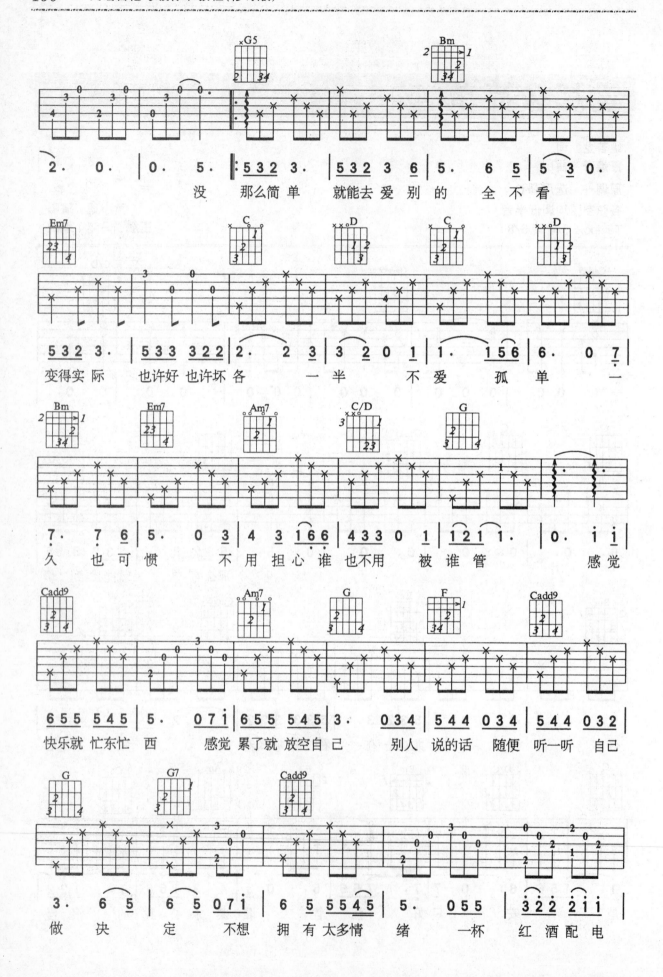

没 那么简单 就能去爱别的 全不看

变得实际 也许好也许坏各 一半 不爱孤单 一

久 也可惯 不用担心谁 也不用 被谁管 感觉

快乐就 忙东忙 西 感觉累了就 放空自己 别人 说的话 随便 听一听 自己

做 决 定 不想 拥有太多情 绪 一杯 红酒配电

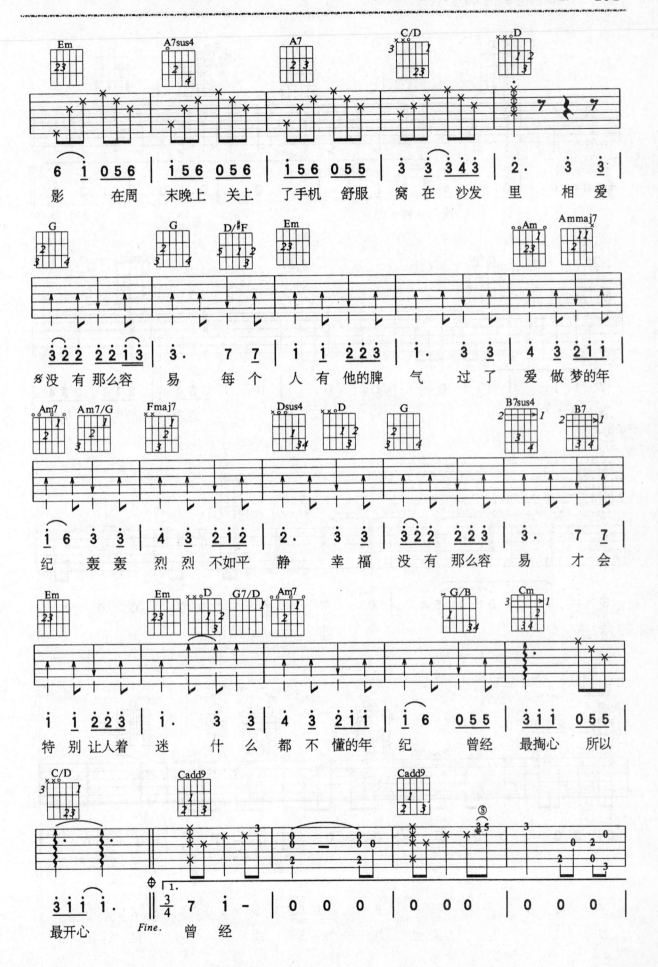

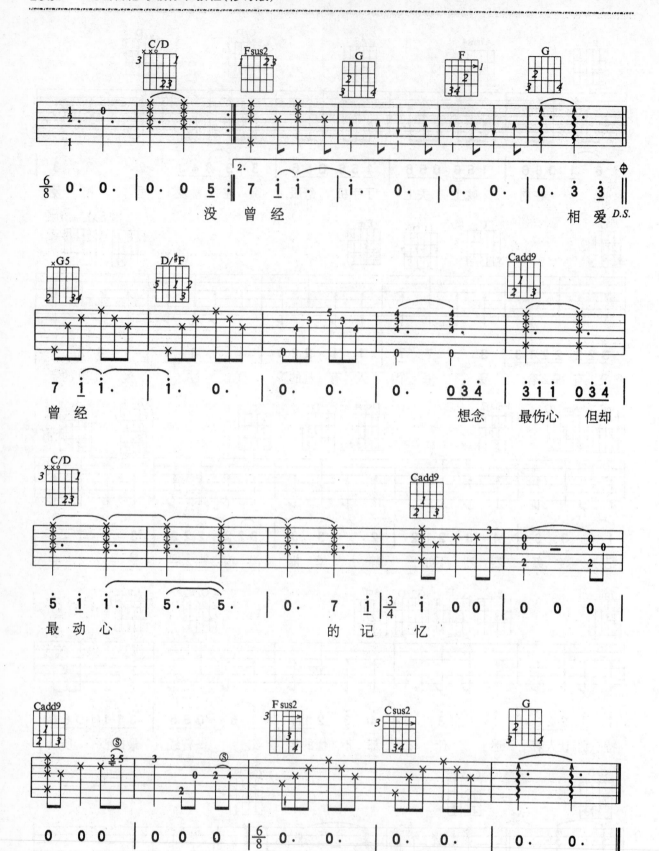

至少还有你

林 夕　词
Dauy Chan　曲

林忆莲　演唱

原调 E　　选用调 E

王鹰　马鸿　编配

Tempo　4/4

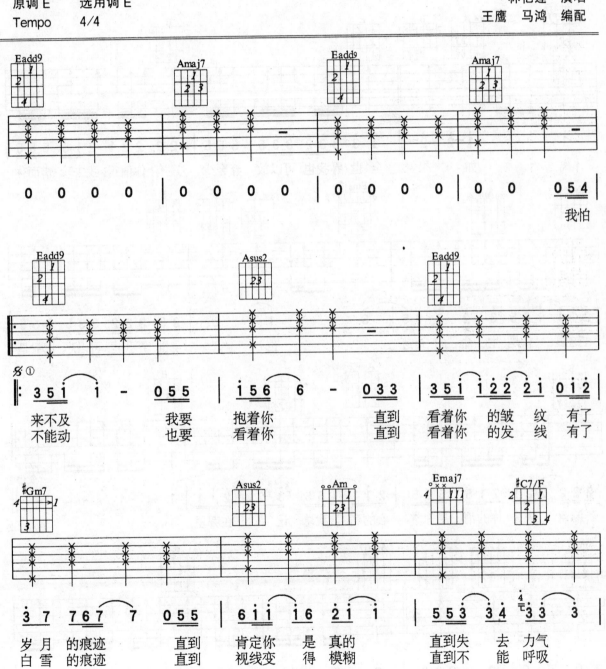

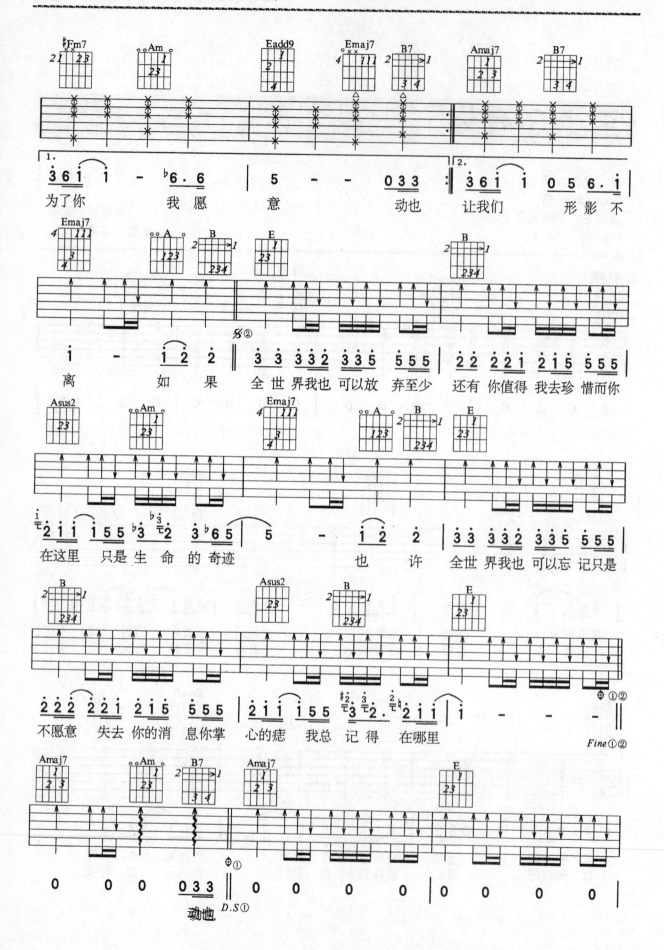

为了你　　我愿　意　　　　　动也　　让我们　　　　形影不

离　　　如果　　全世界我也可以放弃至少　还有 你值得 我去珍 惜而你

在这里 只是 生命 的奇迹　　　也 许　全世 界我也 可以忘 记只是

不愿意 失去 你的消 息你掌 心的痣 我总 记 得 在哪里

动也

Fine①②

D.S①

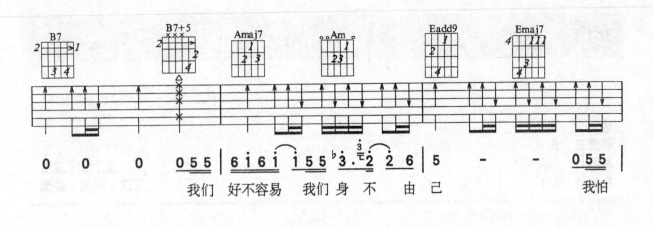

0 0 0 055 | 6 i 6 i 155 ♭3·3̇2 226 | 5 — — 055 |

我们 好不容易 我们身不 由 己 我怕

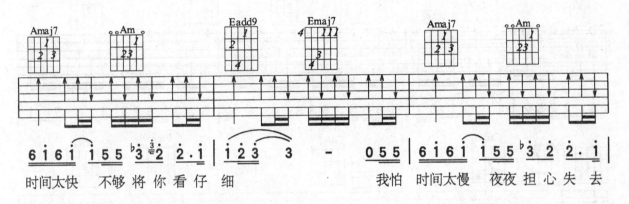

6 i 6 i 155 ♭3 3̇2 2·i | i 2 3 3 — 055 | 6 i 6 i 155 ♭3 2 2·i |

时间太快 不够将你看仔 细 我怕 时间太慢 夜夜担心失去

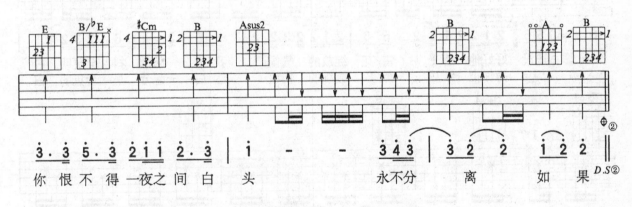

3·3 5·3 2 i i 2·3 | i — — 3 4 3 | 3 2 2 i 2 2 ‖

你根不得一夜之间白 头 永不分 离 如果

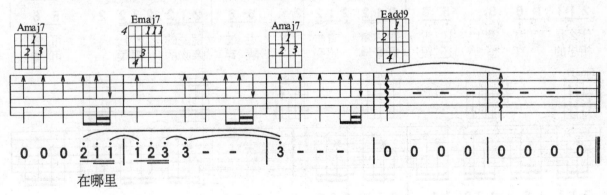

0 0 0 2 i i | i 2 3 3 — — | 3 — — — | 0 0 0 0 | 0 0 0 0 ‖

在哪里

红 豆

林 夕 词
柳重言 曲
原调C 选用调C
Tempo 4/4

王 菲 演唱
王鹰 马鸿 编配

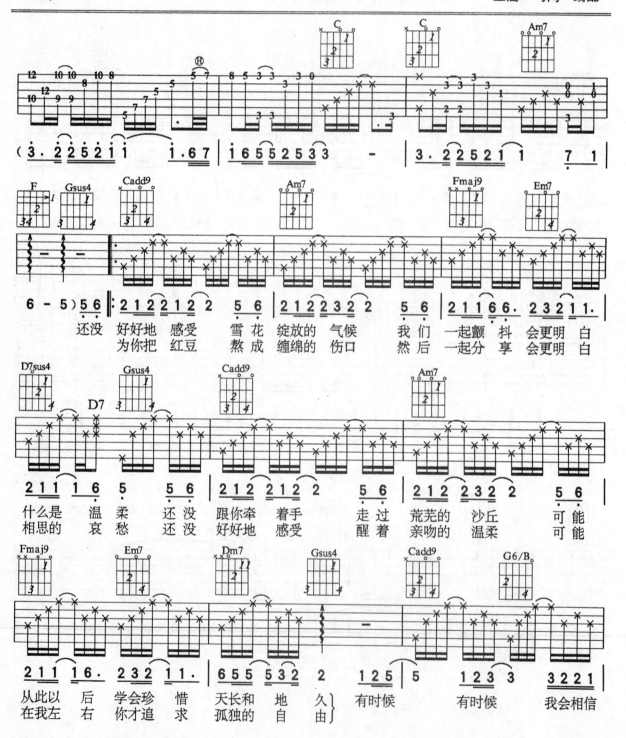

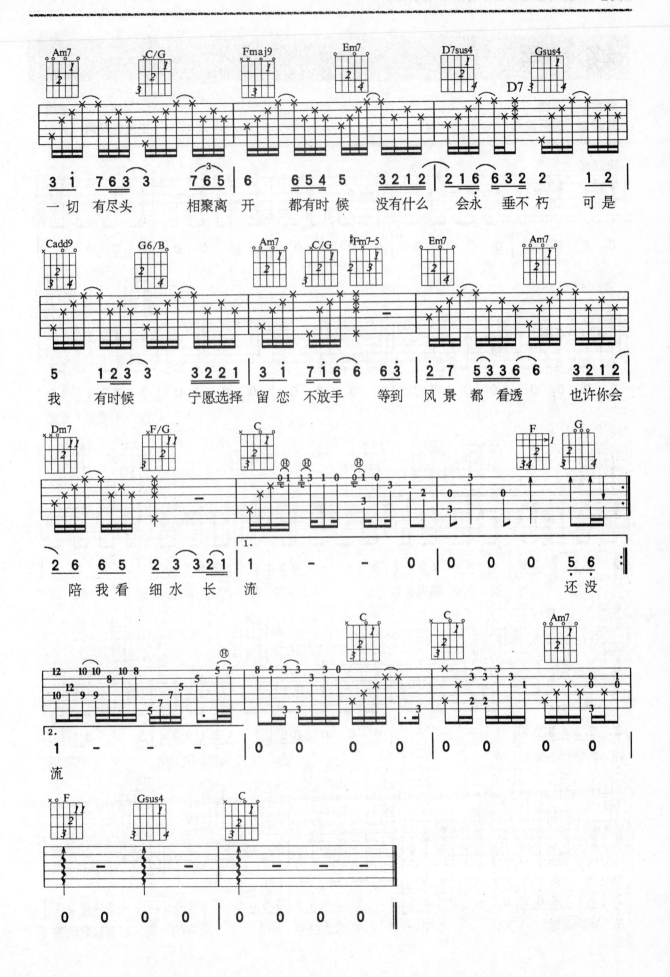

蜗 牛

周杰伦　词曲
原调 G　选用调 G　Tempo　4/4

周杰伦　演唱
王鹰　马鸿　编配

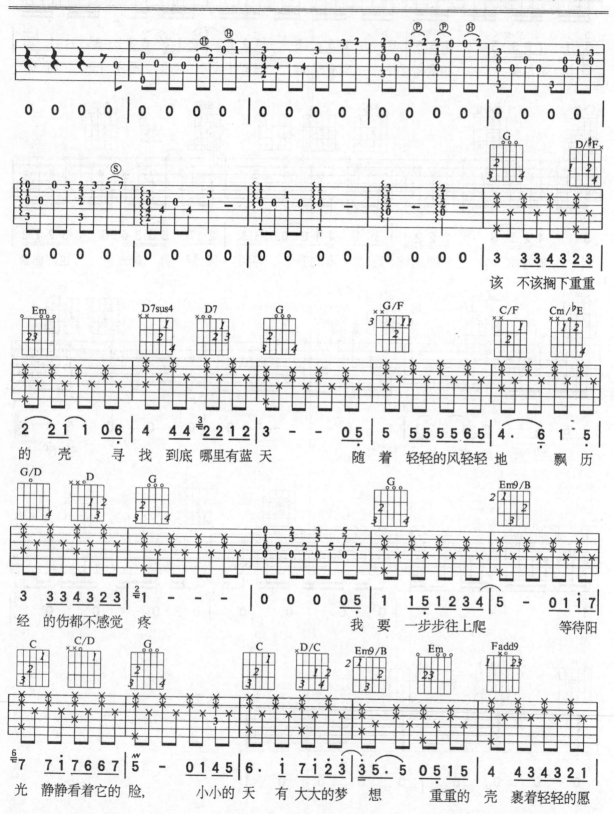

该　不该搁下重重

的　壳　寻找　到底哪里有蓝天　　随着　轻轻的风轻轻地　　飘　历

经　的伤都不感觉　疼　　　　　我要　一步步往上爬　　　　等待阳

光　静静看着它的　脸,　　小小的　天　有　大大的梦　想　　重重的　壳　裹着轻轻的愿

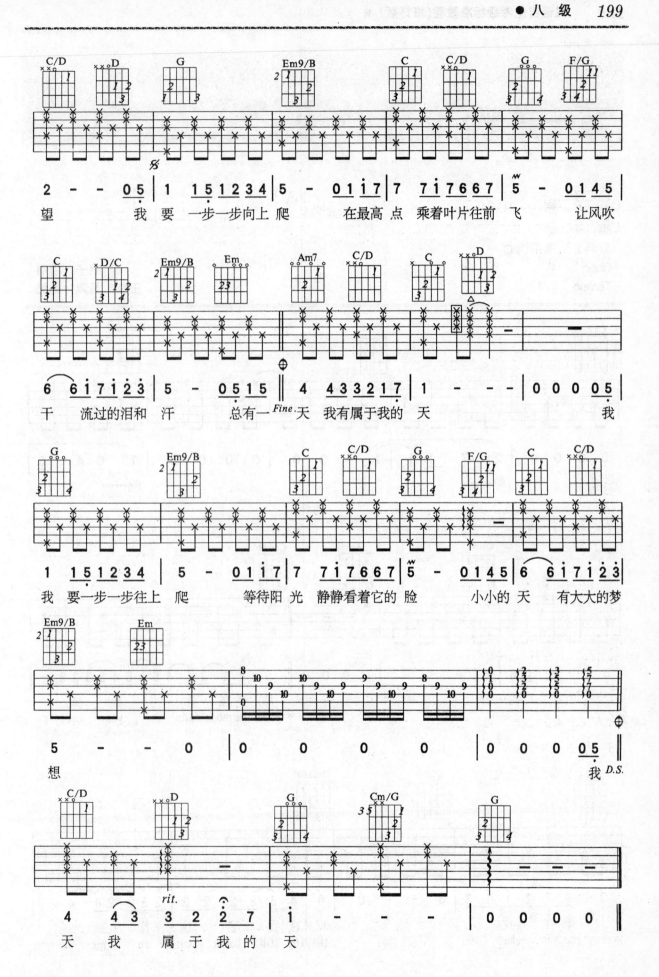

写一首歌

顺 子　词
Jeffc.
顺 子　曲
原调E　选用调C
Capo　4
Tempo　4/4

顺子　演唱
王鹰　马鸿　编配

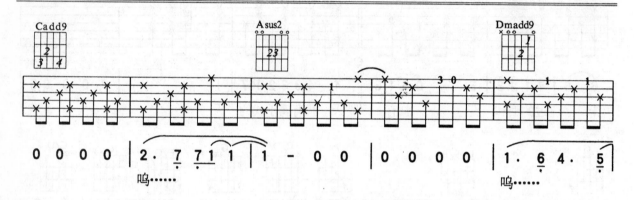

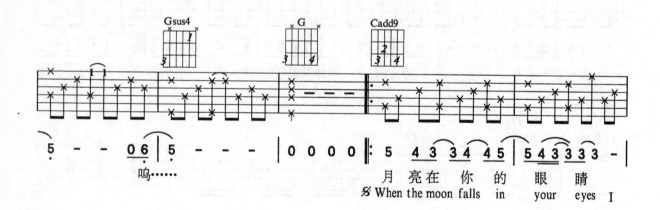

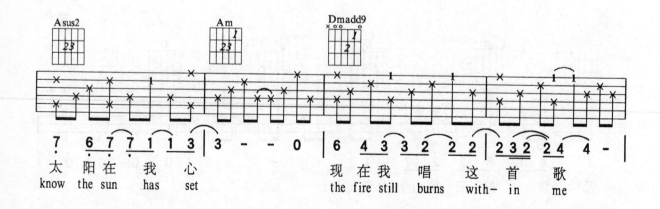

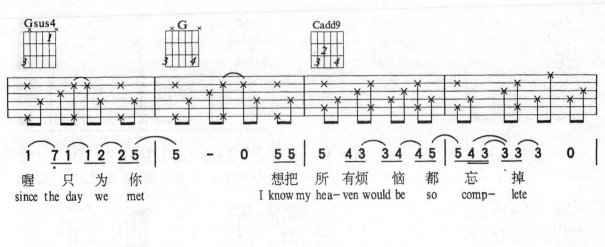

喔 只 为 你　　想把 所有烦恼 都 忘 掉
since the day we met　I know my hea-ven would be so comp-lete

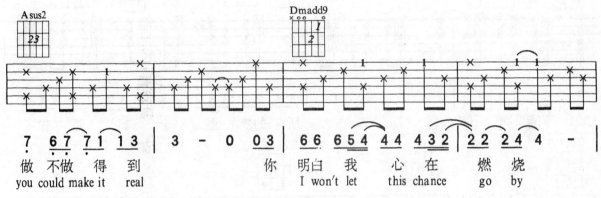

做 不 做得 到　　你 明白 我 心 在 燃烧
you could make it real　I won't let this chance go by

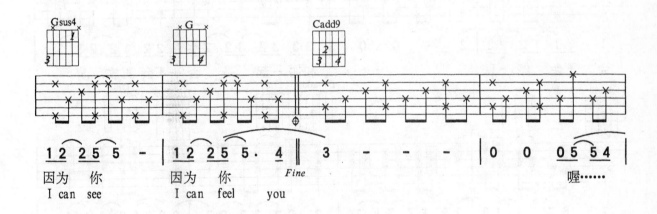

因为 你　　因为 你　　喔……
I can see　I can feel you

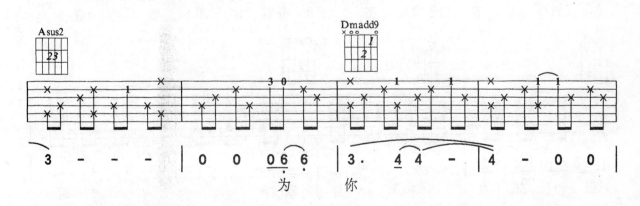

为 你

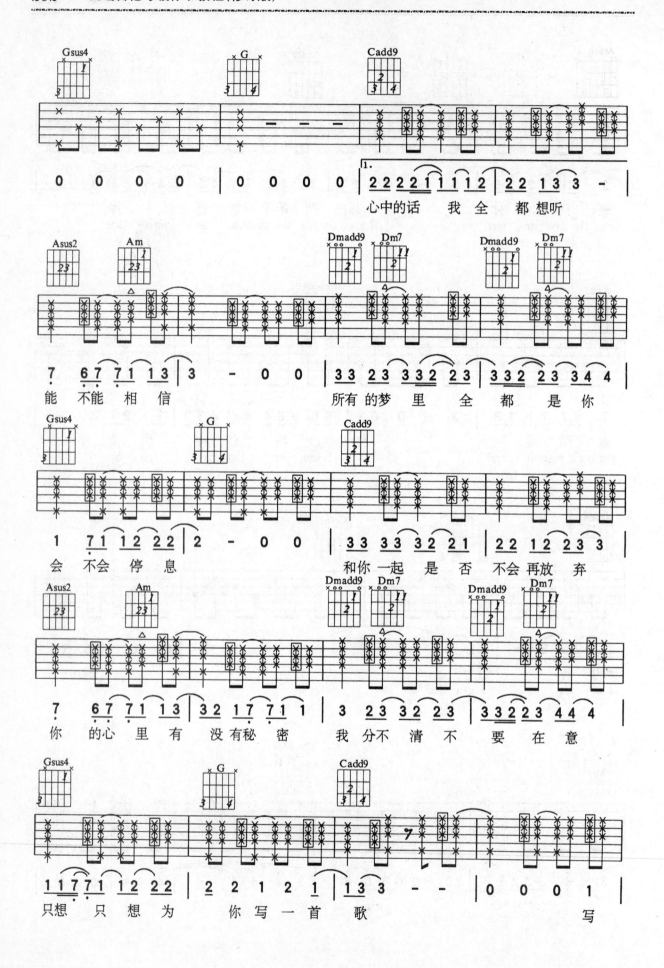

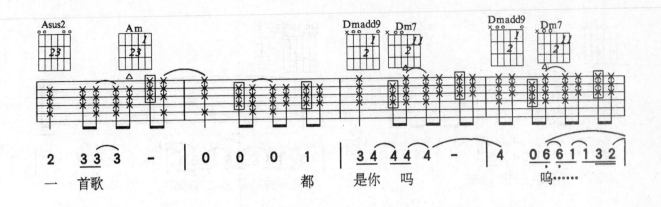

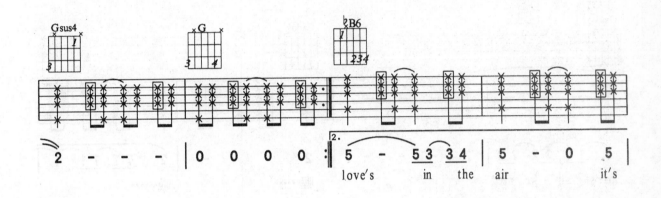

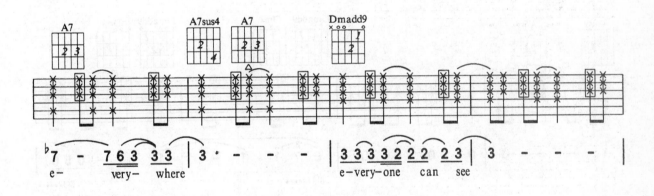

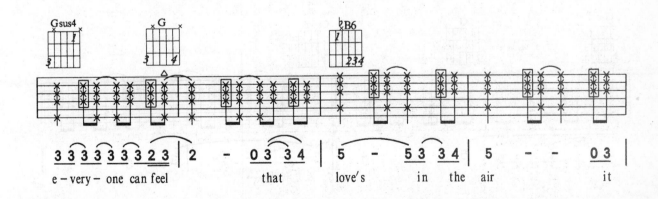

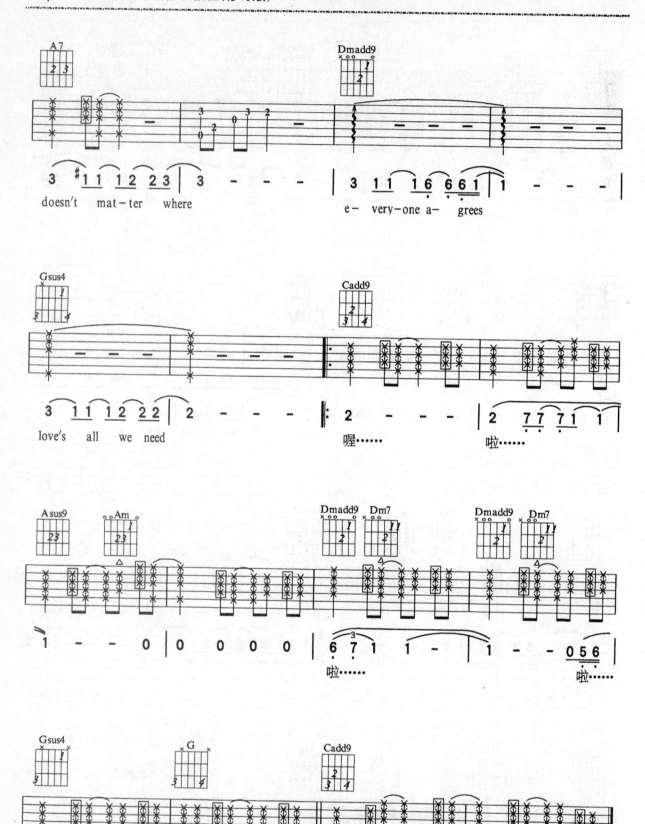

旅行的意义

陈绮贞　词曲
原调D　选用调D
Tempo　4/4

陈琦贞　演唱
王鹰　马鸿　编配

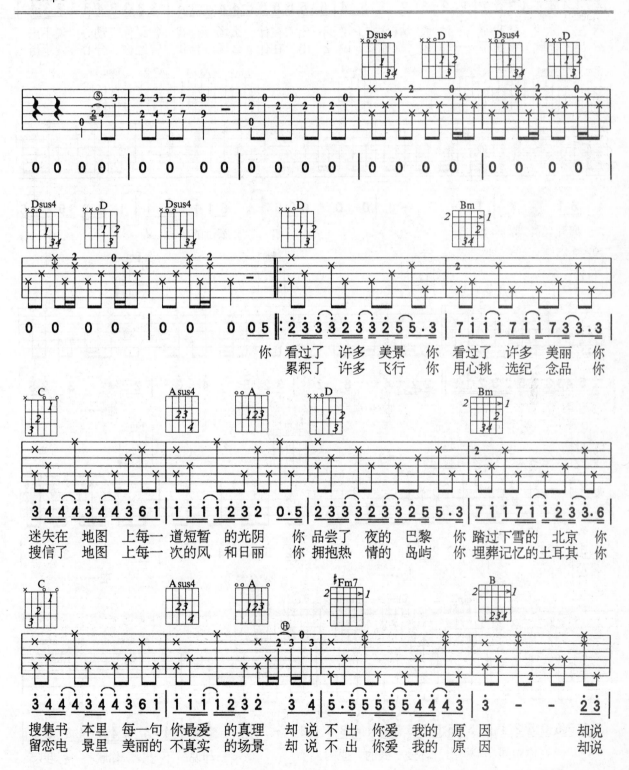

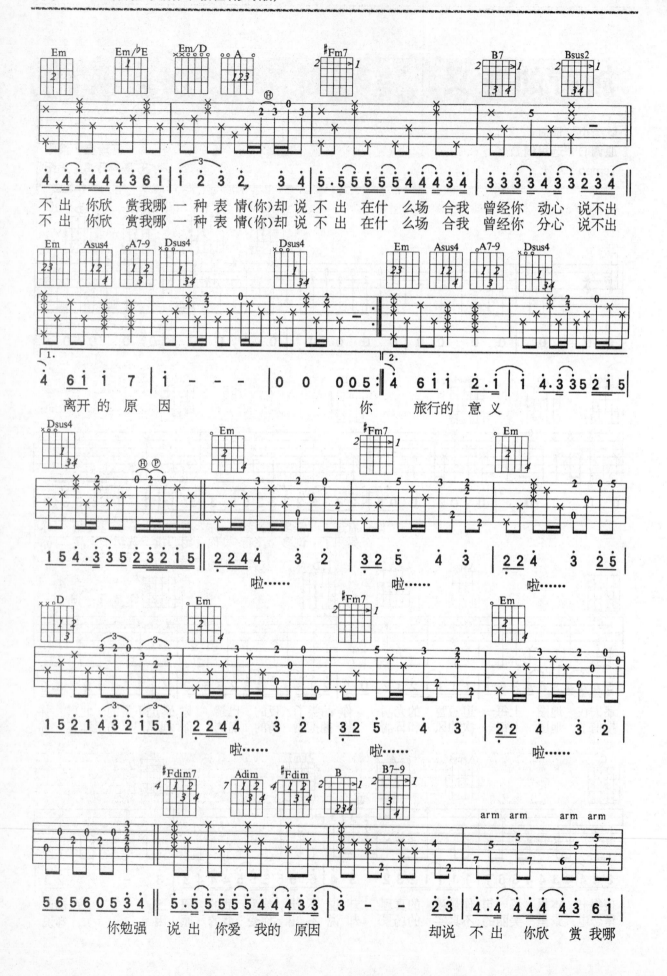

不出 你欣 赏我哪一 种表情(你)却说 不出 在什 么场 合我 曾经你 动心 说不出
不出 你欣 赏我哪一 种表情(你)却说 不出 在什 么场 合我 曾经你 分心 说不出

离开的原 因　　　　　　你　旅行的 意义

啦……　　　　　啦……　　　　　啦……

啦……　　　　　啦……　　　　　啦……

arm arm　arm arm

你勉强 说出 你爱 我的 原因　　　　却说 不出 你欣 赏我哪

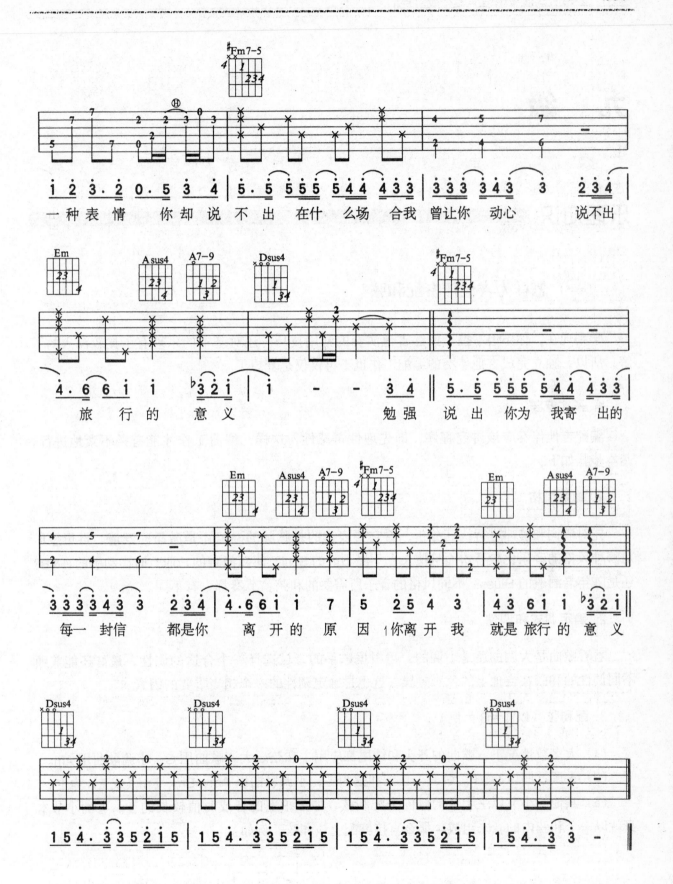

九　级

乐理知识

（一）怎样为吉他伴奏配和弦

学到现在，你不但掌握了民谣吉他演奏的常用技巧，还对基本的乐理有了比较深入的了解，所以，独立完成吉他伴奏的编配工作也不再仅仅是梦想了。

▲ 基本方法

编配吉他伴奏应该讲究程序，即先理性再感性，这样，编曲工作才能有条不紊地进行。基本步骤如下：

1. 确定风格

先对歌词和旋律进行认真分析，看它要表达的是脉脉的温情还是激昂的豪情。再想想你对哪种风格的音乐比较喜欢而且擅长：不温不火的 Soul？清新淡雅的 Folk？时尚动感的 R&B？还是陈年老酒般的 Blues？不同风格的音乐所需要的和弦、节奏都大有不同。

2. 确定调式和调性

看看歌曲是大调的还是小调的，再根据歌手的音域选择一个合适的调性，最好还能兼顾不同调性的和弦在吉他上的色彩差异，这也是确定调性的一个相当重要的因素。

3. 配和弦 （以 1＝C 为例）

（1）大多数情况下，歌曲的开头和结尾都应用主和弦。大调歌曲用 C，小调歌曲用 Am。
（2）大调歌曲以 C、F、G 三个正三和弦为主，小调歌曲以 Am、Dm、Em（或 E）为主。
（3）其他的小节以主干音的倾向来配和弦，如强拍上的音或时值较长的音。有的小节本身就以一个和弦内的音来组成，那么直接就配上该和弦。例如：

```
      Em                    F
  3   3   7 5   5   |   4   4   1   7 6  |
```

以上两个小节配 Em 和 F 是毫无问题的。

（4）**分析和弦的进行是否良好**。

以骨干音的倾向配出来的和弦，在该小节内听肯定是协和的，不过这还不够。因为一首歌曲毕竟是由很多小节组成的，你还必须考察和弦的进行是否良好。

以下列出的是几种良好的和弦连接方式：

1）四度连接

如：C—F，Dm—G，Em—Am，G—C

2）三度连接

如：C—Em，Dm—F，F—Am

3）六度连接

如：C—Am，F—Dm

4）五度连接

如：C—G，Dm—Am，F—C

5）下属和弦到属和弦的连接

如 F—G。在现代音乐中，属和弦到下属和弦的进行也是允许的，如 G—F。

（5）**用重属和弦，副属七和弦和其他一些离调和弦替代部分自然音阶和弦**。

在 C 大调中，G 是属和弦，假设我们临时把它当做主和弦，它又有自己的属和弦 D。这样，在 C 调中，D 就是属和弦的属和弦，我们称之为"**重属和弦**"。

假设我们临时把除了属和弦以外的其他和弦如 Dm 当做主和弦，那么它又有自己的属和弦 A，A 叫做"**副属和弦**"，A7 自然就是 Dm 的**副属七和弦**了。

同理，E7 是 Am 的副属七和弦，C7 是 F 的副属七和弦。
D7—G，E7—Am，C7—F 都是非常好的连接。

（6）**使用离调和弦美化和声**。

广义地讲，一个调的自然音阶和弦以外的其他和弦都叫"**离调和弦**"，而如果使用连根音都不在该调的自然音阶中的和弦，色彩的变化尤为强烈。

如用♭B 配"Re"，用♭A 配"Do"，用♭E 配"Sol"等，起到的效果都可以用"峰回路转"来形容。

（7）使用经过和弦、转位和弦强化低音声部的流动感，用特性音、和弦外音修饰和弦。

增和弦、减七和弦、挂二和弦、挂四和弦以及 C/E、G/B 这些转位和弦都可以用上了，它们能美化和弦，并使和弦的进行更加顺畅。

（二）和弦功能详解

其实，我们还可以用通俗一点的语言让以上的理论更加形象化。大家前面学过，现代音乐中一般不会把大、小调式区分开来定义和弦的功能。在古典和声学中，当 1＝C 时，Am 在 C 大调中是Ⅵ级，在 a 小调中则是Ⅰ级；不过在现代音乐中，当 1＝C 时，Am 永远是Ⅵ级和弦。

下面我们以 1＝C 为例，具体地分析一下各级和弦的功能。

1.Ⅰ级和弦 C（1 3 5）

主和弦确定了调性，它出现频繁，特别是在乐曲的开头和结尾。

2.Ⅱ级小三和弦 Dm（2 4 6）

色彩柔和，多用在属和弦之前。Ⅱm—Ⅴ—Ⅰ 是最常见和声进行之一。

3.Ⅲ级小三和弦 Em（3 5 7）

与属和弦一样，它可配"5"和"7"，但柔美了许多。Ⅰ—Ⅲm—Ⅳ—Ⅴ 是常用的进行。

4.Ⅳ级和弦 F（4 6 1̇）

下属和弦明亮而雄壮，它的出现使人情绪为之一振。

5.Ⅴ级和弦 G（5 7 2̇）

属和弦强烈倾向于主和弦，Ⅴ—Ⅰ 是最正统的终止式。

6.Ⅵm 和弦（6 1̇ 3̇）

小调的主和弦，在大调中经常被用来替代 C 或 F 以展示相对忧伤的情绪。

7.Ⅶ级和弦 Bdim（7 2̇ 4̇）

Ⅶ级的减三和弦很少用，但在它上面再叠置一个小三度音程而构成的Ⅶ级半减七和弦 Bm7-5 则很常见。Bm7-5－E7 是一个很漂亮的进行。

用这七个和弦就是以为一首简单的流行歌曲配置正确的和弦了。不过，如果你想使和弦色彩更加富于变化，或者是乐曲中含有较多的变化音，我们还需要掌握如下一些离调和弦：

1. Ⅱ级大三和弦 D (2 #4 6)

从和声理论上讲它是重属和弦，不过这种分析太枯燥了。其实换个角度看更好理解一些：由于Ⅱ级和弦的下一个和弦通常为Ⅴ级 G (5 7 2)，而 "#4" 音到 "5" 的音程距离显然比 "4" 到 "5" 的距离更小，所以 D 向属和弦进行的倾向也比 Dm 强烈。在实际运用中，它的七和弦 D7 (理论上叫 "重属七和弦") 出现的频率更高一些。

2. 降Ⅲ级大三和弦♭E (♭3 5 ♭7)

♭E 和弦偶尔用来配 "5" 音，它的大七和弦♭E7 (♭3 5 ♭7 2) 还可以配 "2" 音。

3. Ⅲ级大三和弦 E (3 #5 7)

跟前一种情况类似，E 比 Em 更加倾向于 Am 和弦。这个理论上的副属和弦也经常扩展为副属七和弦 E7。

4. Ⅳ级小三和弦 Fm (4 ♭6 1̇)

把 F 和弦的三度音降低半音得到 Fm 和弦，它的出现会使乐曲的情绪突然变得失落或紧张。它多用在结尾处，Ⅳ—Ⅳm—Ⅰ (或Ⅰmaj7) 是常用的结束句。

5. Ⅴ级小三和弦 Gm (5 ♭7 2̇)

Gm 和弦不是很常用，多出现在有变化音 "♭7" 的乐句。著名情歌《How Deep Is Your Love》就是一例。

6. ♭Ⅵ及大三和弦♭A (♭6 1̇ #2̇)

由于该和弦内有 "1" 音，所以常用来替代 C 和弦。G—C 的终止如果改成 G—♭A—G—C 会有一种辉煌的感觉。

7. ♭Ⅶ级大三和弦♭B (♭7 2̇ 4̇)

♭B 和弦常用来配 "2" 或 "4"，它几乎已经成了流行音乐中最普及的替代和弦。在实际运用中，♭Bmaj 7 (♭7 2̇ 4̇ 6̇) 比♭B 效果更好，它不仅色彩更加强烈，还可以多配一个 "6" 音。

电影《猎鹿人》的主题音乐《Cavatina》就用极其简单的旋律配置了非常绝妙的和弦：

作曲家真可谓把替代和弦运用到了极至，其超人的乐感令人叹服。

　　下面这张表收录了流行音乐中常用的一些替代和弦。希望大家花工夫去熟悉它，这对你的编配水平会有极大的帮助。

各音常配和弦参考表（以C调为例）

旋律	备选和弦	旋律	备选和弦
1	C C7 Cadd9 C6 Cmaj7 Am Am7 Am9 F Fmaj7 D7 Dm7 ♭A ♭Amaj7 ♭Aaug ♭B9 Gsus4 G7sus4 C/♭B F/C	3	C C7 Cadd9 C6 Cmaj7 Am Am7 Am9 Em Em7 E E7 Esus4 E7sus4 A A7 Fmaj7 G6
#1	A A7 Amaj7 ♭Bm #Cm7−5	4	F Dm Dm7 G7 Fm Fm6 ♭B ♭B9 Csus4 Dm／C
2	Dm Dm7 D D7 G G7 ♭B ♭Bmaj7 E E7 Em7 F6 F/G Bm Bm7−5 ♭Emaj7	#4	D D7 Am6 Gmaj7 Cdim7
#2	B B7 F7 Cm Cdim7 #Dsus2 #D	5	C Cmaj7 C7 ♭E ♭Emaj7 Em Em7 G Gm G7 G6 Gsus4 ♭Amaj7 A7 F/G Am/G C/G Am7 ♭B6
#5	E E7 #Fm Gaug Ddim7	#6	C7 ♭B Em7−5 Gm
6	Dm Dm7 D D7 Am A A7 Asus4 F Fmaj7 F9 C6	7	Em Em7 E E7 G G7 D6 Dm6 B B7 ♭Am7−5 Cmaj7 Bm Bm7

最后还要说到伴奏音型的问题。基本的节奏你是可以定下来，比如使用 Slow Rock 或是 Soul。不过精彩的吉他伴奏需要丰富的织体来表现，千万不可一个节奏型从头弹到尾，那种伴奏手法太单调了。好的吉他手会配合歌曲的情绪，做到轻重缓急相互衬托，强调伴奏手法千变万化。

曲目分析

本级的曲目对弹唱的配合要求非常高。《爱情》难在嘴上一个旋律、手上还要弹另一个旋律，而《寒雨》则属于伴奏音型比较复杂的那一类，其他几首曲子也运用了很丰富的伴奏技巧。能通过九级的同学已经无愧于"弹唱高手"的称号了。

爱 情

姚 谦 词
张洪量 曲
原调C 选用调D
各弦均调低大二度
Tempo 4/4

莫文蔚 演唱
王鹰 马鸿 编配

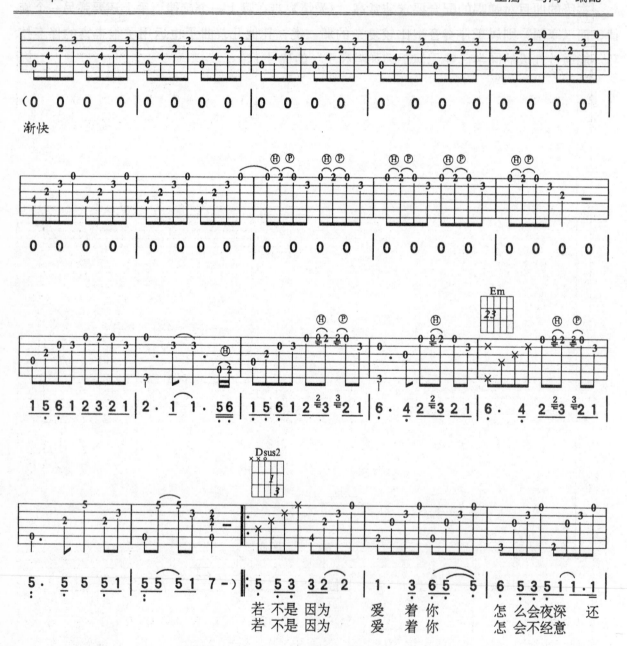

若 不是 因为　爱 着你　 怎 么会夜深 还
若 不是 因为　爱 着你　 怎 会不经意

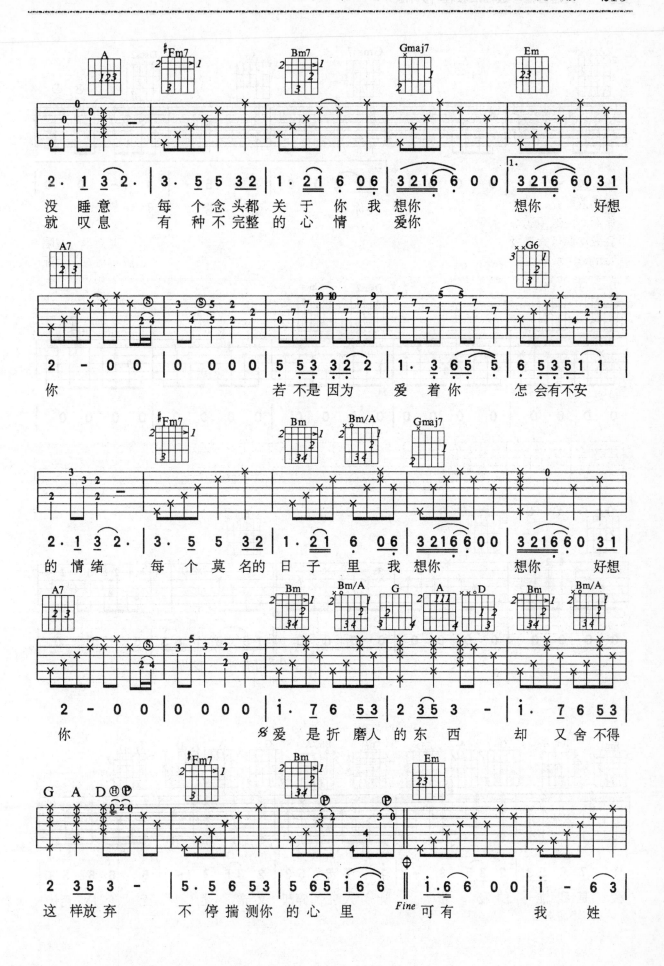

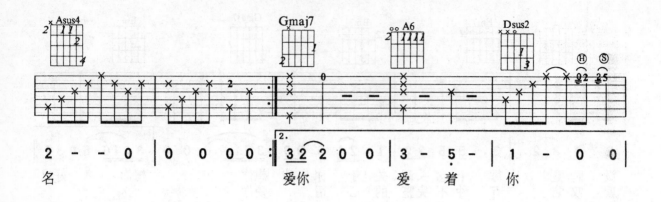

2 - - 0 | 0 0 0 0 : 3 2 2 0 0 | 3 - 5 - | 1 - 0 0 |
名　　　　　　　　　　爱你　　爱 着　你

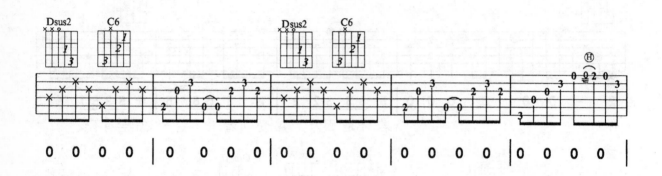

0 0 0 0 | 0 0 0 0 | 0 0 0 0 | 0 0 0 0 | 0 0 0 0 |

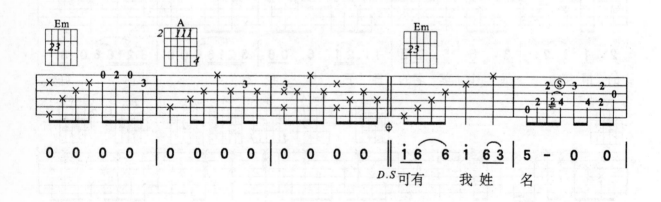

0 0 0 0 | 0 0 0 0 | 0 0 0 0 ‖ 1 6 6 1 6 3 | 5 - 0 0 |
D.S 可有　我 姓　名

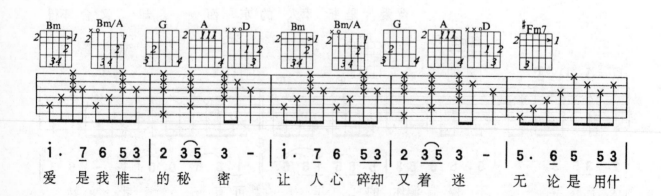

1. 7 6 5 3 | 2 3 5 3 - | 1. 7 6 5 3 | 2 3 5 3 - | 5. 6 5 5 3 |
爱 是 我 惟一 的 秘　密　　让 人 心 碎却 又 着　迷　　无 论 是 用什

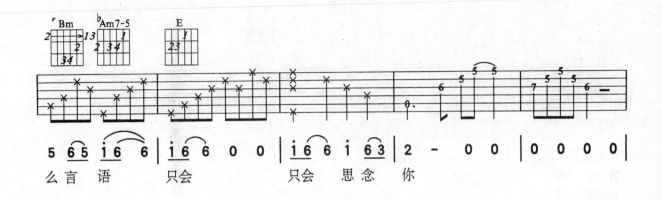

么 言 语　只 会　　只 会 思 念 你

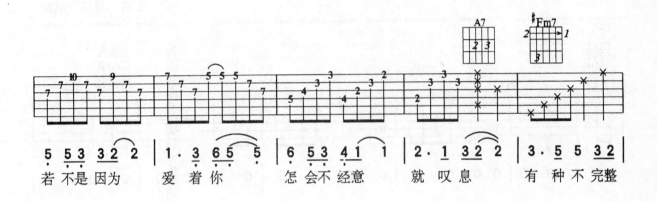

若 不 是 因 为　爱 着 你　　怎 会 不 经意　就 叹 息　有 种 不 完整

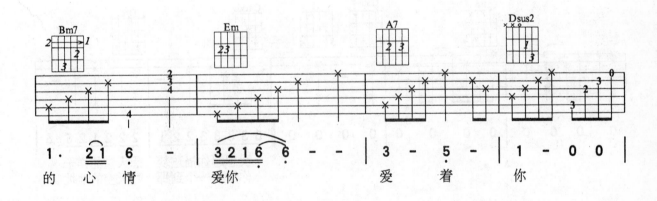

的 心 情　　爱 你　　　　爱 着　你

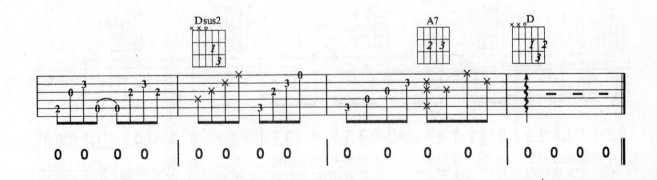

梦醒了

袁惟仁　词
袁惟仁　曲
原调 C　选用调 C
Tempo　4/4

那英　演唱
王鹰　马鸿　编配

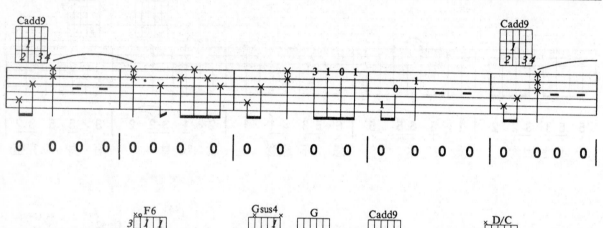

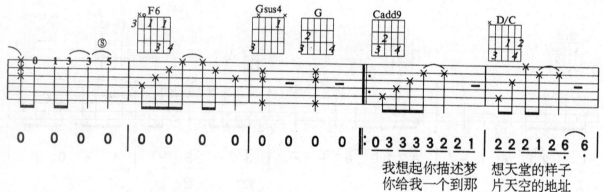

我想起你描述梦　想天堂的样子
你给我一个到那　片天空的地址

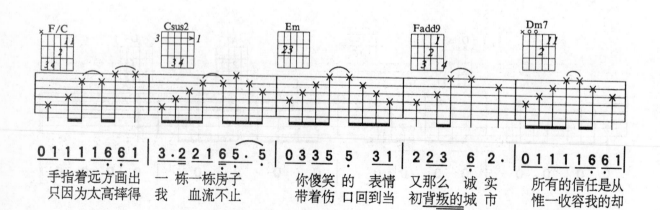

手指着远方画出　一 栋一栋房子
只因为太高摔得　我　血流不止

你傻笑 的 表情　又那么 诚 实
带着伤 口回到当　初背叛的城 市

所有的信任是从
惟一收容我的却

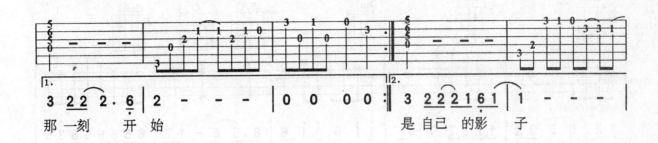

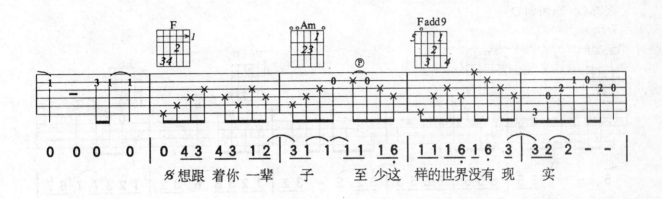

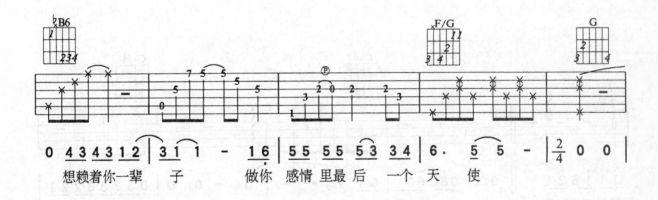

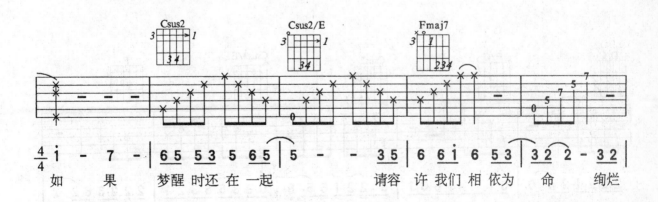

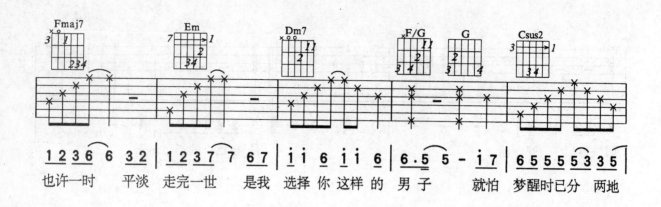

1 2 3 6 6 3 2 | 1 2 3 7 7 6 7 | i i 6 i i 6 | 6.5 5 - i 7 | 6 5 5 5 5 3 3 5 |

也许一时 平淡 走完一世 是我 选择 你这样的 男子 就怕 梦醒时已分 两地

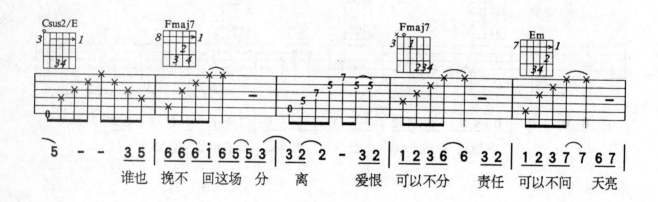

5 - - 3 5 | 6 6 6 i 6 5 5 3 | 3 2 2 - 3 2 | 1 2 3 6 6 3 2 | 1 2 3 7 7 6 7 |

谁也 挽不 回这场分 离 爱恨 可以不分 责任 可以不问 天亮

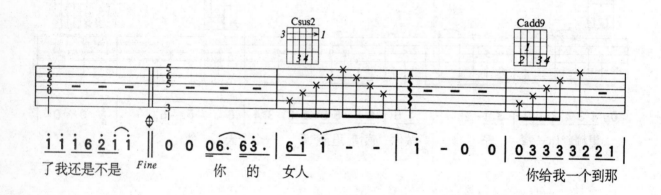

i i i 6 2 i i ‖ 0 0 0 6.6 3.| 6 i i - - i - 0 0 | 0 3 3 3 3 2 2 1 |

了我还是不是 *Fine*   你 的 女人 你给我一个到那

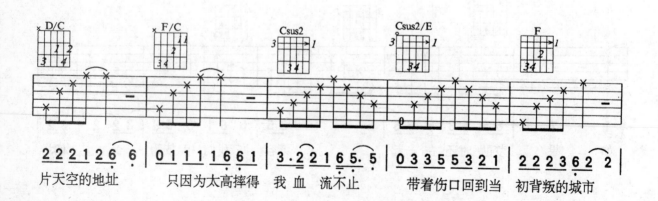

2 2 2 1 2 6 6 | 0 1 1 1 1 6 6 1 | 3.2 2 1 6 5.5 | 0 3 3 5 5 3 2 1 | 2 2 2 3 6 2 2 |

片天空的地址 只因为太高摔得 我 血 流不止 带着伤口回到当 初背叛的城市

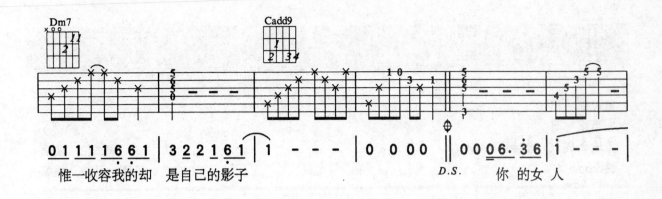

惟一收容我的却　是自己的影子

D.S.　你 的 女 人

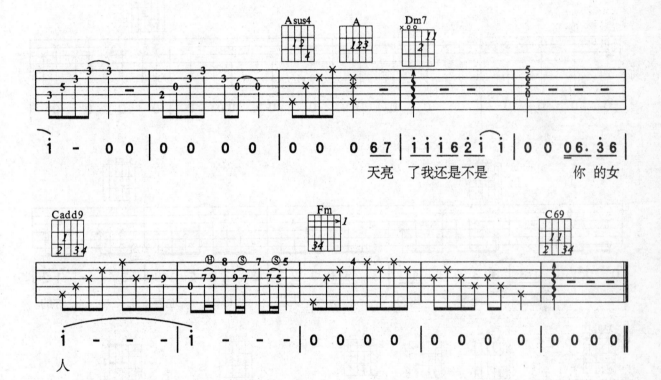

天亮　了我还是不是　　你 的 女

人

轨　迹

黄俊郎　词
周杰伦　曲
原调 A 转 ♯C　选用调 A 转 C
Tempo 4/4

周杰伦　演唱
王鹰　马鸿　编配

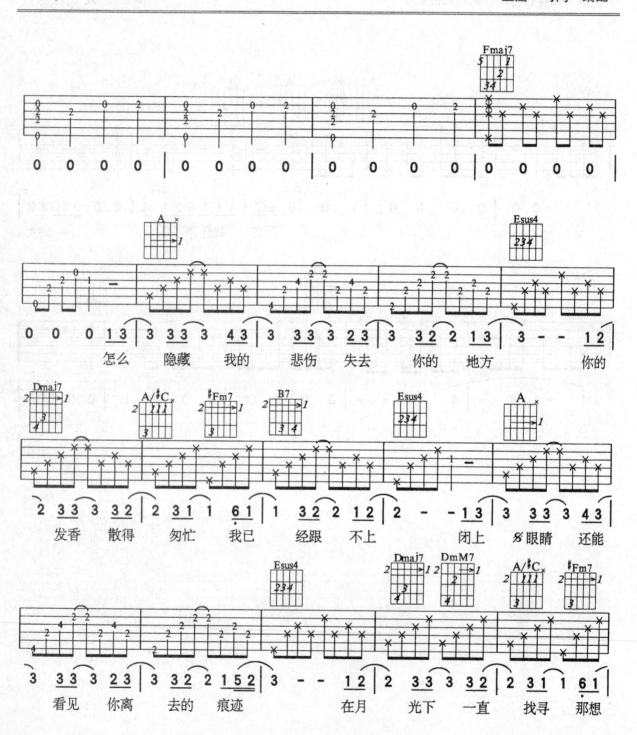

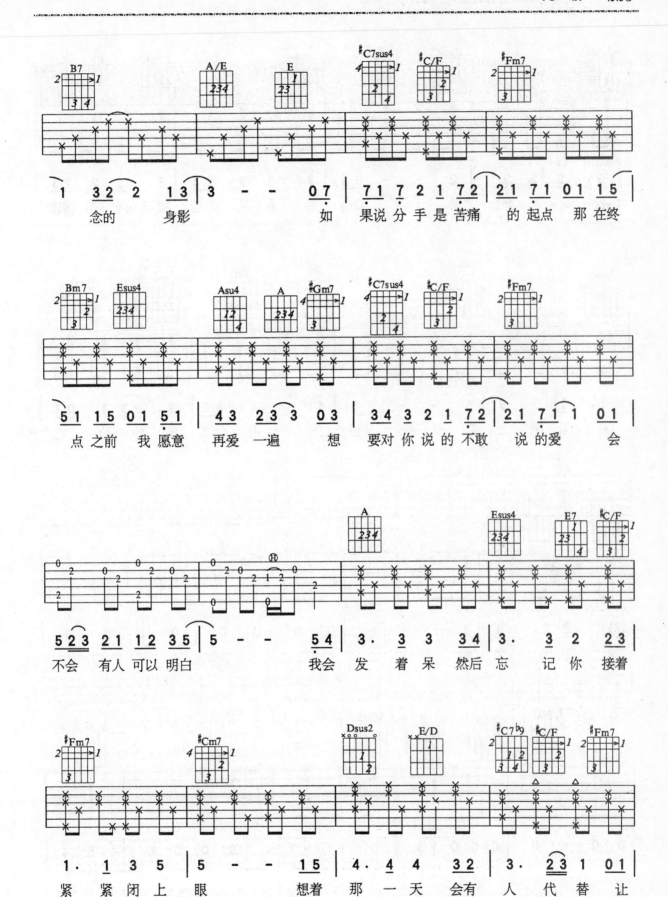

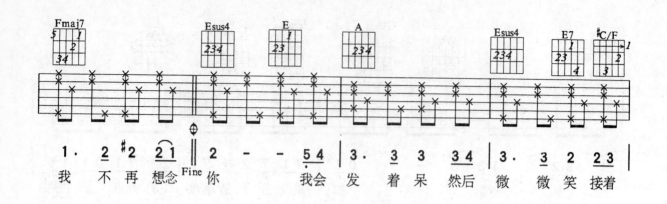

我　不再　想念 Fine 你　　　我会　发　着　呆　然后　微　微　笑　接着

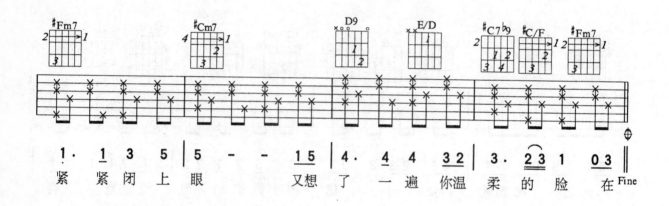

紧　紧　闭　上眼　　　又想　了　一　遍　你温　柔　的　脸　在 Fine

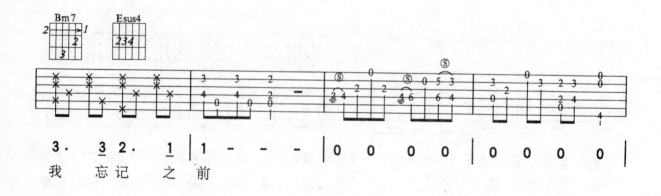

我　　忘记　之　前

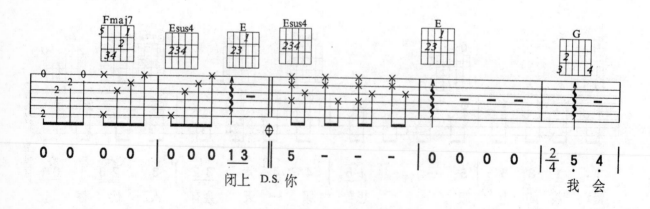

闭上 D.S. 你　　　　　　　　　　　我　会

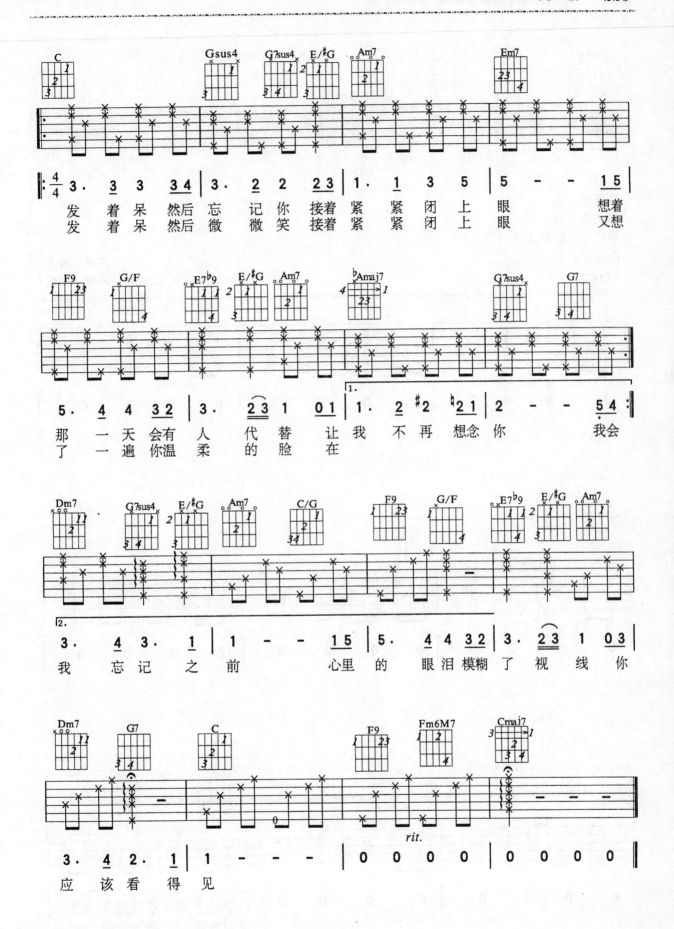

寒 雨

许常德　词
熊天平　曲
原调E　选用调D
Capo　2
Tempo　4/4

齐秦　演唱
王鹰　马鸿　编配

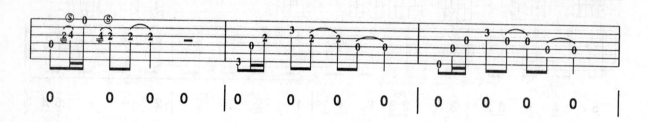

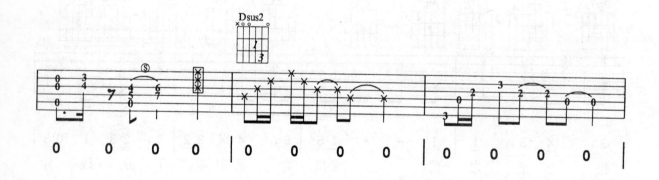

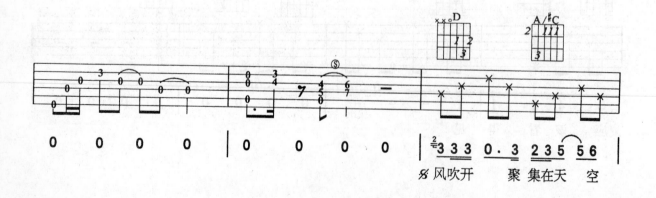

§ 风吹开　聚集在天　空

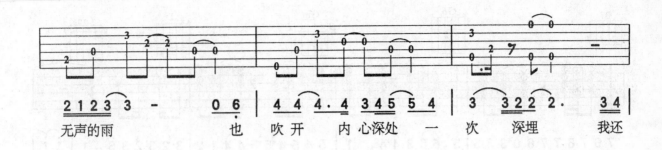

2 1 2 3 3 — 0 6 | 4 4 4·4 3 4 5 5 4 | 3 3 2 2 2· 3 4 |
无声的雨　　　也　吹开　内心深处　一次　深埋　我还

5 5 3 1 1 — | 5 4 3 4 5 4 3 1 1 — | 4 4 4 4 3 4 4 3 3 3 4 | 3 2 2 2 0 0 5 |
是　属于你　　放　晴的天　空里　有一种　突然想拥抱　人　的情绪　　等

3 0·3 2 3 5 5 6 | 2·3 3 0 0 2 3 | 4 3 1 1· 4 3 4 | 3· 2 2 2 0 1 |
待　直到爱变　成阴霾　　全世　界的人　　在　伞下躲　起来　只

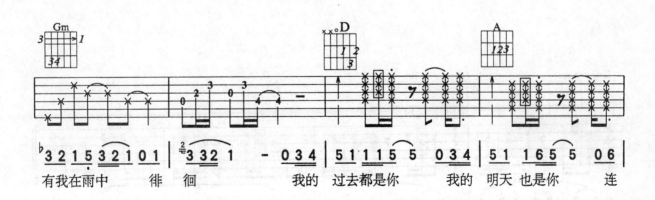

♭3 2 1 5 3 2 1 0 1 | ²3 3 2 1 — 0 3 4 | 5 1 1 1 5 5 0 3 4 | 5 1 1 6 5 5 0 6 |
有我在雨中　徘徊　　我的　过去都是你　我的　明天　也是你　连

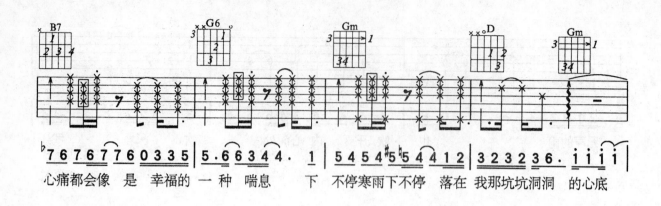

心痛都会像 是 幸福的一 种 喘息 下 不停寒雨下不停 落在 我那坑坑洞洞 的心底

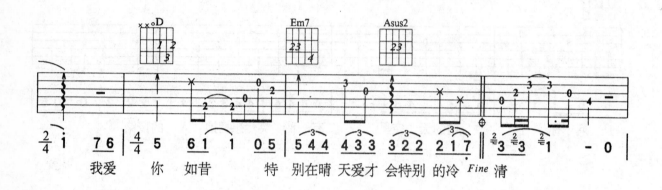

我爱 你 如昔 特 别在晴 天爱才 会特别 的冷 *Fine* 清

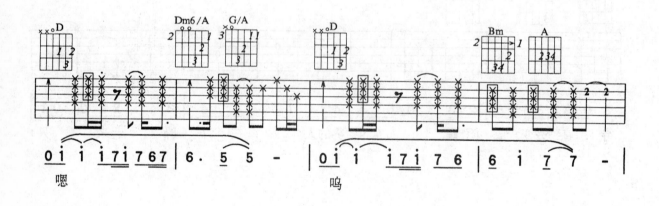

嗯 呜

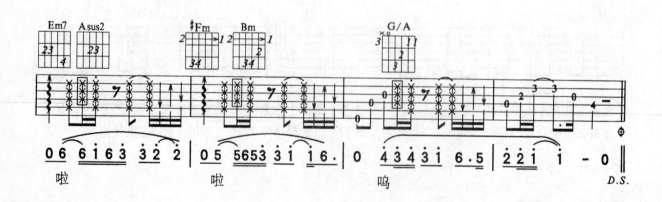

啦 啦 呜 *D.S.*

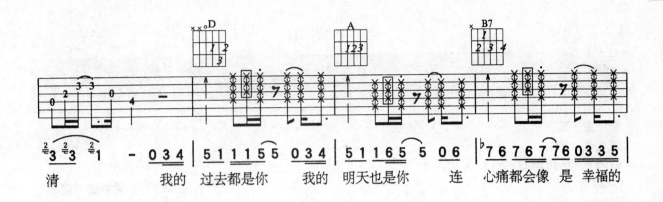

清　　　　我的　过去都是你　　　我的　明天也是你　　连　心痛都会像　是 幸福的

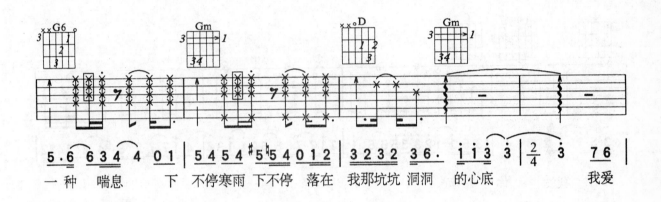

一 种　喘息　　下 不停寒雨 下不停　落在　我那坑坑 洞洞　的心底　　　　我爱

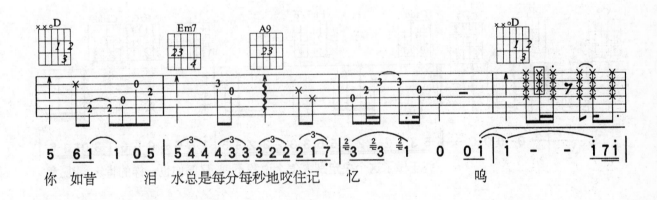

你 如昔　　泪 水总是每分每秒地咬住记　忆　　　呜

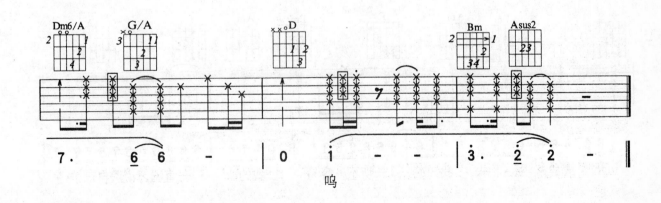

呜

勇 气

瑞 业 词
光 良 曲
原调 F　选用调 C
Capo　5
Tempo　4/4

梁静茹　演唱
王鹰　马鸿　编配

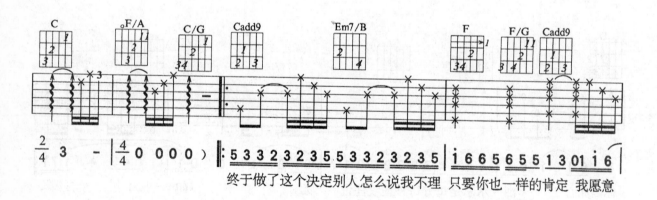

终于做了这个决定别人怎么说我不理 只要你也一样的肯定 我愿意

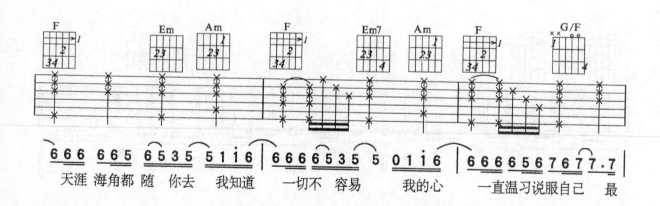

天涯 海角都 随 你去 我知道 一切不 容易 我的心 一直温习说服自己 最

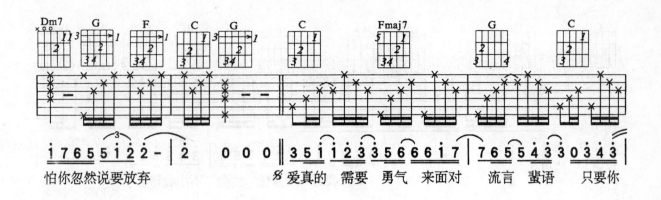

怕你忽然说要放弃　　爱真的 需要 勇气 来面对 流言 蜚语 只要你

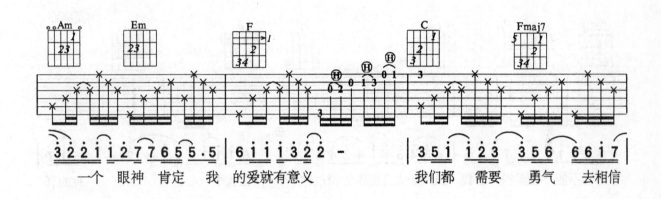

一个 眼神 肯定 我 的爱就有意义　　我们都 需要 勇气 去相信

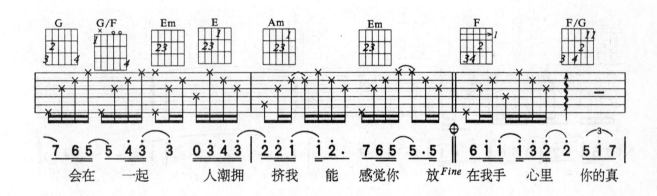

会在 一起　　人潮拥 挤我 能 感觉你 放 Fine 在我手 心里 你的真

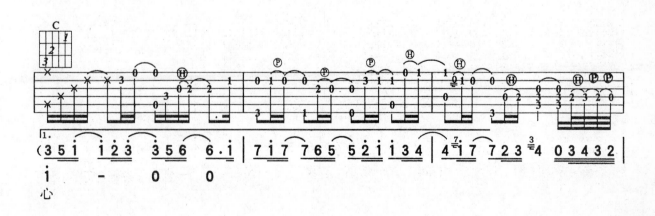

心

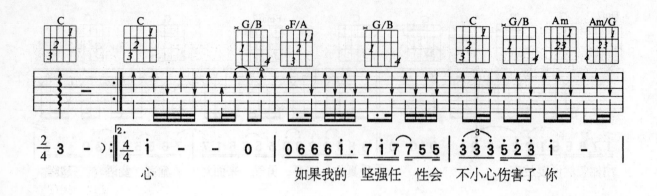

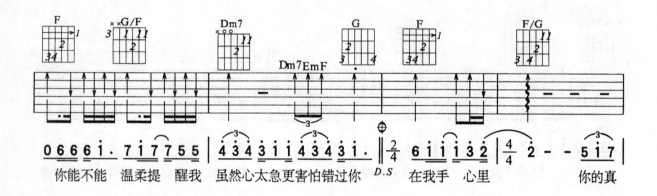

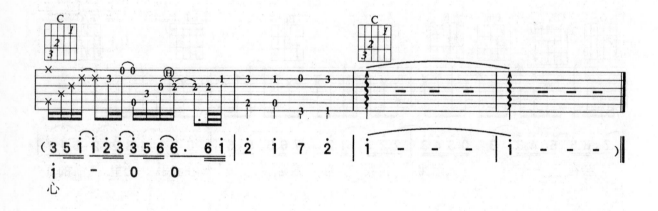

表面的和平

陈绮贞　词
陈绮贞　曲
原调 F　选用调 G
所有空弦降低全音
Tempo 4/4

陈绮贞　演唱
王鹰　马鸿　编配

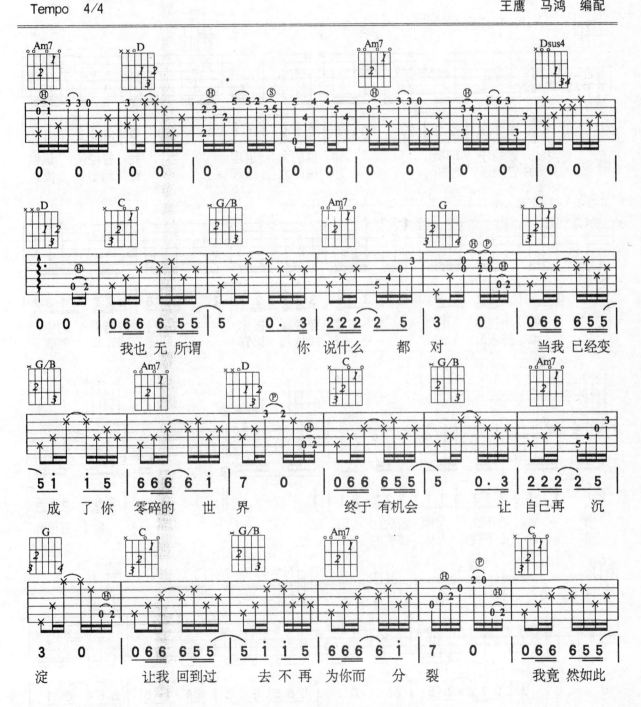

我也无所谓　　你说什么　都　对　　当我已经变

成了你 零碎的　世　界　　终于有机会　　让 自己再　沉

淀　　让我 回到过　去不再 为你而　分　裂　　我竟 然如此

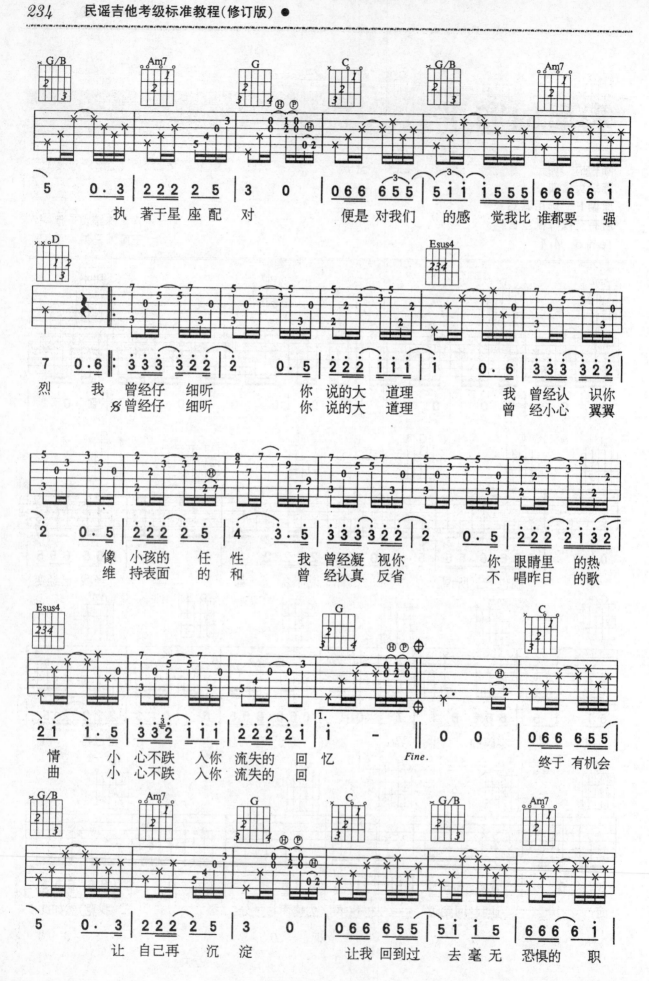

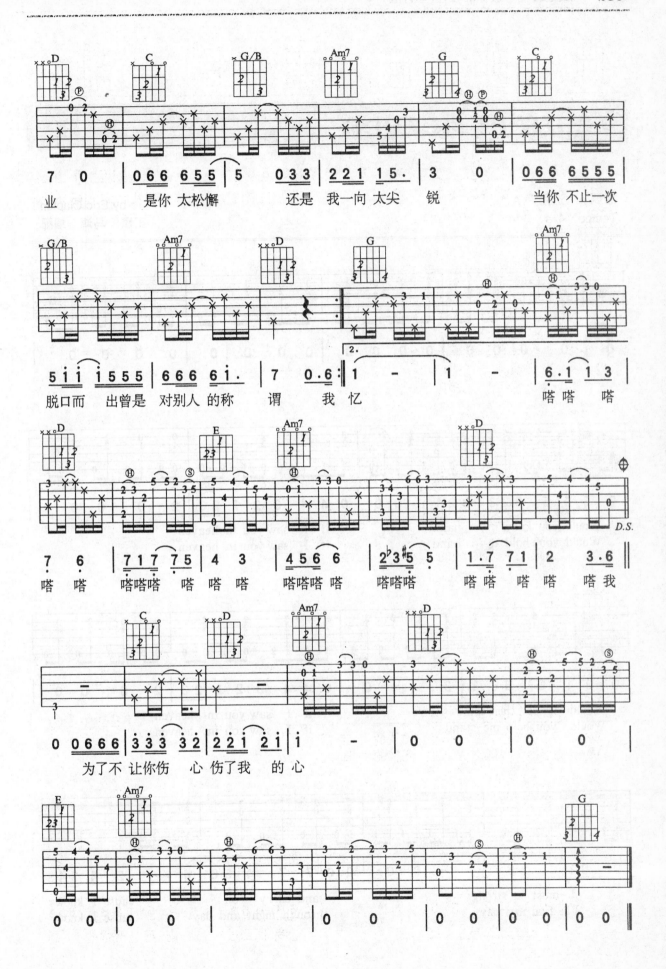

Tears in Heaven

原调 A　选用调 A
Tempo　4/4

by Eric Clapton

王鹰　马鸿　编配

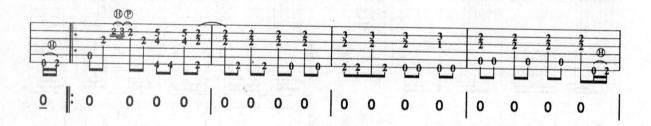

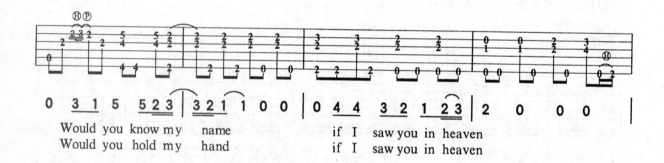

0　3 1 5　5 2 3 ⌒ 3 2 1　1 0 0　｜　0 4 4　3 2 1 2 3 ⌒ 2 0 0 0　｜

Would you know my　name　if I　saw you in heaven
Would you hold my　hand　if I　saw you in heaven

0　3 1 5　5 6 3 ⌒ 3　- - 0　｜　0 4 4　3 2 1 2 3 ⌒ 2 0 0 0　｜

Would it be the same　if I　saw you in　heaven
Would you help me stand　if I　saw you in　heaven

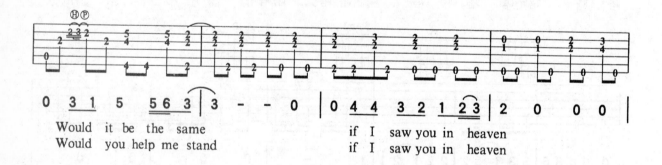

0　0 1 1　2 6 7 7　7 - 0 0　｜　0 0 ♭7 7　1 5 6 6　- 2 3 3 4　｜

I must be strong　and carry　on　'cause I know
I'll find my way　through night and day　'cause I know

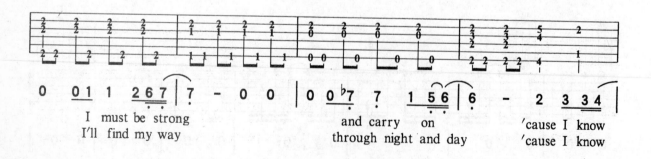

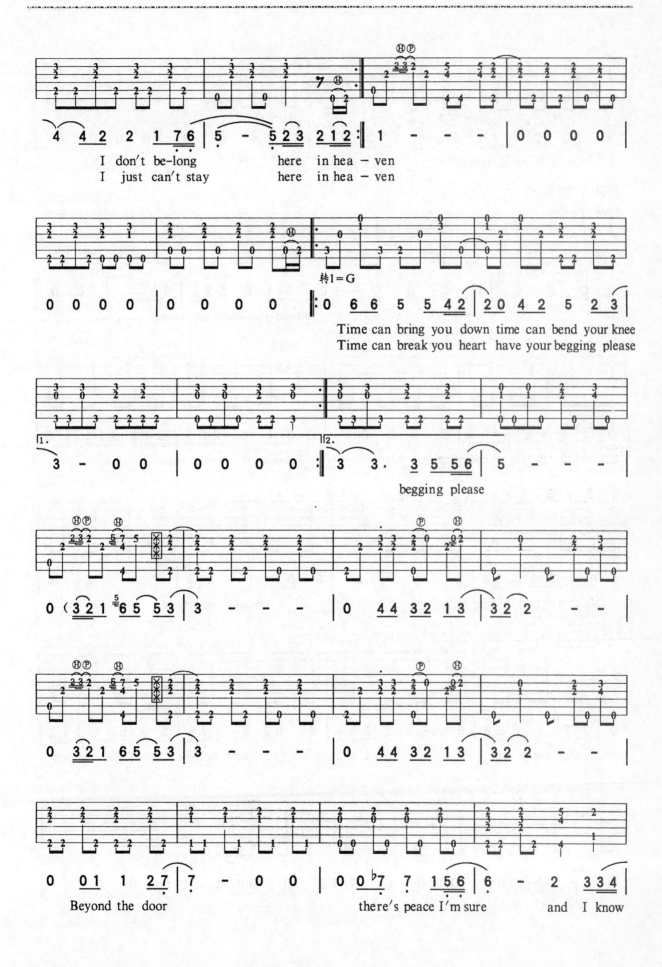

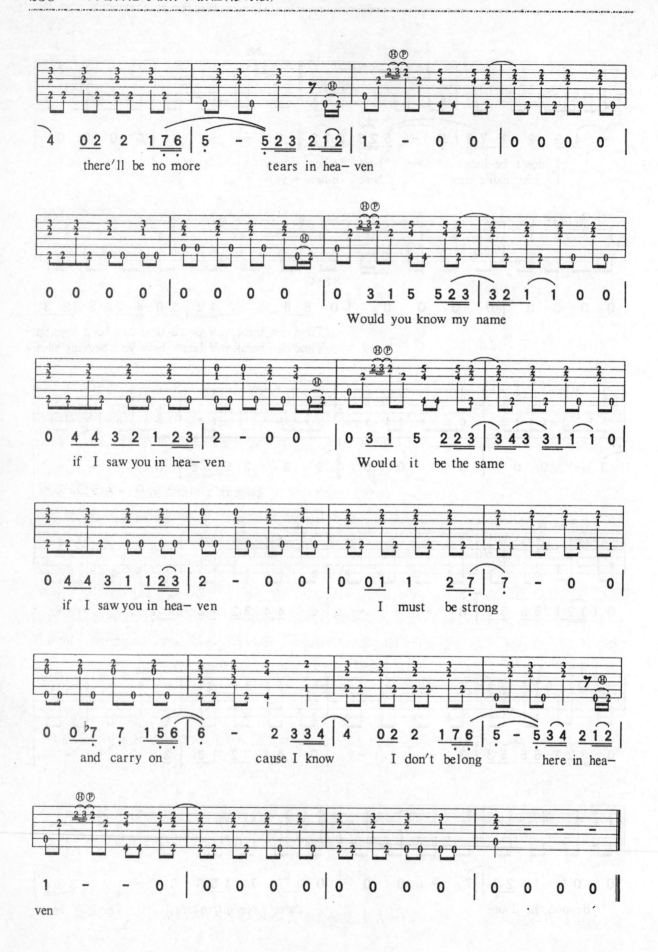

there'll be no more   tears in hea- ven

Would you know my name

if I saw you in hea- ven   Would it be the same

if I saw you in hea- ven   I must be strong

and carry on   cause I know   I don't belong   here in hea-

ven

十　级

乐理知识

（一）爵士概论

爵士乐发源于美国南部的新奥尔良，距今已经有一百多年的历史。它是在布鲁斯和拉格泰姆这两种音乐形式的基础之上发展起来的。

"布鲁斯"是英文"Blues"的音译，"Blues"在英文里是"蓝色"的意思，所以有人又将它译作"蓝调"。Blues 的速度比较舒缓，节拍为四二拍或四四拍。它的音阶也很有特点，即在普通的大调音阶上降 III 级音和降 VII 级音。由于这些降半音的音符有小调的特征，所以 Blues 听起来大都哀怨、悲切。

"拉格泰姆"是英文"Ragtime"的音译，直译是"散拍子"，它最初是一种钢琴音乐。Ragtime 的最大特点是切分，左手在低音区弹奏有规律的双拍子，右手则在高音区进行连续不断的重音变化。这样，左右手恰好错开，形成变化莫测的节奏效果。

后来，一些音乐家在模仿 Blues 歌手忧郁沙哑的演唱时，将旋律自由地切分，凭自己的天分和想像力把 Blues 和 Ragtime 融合起来，并进一步发展，从而形成了一种新的音乐——Jazz。

爵士乐博大精深，在美国，除了职业的爵士乐队外，还有 300 多所大学设有爵士专业的课程。在它一百多年的发展历程中，Big Band、Swing、Bebop、Cool Jazz、Fusion 等不同流派代表了不同时期的音乐理念，但总体上来讲，它们都有 Jazz 音乐的共性：

1. 旋律：

Jazz 常采用 Blues 音阶，但又常在此基础之上增加其他一些变化音，显得更加丰富多彩。

2. 节奏：

其他风格的音乐也有切分，但不像爵士乐使用得那么频繁，Jazz 的切分节奏复杂多样，特别是跨小节的连续切分把原有的节奏整小节移位，造成一种飘忽不定的游移感。

3. 和声：

Jazz 和声非常复杂，一般以七和弦为基础叠加更高位的扩展音，如九音、十一音、十三音，并使用大量替代和弦，和声效果丰富多彩。

4. 即兴：

即兴是 Jazz 的生命力源泉。根据规定的和声走向，利用丰富多变的节奏，音乐家在爵士天地中享有最充分的发挥空间。

（二）爵士的和声特色

爵士和声以七和弦为基础，这是它最明显的标志。

我们来看下表：

音阶	1	2	3	4	5	6	7
顺阶三和弦	C	Dm	Em	F	G	Am	Bdim
顺阶七和弦	Cmaj7	Dm7	Em7	Fmaj7	G7	Am7	Bm7−5

Ⅰ—Ⅵ—Ⅱ—Ⅴ是我们常用的一个和声套子，以 C 大调为例，以前大家通常弹为：

C—Am—Dm—G—C

如果想弹出点爵士味的话，你可以这么弹：

Cmaj7—Am7—Dm7—G7—Cmaj7

不过，以上的和弦里所有的音都是 C 大调的自然音阶中的音，上面的弹法虽然不能算错，但没有半音的变化使和声进行显得平淡了一些。

下面，我们将和弦做一点变化：

Cmaj7—A7—D7—G7—Cmaj7

大家可以发现，Ⅵ级和Ⅱ级由小七和弦变成了属七和弦，A7 和 D7 虽然不是 C 大调的自然音阶和弦，但听起来更有爵士味。这种和弦我们称之为"**离调和弦**"。

使用带变化音的离调和弦，这是爵士和声的第二个特点。

爵士和声的第三个特点是延伸和弦的大量使用。而延伸和弦是在七和弦基础上叠加更高位的和弦音而形成的。

延伸和弦又可细分为以下几种：

1. 大七和弦系

Cmaj7 ，　"1 3 5 7"

Cmaj9　　　"1 3 5 7 $\dot{2}$"

Cmaj #11　"1 3 5 7 $\dot{2}$ #$\dot{4}$"

Cmaj13　　"1 3 5 7 $\dot{2}$ $\dot{4}$ $\dot{6}$"

2．属七和弦系

C7　　　"1 3 5 ♭7"

C9　　　"1 3 5 ♭7 $\dot{2}$"

C11　　"1 3 5 ♭7 $\dot{2}$ $\dot{4}$"

C13　　"1 3 5 ♭7 $\dot{2}$ $\dot{4}$ $\dot{6}$"

3．小七和弦系

Cm7　　　"1 ♭3 5 ♭7"

Cm9　　　"1 ♭3 5 ♭7 $\dot{2}$"

Cm11　　"1 ♭3 5 ♭7 $\dot{2}$ $\dot{4}$"

Cm13　　"1 ♭3 5 ♭7 $\dot{2}$ $\dot{4}$ $\dot{6}$"

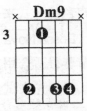
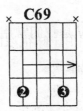

另外还有一种六和弦的延伸和弦：

C6　　　"1 3 5 6"

Cm6　　"1 ♭3 5 6"

C69　　"1 3 5 6 $\dot{2}$"

Cm69　"1 ♭3 5 6 $\dot{2}$"

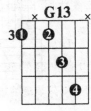
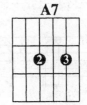

这样，对于 Ⅰ—Ⅵ—Ⅱ—Ⅴ，我们又有了新的弹法：

C69—A7—Dm9—G13—C69

这也是爵士乐中非常经典的一个和声进行的套子。

最后，由属七和弦延伸而来的变化引伸和弦也很常
用。例如：

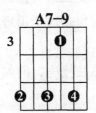
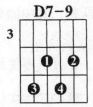

C7−5　　"1 3 ♭5 ♭$\dot{7}$"

C7+5　　"1 3 #5 ♭$\dot{7}$"

C7−9　　"1 3 5 ♭7 ♭$\dot{2}$"

C7+9　　"1 3 5 ♭7 #$\dot{2}$"

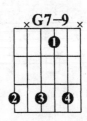
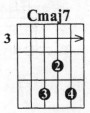

所以，下面的进行也很不错：

Cmaj7—A7－9—D7－9—G7－9—Cmaj7

最后我们要告诉大家，爵士和声的变化是难以用语言描述清楚的。朋友们要多比较、多思考，然后根据自己的感觉编写出美妙的音符。

技巧训练

Bossa Nova

Bossa Nova 是目前非常流行的一种爵士乐，这种音乐的代表作《The Girl From Ipanema》在全球播放率高居前五之列。

Bossa Nova 源自巴西，Bossa 是一种拉丁节奏，"Nova"是葡萄牙语"新"的意思；而Bossa Nova 则是巴西传统音乐与美国爵士音乐的混合体，它有着热情律动的节奏，却又以不动声色的形式来表达。

Bossa Nova 采用爵士味很浓的多音和弦，像七和弦、九和弦、十三和弦等，其极富变化的节奏很适合用吉他来演奏。

我们先来试试这一段：

很明显，这个节奏在第一拍的后半拍和第四拍的前半拍出现了休止，目的是加强节奏的跳跃感，其中的切音也是这个道理。

也可以不使用拍弦技法，例如：

下面是一个和弦进行的练习：

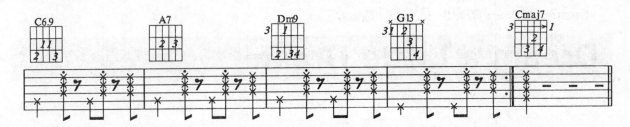

这是《The Girl From Ipanema》中的一段精彩的独奏，朋友们来体会一下 Bossa Nova 的浪漫感觉吧！

（1=♭A　4/4《The Girl From Ipaneme》）

巴西人奉献给了世界三大音乐：Lambada、Samba 和 Bossa Nova。作为拉丁爵士的一个类型，Bossa Nova 的节奏与和声都值得大家仔细揣摩，希望通过对这种优雅浪漫的音乐的学习，大家的弹唱水平能够达到一个新的高度。

曲目分析

1.《Dream a Little Dream》是典型的 Swing 风格，那种摇摆的感觉一定要弹出来。

2.《普通朋友》的间奏和尾奏是将两把吉他糅在一起重新编配的，演奏起来有一定难度。另外，这首歌的音区较高，演唱时要用好假声的技巧。

Dream a Little Dream

原调 C 转 A　选用调 C 转 A

by Laura Fygi

Tempo　　4/4

王鹰　马鸿　编配

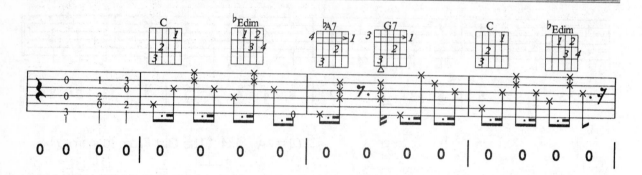

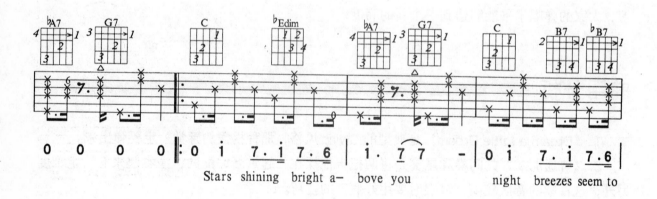

Stars shining bright a- bove you　　　night breezes seem to

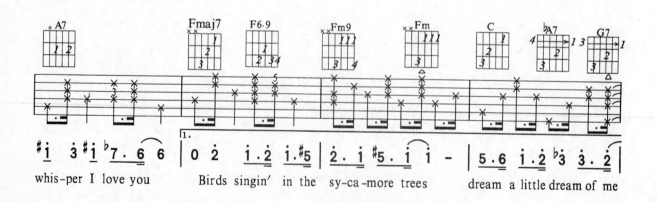

whis-per I love you　　Birds singin' in the sy-ca-more trees　　dream a little dream of me

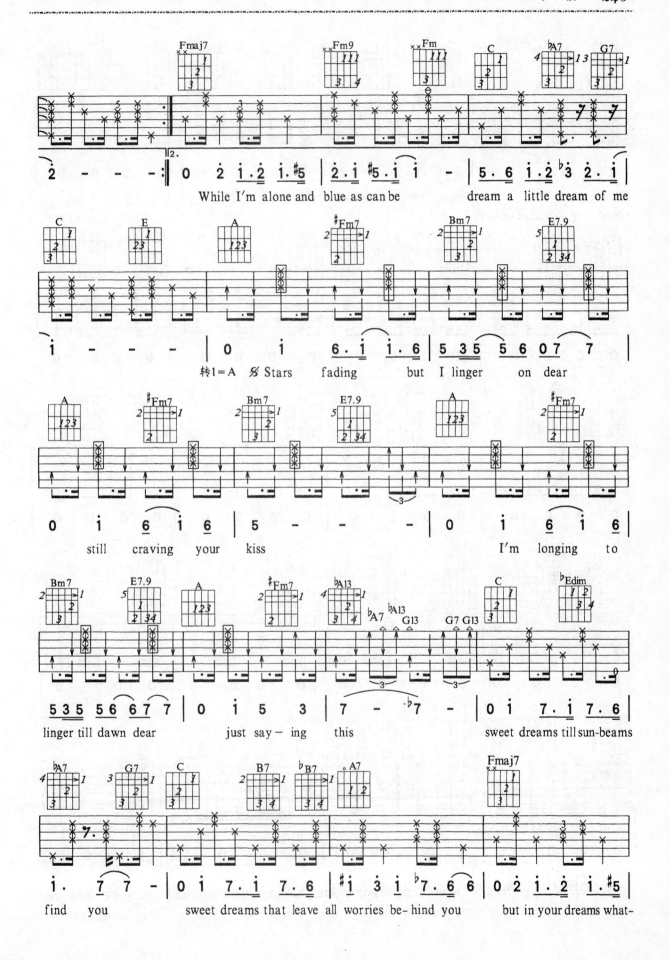

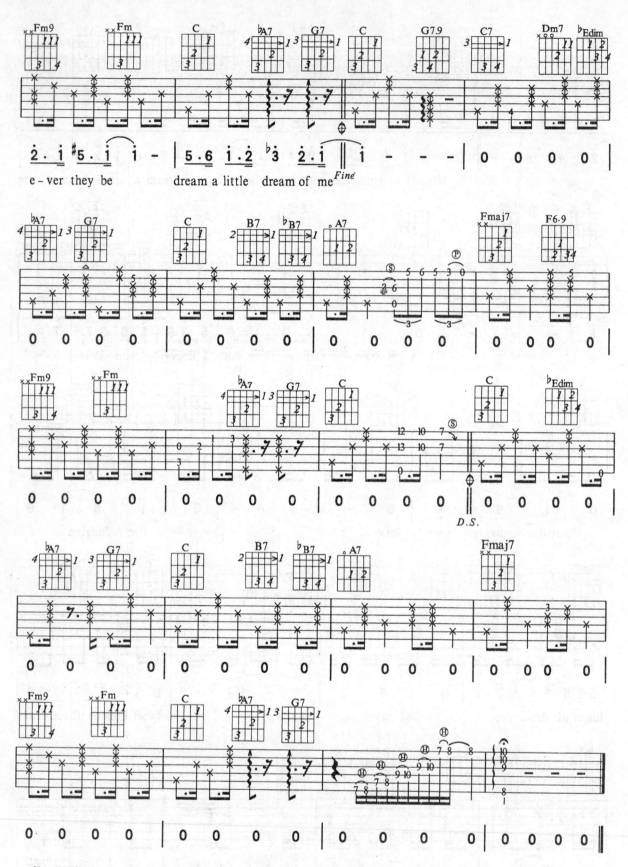

e - ver they be　　dream a little dream of me *Fine*

第二段歌词: Say "nighty-night" and kiss me just hold me tight and tell me you'll miss me.

她来听我的演唱会

梁文福　词
黄明洲　曲
原调#F　选用调G
各弦均调低半音
Tempo　4/4

张学友　演唱
王鹰　马鸿　编配

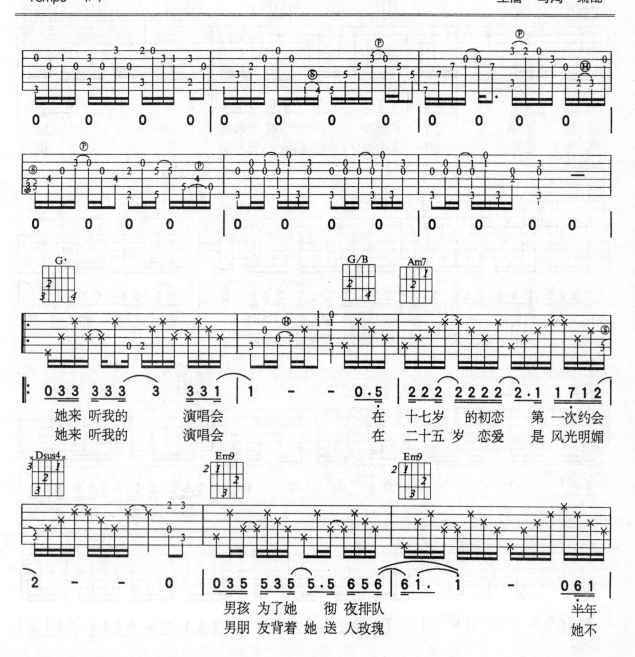

她来 听我的　　演唱会　　　　　　　在 十七岁　的初恋　第 一次约会
她来 听我的　　演唱会　　　　　　　在 二十五岁　恋爱　是 风光明媚

男孩 为了她　彻 夜排队　　　　　　　　　　　　　　半年
男朋 友背着 她 送 人玫瑰　　　　　　　　　　　　　她不

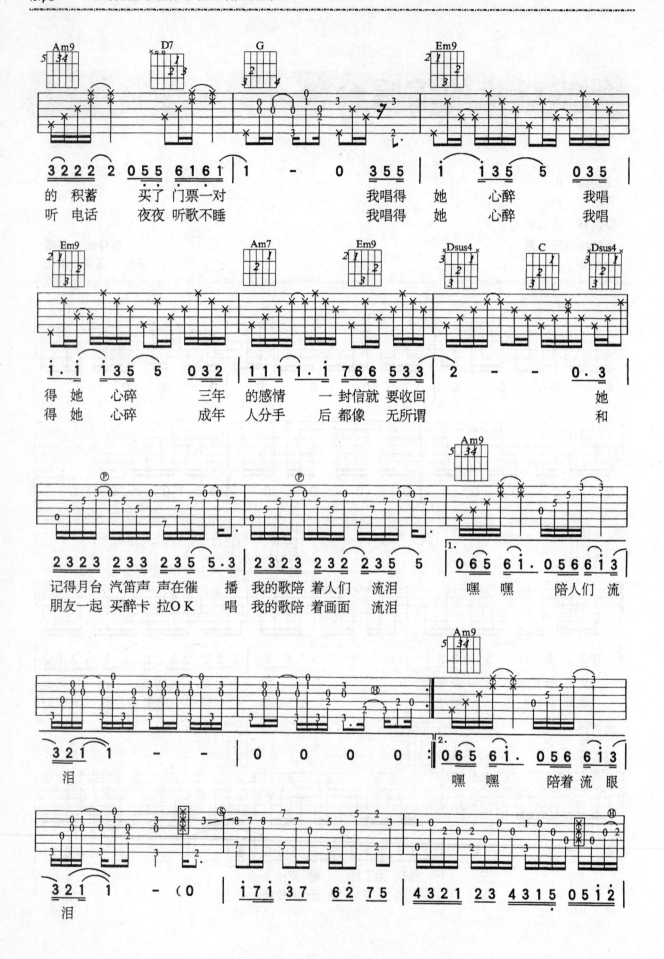

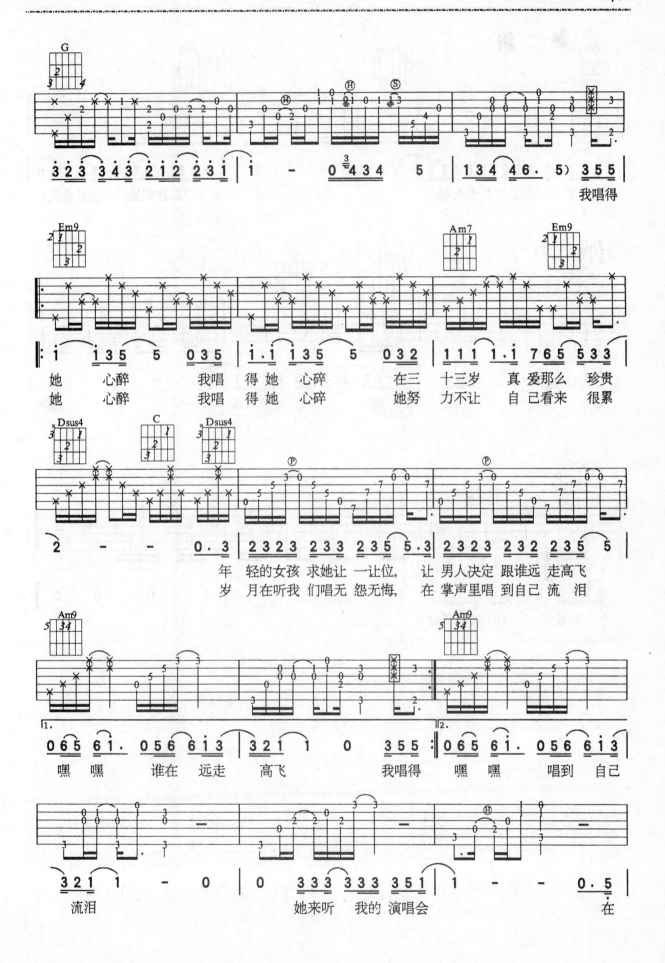

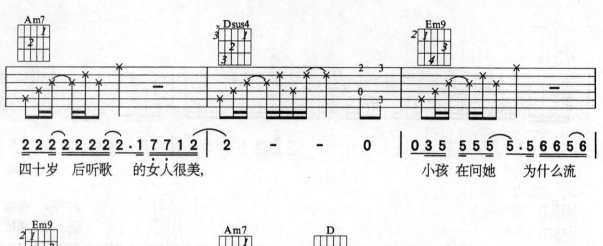

四十岁 后听歌 的女人很美, 　　　　　小孩 在问她 　为什么流

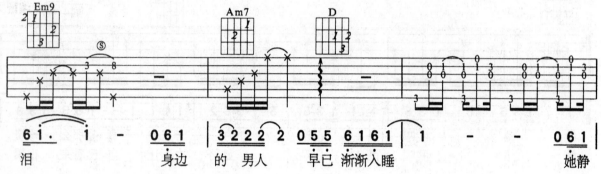

泪 　　　　　身边 的 男人 早已 渐渐入睡 　　　　她静

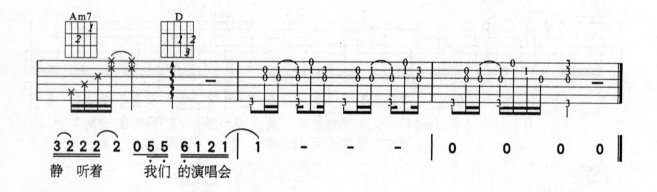

静 听着 　我们 的演唱会

外面的世界（爵士版）

齐 秦 词
齐 秦 曲
原调 G 选用调 G
Tempo 4/4

齐 秦 演唱
晓 非 编配

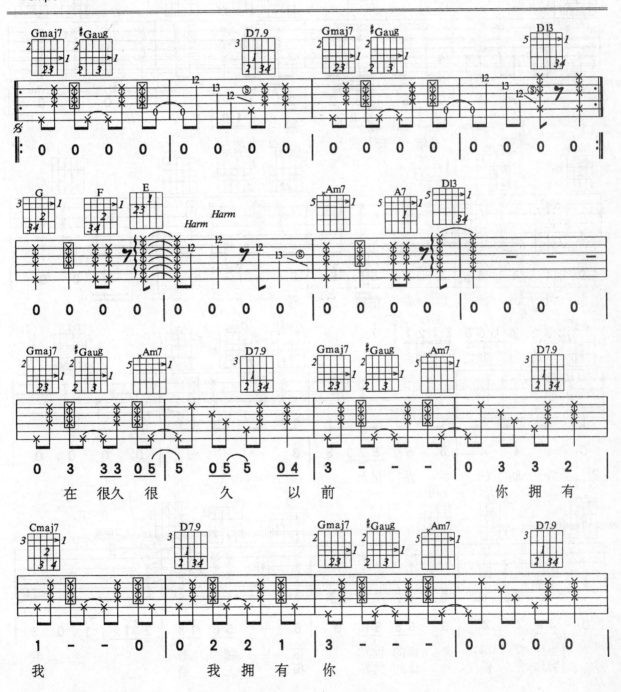

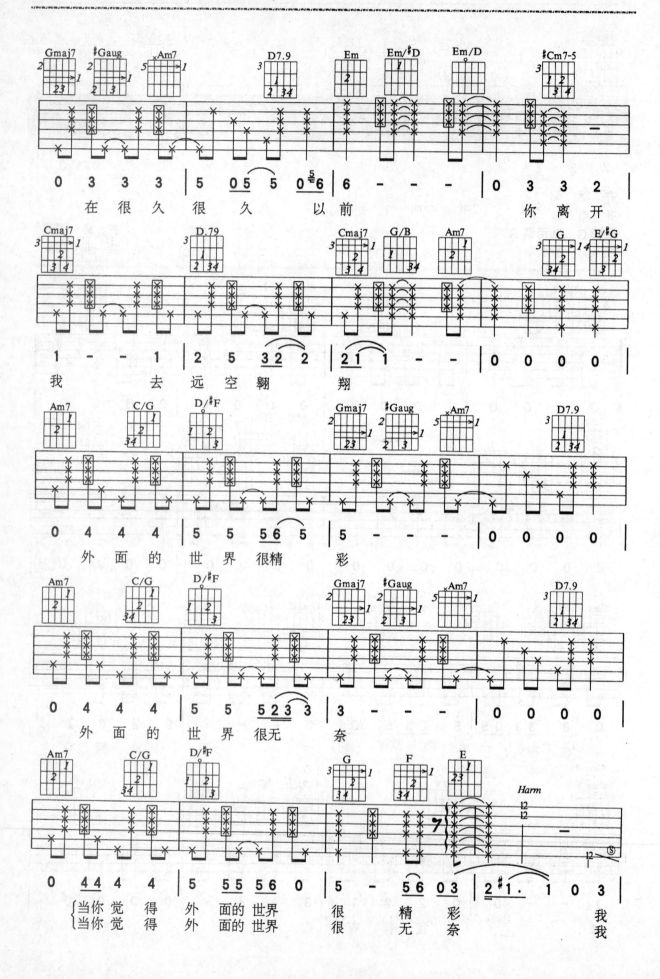

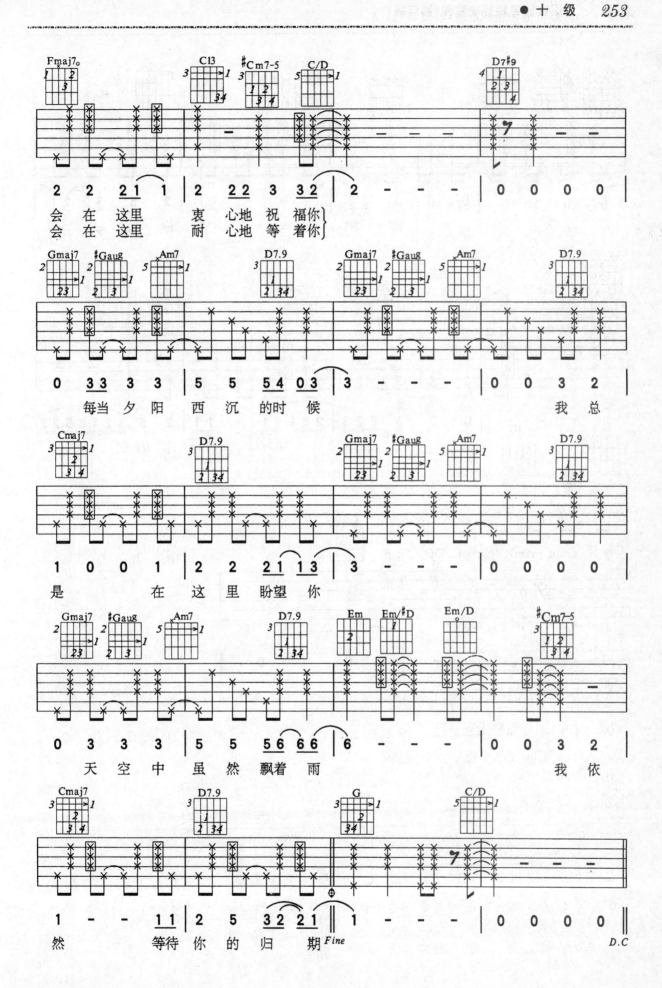

会 在 这里 衷 心地 祝 福你
会 在 这里 耐 心地 等 着你

每当 夕阳 西 沉 的 时 候 我 总

是 在 这里 盼望 你

天 空 中 虽 然 飘着 雨 我 依

然 等待 你 的 归 期 *Fine*

D.C

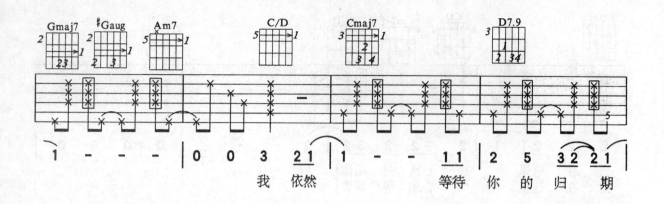

我 依然   等待 你 的 归 期

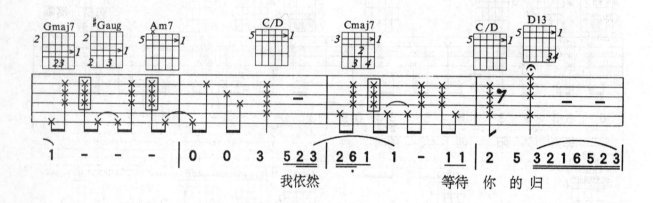

我依然   等待 你 的 归

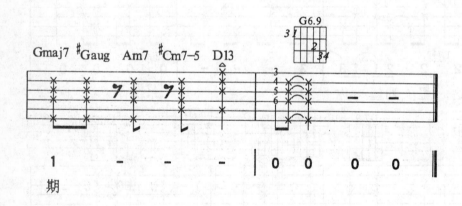

期

普通朋友

姚 谦 词
陶 喆 曲
原调F 选用调E

陶喆 演唱
王鹰 马鸿 编配

Capo 1
Tempo 4/4

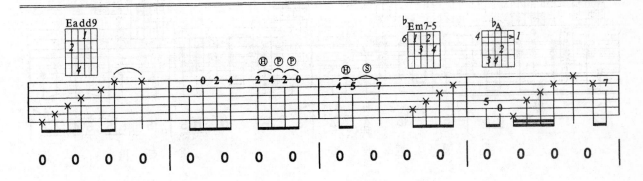

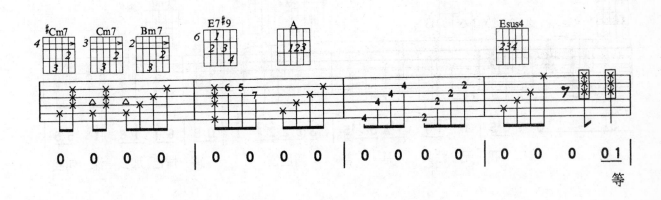

等

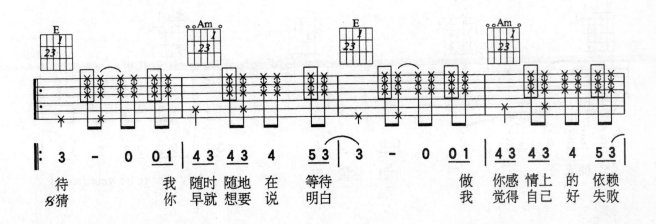

待　　　　我 随时 随地 在　等待　　　　做　你感 情上 的 依赖
猜　　　　你 早就 想要 说　明白　　　　我　觉得 自己 好 失败

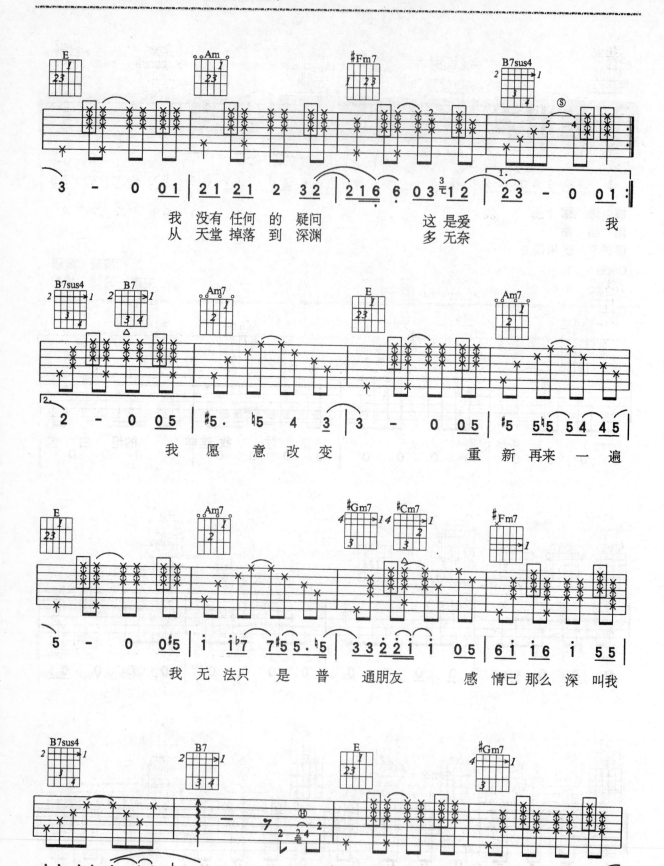

我 没有 任何 的 疑问　　这 是爱　　　　　　我
从 天堂 掉落 到 深渊　　多 无奈

我 愿 意 改 变　　　重 新 再来 一遍

我 无 法只 是 普 通朋友　　感 情已 那么 深 叫我

怎么 能放 手　　　但 你说 啊　　　I only want to be your friend

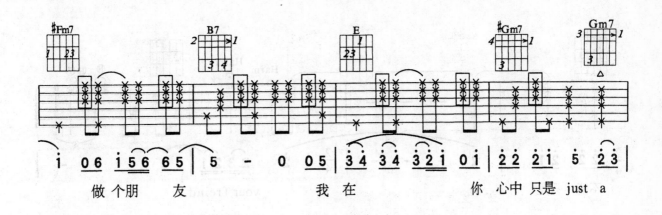

做个朋 友　　　　　我 在　　　　你 心中 只是 just a

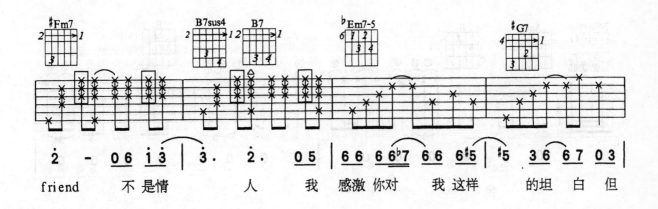

friend 不是情　　人　我 感激 你对　我 这样　的坦 白 但

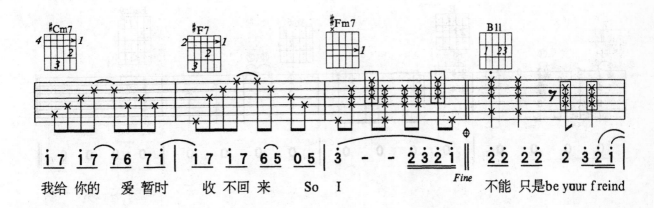

我给 你的　爱暂时　收 不回 来　So　I　不能 只是 be your freind

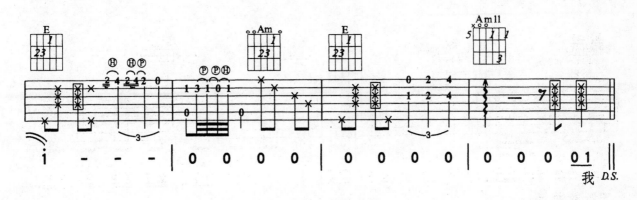

我

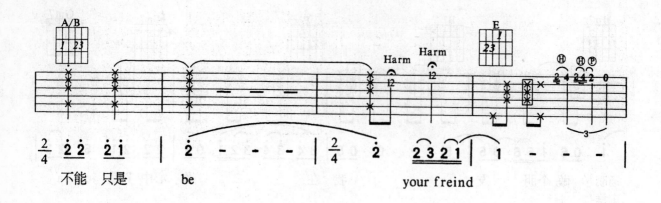

不能　只是　　be　　　　　　　　your freind

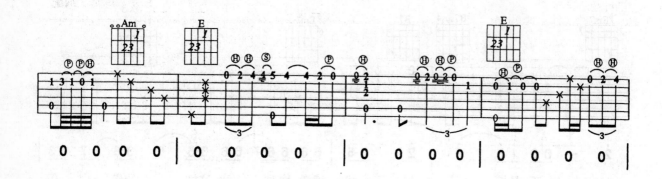

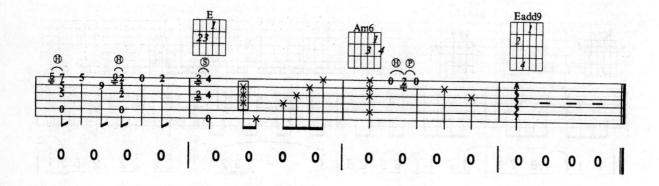

旋 木

杨明学　词
袁惟仁　曲
原调D　选用调D
Tempo　4/4

王菲　演唱
王鹰　马鸿　编配

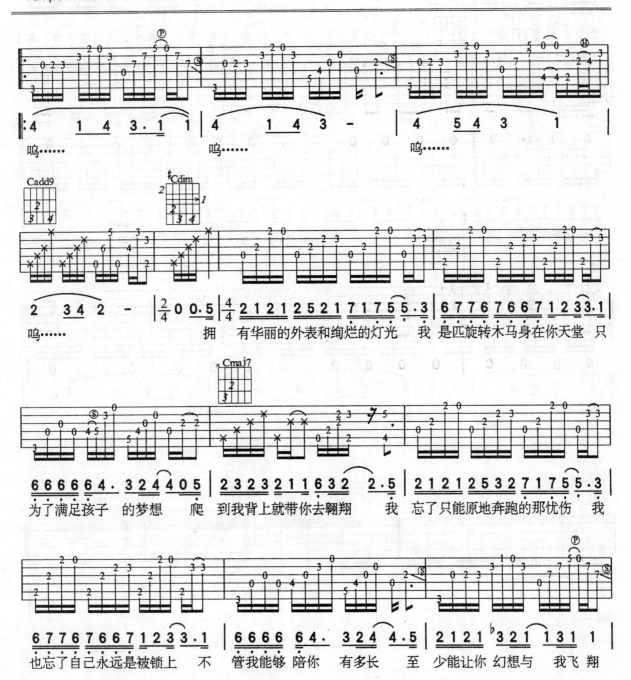

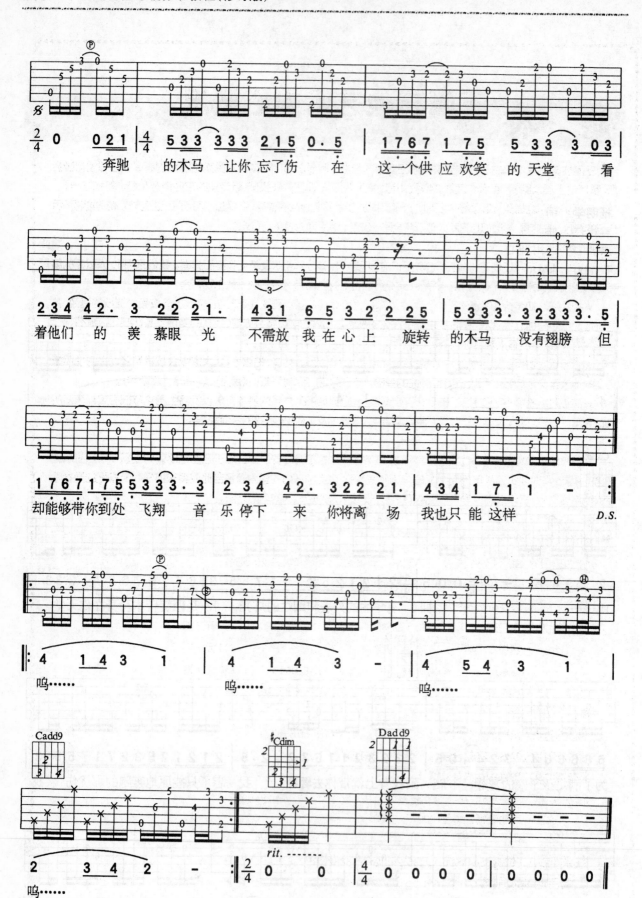

王鹰吉他艺术中心概况

　　王鹰吉他艺术中心由著名吉他演奏家王鹰老师创办，教学总部位于成都人民南路四段的高尚社区锦绣花园会所，琴行位于群众路69号摩卡筑附34号(川音大门斜对面)，是国内最权威、最专业的吉他销售和培训基地之一。

　　培训中心环境优美，设施完善。不仅为学员提供了上课所必需的谱架、脚凳和学习用琴，还有一个随时能够展示自己的舞台。在这里，学员们都有和成都乃至全国一流吉他高手面对面交流的机会。

　　★入门班　　无需任何基础，老师将讲授识谱、调弦、音阶、分解和弦及基础弹奏和弹唱。我们采用10人以下的小组课形式授课，每期20个课时，期满后学员将学会《传奇》《红河谷》《生日快乐》《送别》等。

　　★初级班　　初步介绍和弦知识，让学生了解C调和G调的基本和弦编配方法，突破小横按和大横按的瓶颈，并系统地进行手指独立性训练，最后要求掌握扫弦的技法。期满后学员将会弹唱《我真的受伤了》、《隐形的翅膀》、《丁香花》《童年》、《有没有人告诉你》、《春天里》等。

　　★中级班　　讲授民谣吉他各种演奏技巧，如连音、滑音、泛音、切音、拍弦等，让大家学会拨片和变调夹的使用技巧，学习中、英文经典名曲和最新流行歌曲的弹唱。本班学完，会弹《彩虹》、《遇见》、《十年》、《江南》等。

　　★高级班　　将学习和弦理论，前奏、间奏、尾奏的弹奏和编配，扒带的基本方法以及爵士和声基础和现场表演的技巧等等。本班学完，会弹《勇气》、《没那么简单》、《普通朋友》、《她来听我的演唱会》等。

　　面对希望借考级的契机作为"艺体特长生"在高考中获得加分的同学或立志于在艺术团体和娱乐场所从事职业演出的朋友，培训中心还常年开设专修班，教师由包括王鹰老师在内的国内著名吉他演奏家担任。专修班的同学除了吉他演奏之外，还将全面地学习视唱练耳、音乐理论以及通俗歌曲的演唱方法。

● 小组课 (7到12人)

课时安排：每周1到2次课，约定时间上课，每课时45分钟，共20课时。

课程安排：基本乐理、弹唱、演奏和考级辅导.

招收对象：零基础或各种程度。

收费标准：

入门班	500元/期	中级提高班	650元/期
初级提高班	550元/期	高级班	700元/期
中级班	600元/期	高级提高班	750元/期

● 一对一课：

课时安排：每月4次到8次课，预约时间上课，每课时60分钟。

课程安排：独奏、重奏、合奏、弹唱和基本乐理等。

招收对象：零基础或各种程度。

收费标准：王鹰老师：初级300元/次　中级400元/次　高级500元/次

　　　　　其他老师：100到200元/次

联系电话：(028)85444400　　85124512　　88882211

王鹰吉他新浪微博：http://weibo.com/wyguitar

王鹰吉他网：www.wyguitar.com

图书在版编目(CIP)数据

民谣吉他考级标准教程/王鹰 马鸿编著. —桂林：
漓江出版社,2011.11
ISBN 978-7-5407-5418-1

Ⅰ.①民… Ⅱ.①王… Ⅲ.①六弦琴—奏法—水平考
试—教材 Ⅳ.①J623.2

中国版本图书馆 CIP 数据核字(2011)第 221907 号

民谣吉他考级标准教程(第三版)

编 著	王 鹰 马 鸿
责任编辑	李淑娟
美术编辑	林晓鸿
责任校对	甘智洪
责任监印	杨 东

出 版 人	郑纳新
出版发行	漓江出版社
社 址	广西桂林市南环路 22 号
邮 编	541002
发行电话	0773-2583030
传 真	0773-2583030
邮购热线	0773-2583030
电子信箱	1Jcbs@163.com
网 址	http://www.LiJiang-pub.com
印 制	成都四时教育印务有限责任公司
开 本	880×1230 16 开
印 张	17
字 数	522 千字
版 次	2013 年 10 月第 3 版
印 次	2013 年 10 月第 1 次印刷
书 号	ISBN 978-7-5407-5418-1
定 价	39.80 元